KB129469

누적 1억 명이
선택한 비상교재

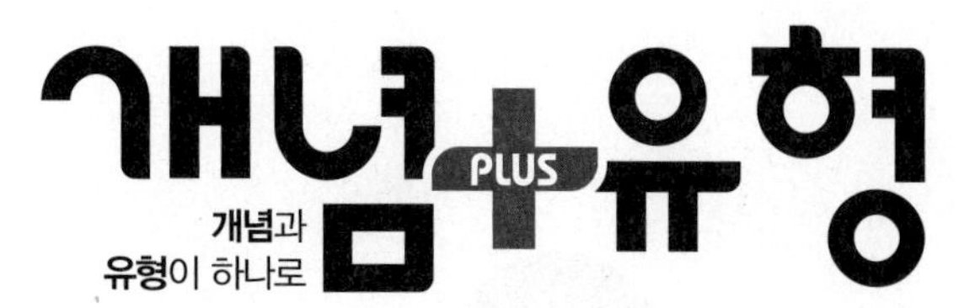

최고수준 TOP 탑

중등 수학

1·2

이 책의 구성

STRUCTURE

Step1 개념+대표 문제 확인하기

단원별로 꼭 알아야 할 핵심 개념과 출제율이 가장 높은 대표 문제로 내신 기본기를 다질 수 있다.

Step2 내신 5% 따라잡기

까다로운 기출문제와 적중률이 높은 예상 문제로 내신 만점을 달성할 수 있다.

step 1 개념+대표 문제 확인하기

• 정답과 해설 29쪽

01 다면체

1 **다면체**: 다각형인 면으로만 둘러싸인 입체도형

(1) 면: 다면체를 둘러싸고 있는 다각형

(2) 모서리: 다각형의 변

(3) 꼭짓점: 다각형의 꼭짓점

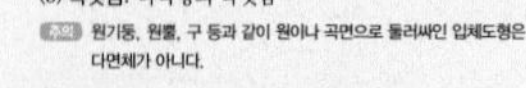

주의 원기둥, 원뿔, 구 등과 같이 원이나 곡면으로 둘러싸인 입체도형은 다면체가 아니다.

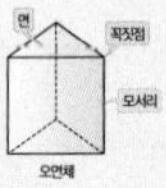

면, 꼭짓점, 모서리, 오면체

2 **각기둥, 각뿔, 각뿔대**

(1) 각기둥: 두 밑면은 서로 평행하고 합동인 다각형이며, 옆면은 모두 직사각형인 다면체

(2) 각뿔: 밑면은 다각형이고, 옆면은 모두 삼각형인 다면체

(3) 각뿔대: 각뿔을 밑면에 평행한 평면으로 잘라서 생기는 두 다면체 중에서 각뿔이 아닌 쪽의 입체도형

다면체	n각기둥	n각뿔	n각뿔대
겨냥도	사각기둥	사각뿔	사각뿔대
밑면의 모양	n각형	n각형	n각형
옆면의 모양	직사각형	삼각형	사다리꼴
면의 개수	$(n+2)$개	$(n+1)$개	$(n+2)$개
모서리의 개수	$3n$개	$2n$개	$3n$개
꼭짓점의 개수	$2n$개	$(n+1)$개	$2n$개

개념 더하기

■ 다면체의 꼭짓점, 모서리, 면의 개수 사이의 관계

바람을 넣어 구와 같은 모양으로 부풀릴 수 있는 다면체에 대하여 꼭짓점의 개수를 v개, 모서리의 개수를 e개, 면의 개수를 f개라 하면 다음이 성립한다.

➡ $v-e+f=2$ ← 오일러 공식

예 위의 그림과 같은 사각뿔대에서 $v=8$, $e=12$, $f=6$이므로 $v-e+f=8-12+6=2$

대표 문제

1 다음 중 다면체가 아닌 것을 모두 고르면? (정답 2개)

① 삼각기둥 ② 직육면체 ③ 정육각형
④ 사각뿔대 ⑤ 원뿔

2 삼각뿔의 모서리의 개수를 a개, 오각뿔대의 꼭짓점의 개수를 b개, 칠각기둥의 면의 개수를 c개라 할 때, $a-b+c$의 값을 구하시오.

3 다음 조건을 모두 만족시키는 입체도형의 이름을 말하시오.

조건
(가) 밑면이 1개이다.
(나) 옆면의 모양은 삼각형이다.
(다) 십면체이다.

4 다음 중 각뿔대에 대한 설명으로 옳지 않은 것은?

① 육각뿔대의 모서리의 개수는 18개이다.
② n각뿔대의 면의 개수는 $(n+2)$개이다.
③ 옆면의 모양은 사다리꼴이다.
④ 두 밑면은 서로 평행하고 합동이다.
⑤ 각뿔대를 밑면에 평행한 평면으로 자르면 항상 각뿔대가 생긴다.

개념 더하기

5 바람을 넣어 부풀리면 구와 같은 모양이 되게 할 수 있는 다면체의 꼭짓점의 개수가 6개, 모서리의 개수가 9개일 때, 이 다면체의 면의 개수를 구하시오.

개념 더하기 핵심 개념과 연계되는 심화 개념 또는 상위 개념

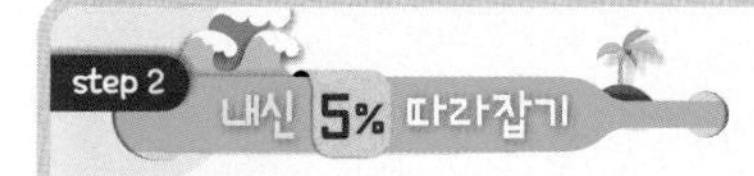

step 2 내신 5% 따라잡기

• 정답과 해설 30쪽

01 다면체

1 다음 중 보기의 입체도형에 대한 설명으로 옳은 것은?

보기
삼각기둥 사각뿔대 원기둥
원뿔 오각뿔 구

① 다면체는 4개이다.
② 꼭짓점의 개수와 면의 개수가 같은 다면체는 2개이다.
③ 옆면의 모양이 모두 사각형인 다면체는 3개이다.
④ 육면체는 2개이다.
⑤ 각 꼭짓점에 모인 면의 개수가 모두 같은 다면체는 3개이다.

교과서 속 심화

2 꼭짓점의 개수가 24개인 각기둥의 모서리의 개수를 a개, 면의 개수를 b개라 할 때, $a-b$의 값은?

① 14 ② 16 ③ 18
④ 20 ⑤ 22

3 오른쪽 그림과 같이 가운데가 뚫린 입체도형에서 꼭짓점의 개수를 v개, 모서리의 개수를 e개, 면의 개수를 f개라 할 때, $v-e+f$의 값을 구하시오.

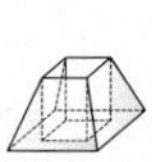

4 n각뿔의 밑면의 대각선의 개수가 14개일 때, n각뿔대의 모서리의 개수를 구하시오.

중요

5 다음 조건을 모두 만족시키는 입체도형의 꼭짓점의 개수를 구하시오.

조건
(가) 두 밑면은 서로 평행하다.
(나) 밑면에 포함되지 않은 모든 모서리를 연장한 직선은 한 점에서 만난다.
(다) 모서리의 개수는 면의 개수보다 14개 더 많다.

02 정다면체

6 다음 중 정다면체에 대한 설명으로 옳지 않은 것은?

① 정육각형을 한 면으로 하는 정다면체는 존재하지 않는다.
② 정사면체, 정팔면체, 정이십면체는 면의 모양이 모두 정삼각형이다.
③ 정사면체를 제외한 모든 정다면체는 서로 평행인 면이 존재한다.
④ 정다면체를 둘러싸고 있는 정다각형의 면의 모양에 따라 정다면체의 이름이 결정된다.
⑤ 정사면체의 각 면의 한가운데에 있는 점을 연결하여 만든 정다면체는 정사면체이다.

내신 1% 뛰어넘기

경시대회와 고난도 기출문제의 변형 및 예상 문제로 내신 만점 이상의 실력을 쌓을 수 있다.

step 3 내신 1% 뛰어넘기

● 정답과 해설 32쪽

01 m각뿔대의 모서리의 개수와 n각기둥의 꼭짓점의 개수의 합이 30일 때, $m+n$의 최댓값과 최솟값을 각각 구하시오.

02 다음 보기 중 오른쪽 그림과 같은 전개도로 만들 수 있는 정육면체를 모두 고르시오.

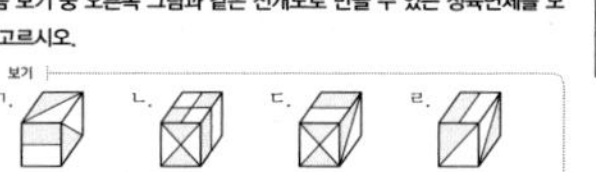

TOP
03 오른쪽 그림과 같이 정삼각형의 한 변의 중점을 지나고 다른 한 변에 수직인 직선 l을 회전축으로 하여 정삼각형을 1회전 시킬 때 생기는 회전체를 한 평면으로 자르려고 한다. 다음 보기 중 이 회전체를 자른 단면의 모양이 될 수 있는 것을 모두 고르시오.

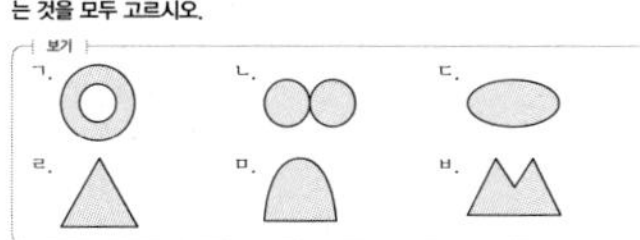

04 오른쪽 그림과 같이 좌표평면 위에 5개의 점 A$(-2, 0)$, B$(-2, -2)$, C$(6, -2)$, D$(6, 5)$, E$(3, 5)$를 꼭짓점으로 하는 오각형 ABCDE가 있다. 오각형 ABCDE를 x축을 회전축으로 하여 1회전 시킨 후, x축을 포함하는 평면으로 자를 때 생기는 단면의 넓이를 구하시오.

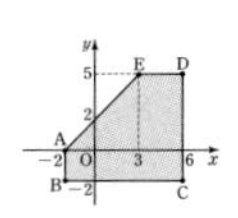

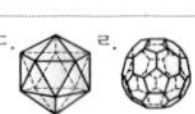

서술형 완성하기

대단원별로 다양한 유형의 서술형 문제와 고난도 서술형 문제를 연습할 수 있다.

5~6 서술형 완성하기

● 정답과 해설 37쪽

모든 문제는 풀이 과정을 자세히 서술한 후 답을 쓰세요.

1 어떤 각뿔대의 모서리의 개수와 면의 개수의 합이 26개일 때, 이 각뿔대의 밑면의 모양은 몇 각형인지 구하시오.

풀이 과정

답

2 다음 보기의 다면체에 대하여 물음에 답하시오.

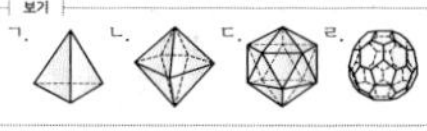

(1) 정다면체가 되기 위한 조건 두 가지를 말하시오.
(2) 보기에서 정다면체가 아닌 것을 찾고, 그 이유를 설명하시오.

풀이 과정
(1)
(2)

답 (1) (2)

3 오른쪽 그림과 같이 직각삼각형 ABC를 $\overline{AC}$를 회전축으로 하여 1회전 시킬 때 생기는 회전체를 회전축에 수직인 평면으로 잘랐다. 이때 생기는 가장 큰 단면의 넓이를 구하시오.

(단, 풀이 과정에 회전체의 겨냥도를 그리시오.)

풀이 과정

답

4 오른쪽 그림과 같은 평면도형을 직선 l을 회전축으로 하여 1회전 시킬 때 생기는 입체도형에 대하여 다음 물음에 답하시오.

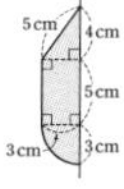

(1) 이 입체도형의 겨냥도를 그리시오.
(2) 이 입체도형의 겉넓이를 구하시오.

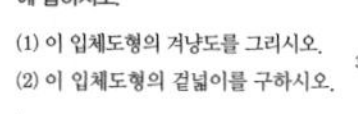

풀이 과정
(1)
(2)

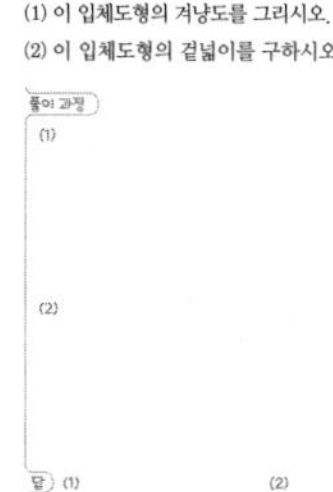

답 (1) (2)

이 책의 차례

CONTENTS

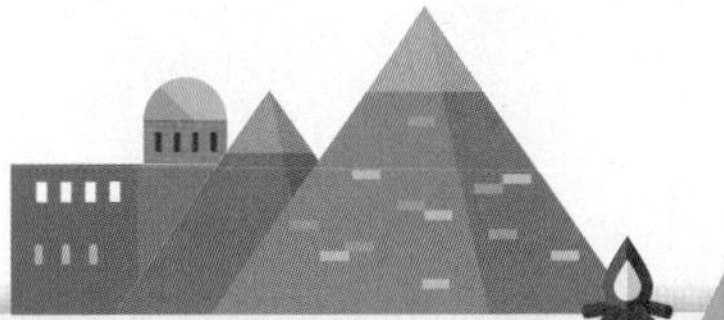
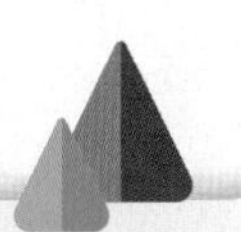

1 기본 도형

● 정답과 해설 1쪽

01 점, 선, 면

1 점, 선, 면

(1) 도형

① **평면도형**: 삼각형, 원과 같이 한 평면 위에 있는 도형

② **입체도형**: 삼각뿔, 원기둥과 같이 한 평면 위에 있지 않은 도형

➡ 모든 도형은 점, 선, 면으로 이루어져 있으므로 점, 선, 면은 도형을 구성하는 기본 요소라 할 수 있다.

(2) 교점과 교선

① **교점**: 선과 선 또는 선과 면이 만나서 생기는 점

② **교선**: 면과 면이 만나서 생기는 선 → 직선과 곡선이 있다.

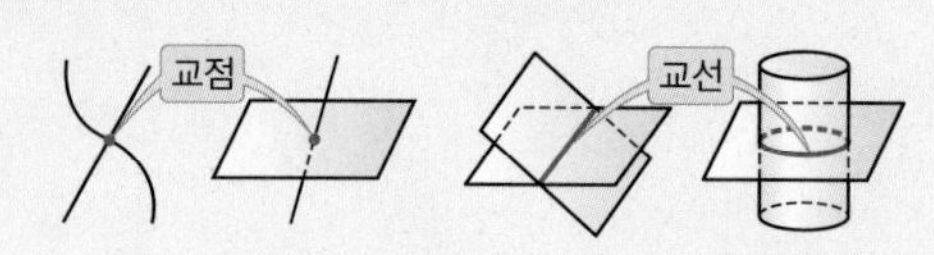

2 직선, 반직선, 선분

(1) **직선의 결정**: 한 점을 지나는 직선은 무수히 많지만 서로 다른 두 점을 지나는 직선은 오직 하나뿐이다.

(2) 직선, 반직선, 선분

① **직선 AB**: 서로 다른 두 점 A, B를 지나는 직선 기호 $\overleftrightarrow{AB}(=\overleftrightarrow{BA})$

② **반직선 AB**: 직선 AB 위의 한 점 A에서 시작하여 점 B의 방향으로 한없이 뻗어 나가는 직선 AB의 부분 기호 $\overrightarrow{AB}$ → $\overrightarrow{AB}\neq\overrightarrow{BA}$

③ **선분 AB**: 직선 AB 위의 두 점 A, B를 포함하여 점 A에서 점 B까지의 부분 기호 $\overline{AB}(=\overline{BA})$

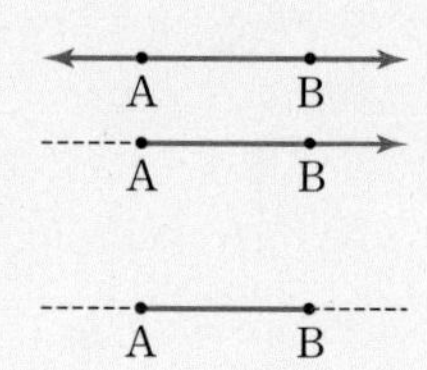

3 두 점 사이의 거리

(1) **두 점 A, B 사이의 거리**: 서로 다른 두 점 A, B를 잇는 무수히 많은 선 중에서 길이가 가장 짧은 선인 선분 AB의 길이

(2) **선분 AB의 중점**: 선분 AB 위의 한 점 M에 대하여 $\overline{AM}=\overline{MB}$일 때, 점 M을 선분 AB의 중점이라 한다. ➡ $\overline{AM}=\overline{MB}=\frac{1}{2}\overline{AB}$

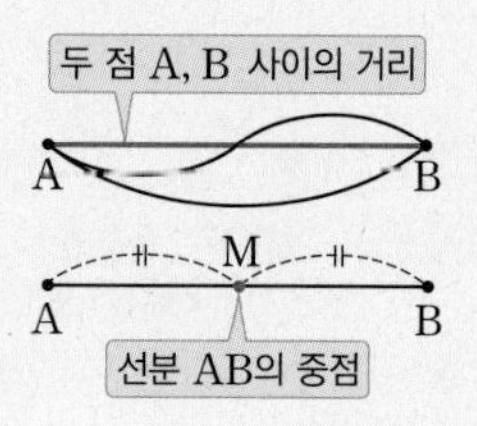

대표 문제

1 오른쪽 그림과 같은 입체도형에서 교점의 개수를 a개, 교선의 개수를 b개라 할 때, $a+b$의 값을 구하시오.

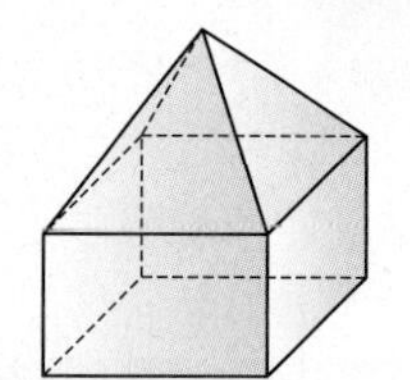

2 아래 그림과 같이 직선 l 위에 세 점 A, B, C가 있다. 다음 중 옳지 않은 것을 모두 고르면? (정답 2개)

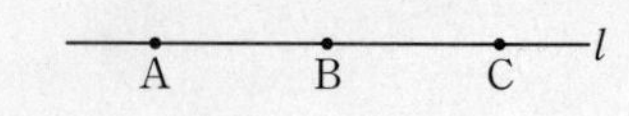

① $\overrightarrow{AB}=\overrightarrow{BA}$ ② $\overleftrightarrow{AC}=\overleftrightarrow{BC}$ ③ $\overrightarrow{CA}=\overrightarrow{BA}$

④ $\overline{BC}=\overline{CB}$ ⑤ $\overleftrightarrow{BC}=l$

3 오른쪽 그림과 같이 원 위에 5개의 점 A, B, C, D, E가 있다. 이 중 두 점을 이어서 만들 수 있는 서로 다른 직선의 개수를 a개, 반직선의 개수를 b개라 할 때, $a+b$의 값을 구하시오.

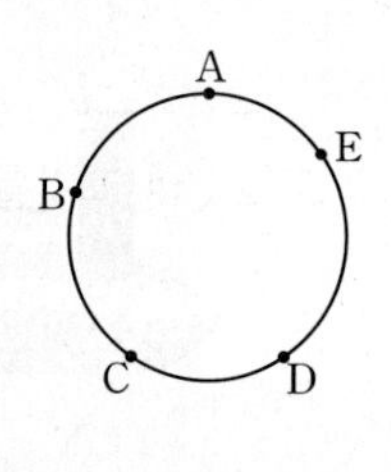

4 다음 그림에서 두 점 M, N은 각각 $\overline{AB}$, $\overline{MB}$의 중점이고 $\overline{AB}=12\,\text{cm}$일 때, $\overline{AN}$의 길이를 구하시오.

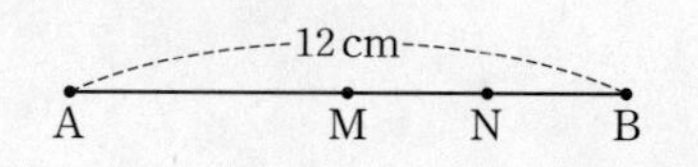

02 각

1 각

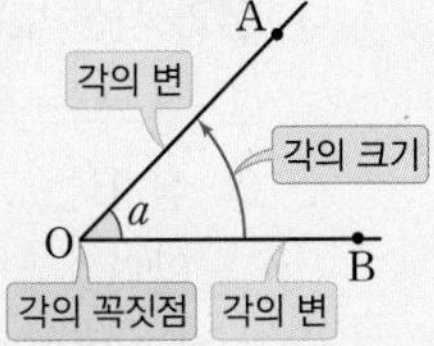

(1) 각 AOB: 한 점 O에서 시작하는 두 반직선 OA, OB로 이루어진 도형

기호 $\angle AOB$, $\angle BOA$, $\angle O$, $\angle a$ → $\angle AOB$, $\angle BOA$와 같이 각의 꼭짓점은 반드시 가운데에 써야 한다.

(2) 각 AOB의 크기: 꼭짓점 O를 중심으로 변 OB가 변 OA까지 회전한 양

(3) 각의 분류

① 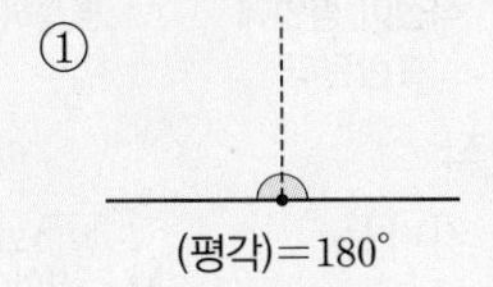

(평각)$=180°$

② 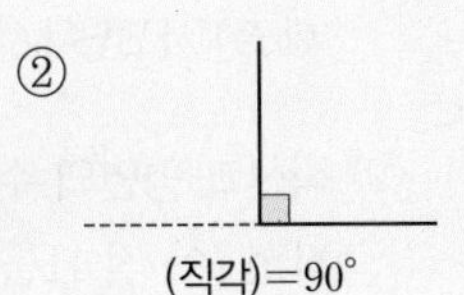

(직각)$=90°$

③ 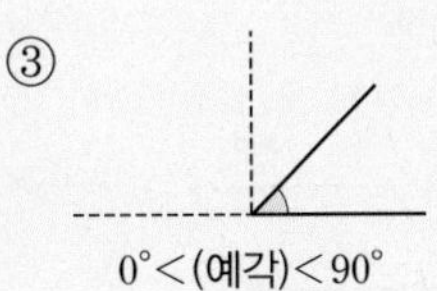

$0°<$(예각)$<90°$

④ 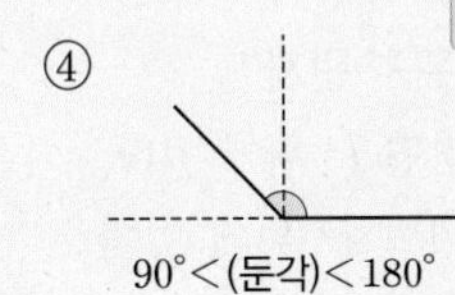

$90°<$(둔각)$<180°$

2 맞꼭지각

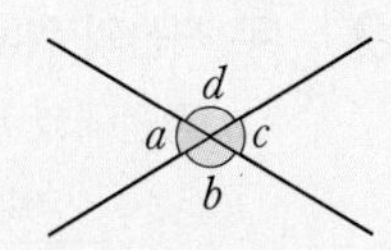

(1) 교각: 두 직선이 한 점에서 만날 때 생기는 네 개의 각 ➡ $\angle a$, $\angle b$, $\angle c$, $\angle d$

(2) 맞꼭지각: 교각 중에서 서로 마주 보는 두 각 ➡ $\angle a$와 $\angle c$, $\angle b$와 $\angle d$

(3) 맞꼭지각의 성질: 맞꼭지각의 크기는 서로 같다. ➡ $\angle a=\angle c$, $\angle b=\angle d$

3 직교와 수선

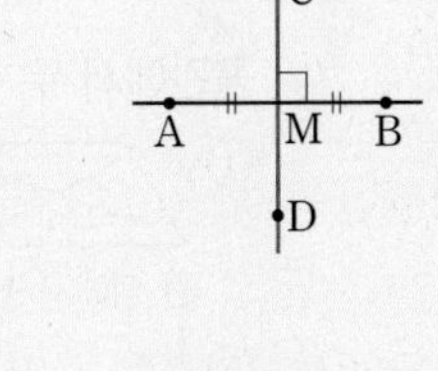

(1) 직교: 두 직선 AB와 CD의 교각이 직각일 때, 이 두 직선은 직교한다고 한다.

기호 $\overleftrightarrow{AB}\perp\overleftrightarrow{CD}$

(2) 수직과 수선: 직교하는 두 직선은 서로 수직이고, 한 직선을 다른 직선의 수선이라 한다.

(3) 수직이등분선: 선분 AB의 중점 M을 지나고 선분 AB에 수직인 직선 CD를 선분 AB의 수직이등분선이라 한다. ➡ $\overleftrightarrow{CD}\perp\overline{AB}$, $\overline{AM}=\overline{MB}$

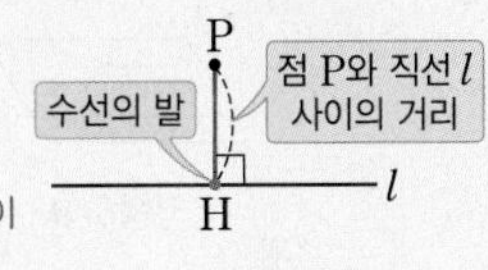

(4) 수선의 발: 직선 l 위에 있지 않은 점 P에서 직선 l에 수선을 그어 생기는 교점 H를 점 P에서 직선 l에 내린 수선의 발이라 한다.

(5) 점과 직선 사이의 거리: 한 점 P에서 직선 l에 내린 수선의 발 H까지의 거리 → $\overline{PH}$의 길이

대표 문제

5 오른쪽 그림에서 $\angle a:\angle b:\angle c=3:4:5$일 때, $\angle c$의 크기를 구하시오.

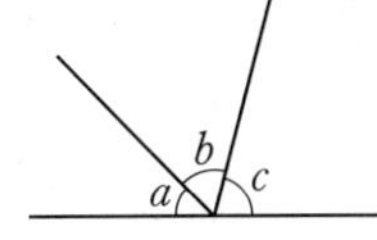

6 오른쪽 그림에서 $\overleftrightarrow{AE}\perp\overleftrightarrow{OD}$이고 $\angle AOB=5\angle BOC$, $\angle COE=6\angle COD$일 때, $\angle BOD$의 크기를 구하시오.

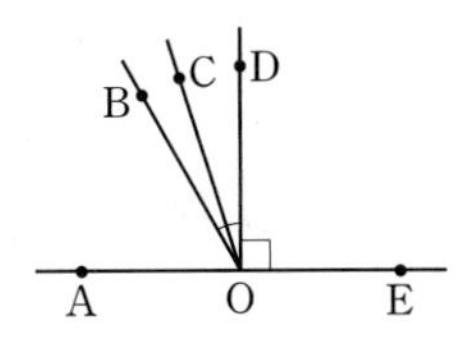

7 오른쪽 그림과 같이 세 직선이 한 점에서 만날 때 생기는 맞꼭지각은 모두 몇 쌍인지 구하시오.

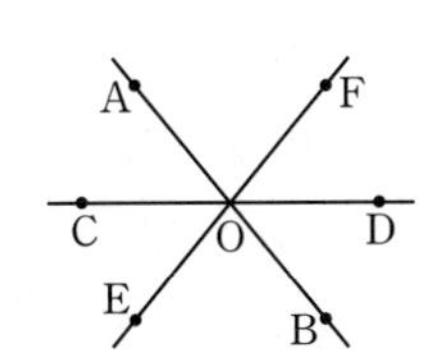

8 오른쪽 그림에서 $y-x$의 값을 구하시오.

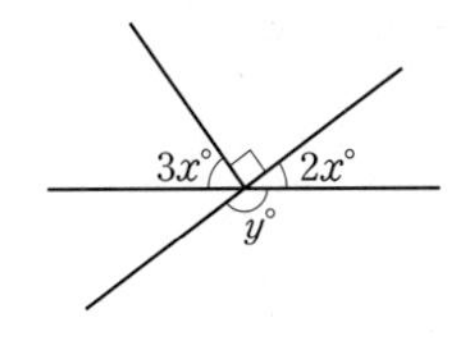

9 오른쪽 그림과 같이 직선 AB와 직선 CD가 직교하고 $\overline{AH}=\overline{BH}$일 때, 다음 중 옳지 않은 것은?

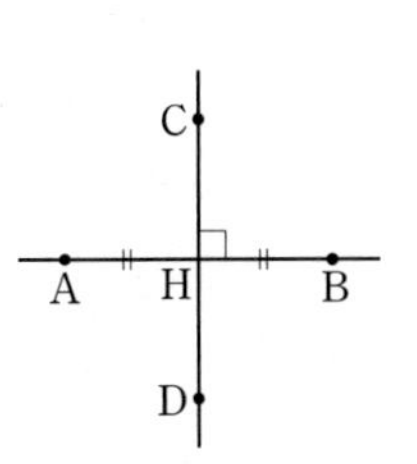

① $\overline{AB}\perp\overline{CD}$이다.

② 직선 CD는 선분 AB의 수직이등분선이다.

③ $\angle BHD=\angle BHC=90°$이다.

④ 점 B와 직선 CD 사이의 거리는 $\overline{BC}$의 길이이다.

⑤ 점 D에서 직선 AB에 내린 수선의 발은 점 H이다.

03 점, 직선, 평면의 위치 관계

1 점과 직선, 점과 평면의 위치 관계

(1) 점과 직선의 위치 관계

① 점 A는 직선 l 위에 있다.

② 점 B는 직선 l 위에 있지 않다.

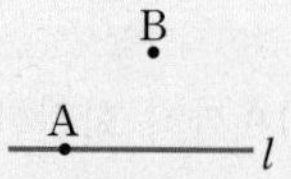

(2) 점과 평면의 위치 관계

① 점 A는 평면 P 위에 있다.

② 점 B는 평면 P 위에 있지 않다.

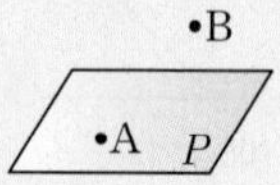

2 두 직선의 위치 관계

(1) 평면에서 두 직선 l, m의 위치 관계

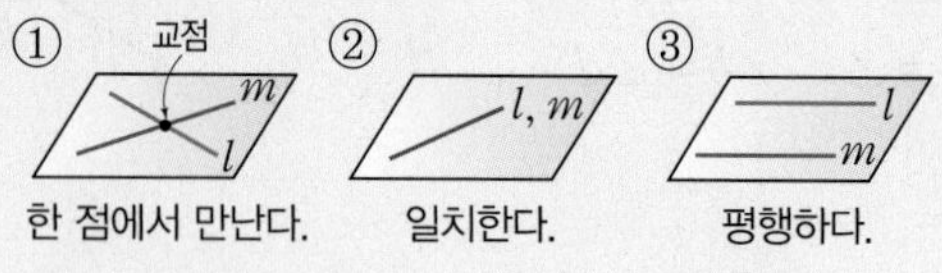

한 점에서 만난다. 일치한다. 평행하다.

기호 $l /\!/ m$

(2) 공간에서 두 직선 l, m의 위치 관계

① 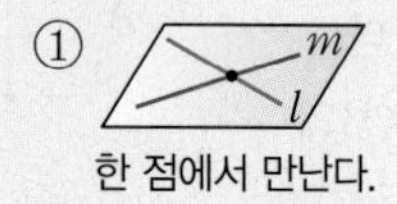

한 점에서 만난다.

② 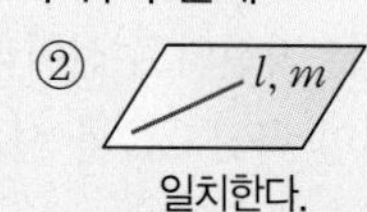

일치한다.

③ 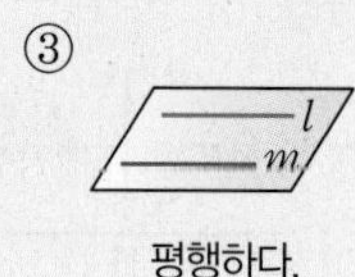

평행하다.

④ 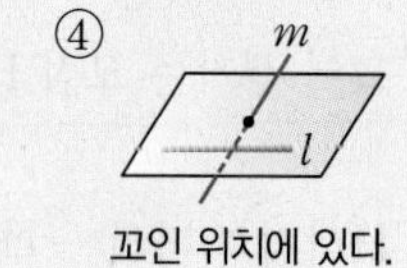

꼬인 위치에 있다.

3 공간에서 직선과 평면, 두 평면의 위치 관계

(1) 직선 l과 평면 P의 위치 관계

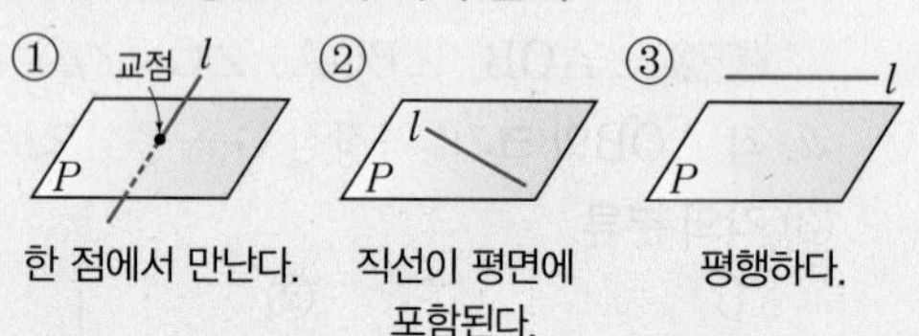

한 점에서 만난다. 직선이 평면에 포함된다. 평행하다.

(2) 직선과 평면의 수직

직선 l이 점 H를 지나는 평면 P 위의 모든 직선과 수직일 때, 직선 l과 평면 P는 서로 수직이라 한다. 기호 $l \perp P$

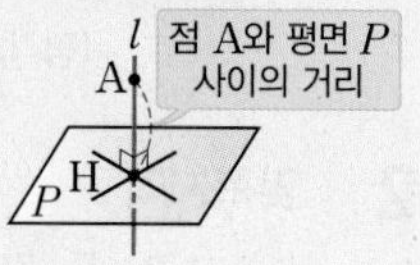

점 A와 평면 P 사이의 거리

(3) 두 평면 P, Q의 위치 관계

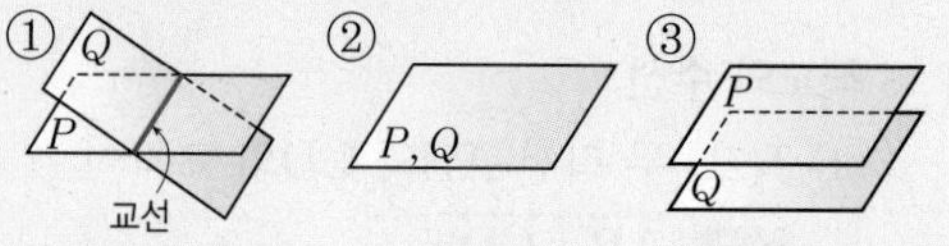

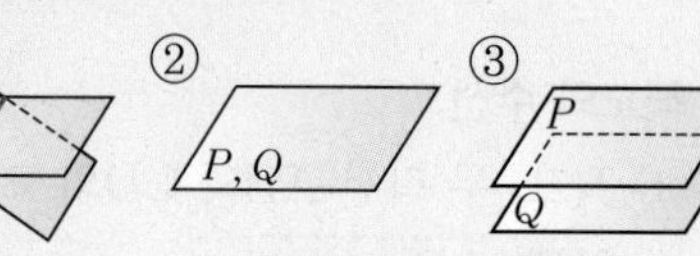

한 직선에서 만난다. 일치한다. 평행하다.

(4) 두 평면의 수직

평면 P가 평면 Q에 수직인 직선 l을 포함할 때, 평면 P와 평면 Q는 서로 수직이라 한다.

기호 $P \perp Q$

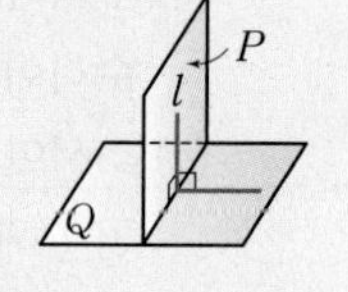

대표 문제

10 다음 보기 중 한 평면 위에 있는 서로 다른 세 직선 l, m, n에 대한 설명으로 옳지 <u>않은</u> 것을 모두 고르시오.

보기

ㄱ. $l \perp m$, $l \perp n$이면 $m /\!/ n$이다.

ㄴ. $l /\!/ m$, $m \perp n$이면 $l /\!/ n$이다.

ㄷ. $l \perp m$, $m /\!/ n$이면 $l /\!/ n$이다.

11 다음 중 공간에서 두 직선의 위치 관계에 대한 설명으로 옳은 것은?

① 만나지 않는 두 직선은 항상 서로 평행하다.

② 한 직선에 수직인 두 직선은 서로 평행하다.

③ 평행한 두 직선은 한 평면 위에 있다.

④ 꼬인 위치에 있는 두 직선은 한 평면 위에 있다.

⑤ 한 평면 위에서 만나지 않는 두 직선은 꼬인 위치에 있다.

12 다음 중 오른쪽 그림과 같은 정육각기둥에 대한 설명으로 옳은 것은?

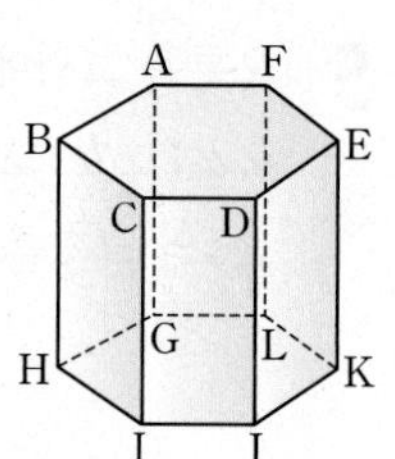

① 면 ABHG와 $\overline{DE}$는 수직이다.

② $\overleftrightarrow{AB}$와 $\overleftrightarrow{CD}$는 꼬인 위치에 있다.

③ 면 CIJD와 수직인 면은 4개이다.

④ 면 ABCDEF와 $\overleftrightarrow{HI}$는 서로 평행하다.

⑤ $\overline{BH}$와 평행한 면은 3개이다.

13 오른쪽 그림은 직육면체를 세 꼭짓점 A, C, F를 지나는 평면으로 잘라서 만든 입체도형이다. 이 입체도형에서 모서리 AF와 꼬인 위치에 있는 모서리의 개수를 구하시오.

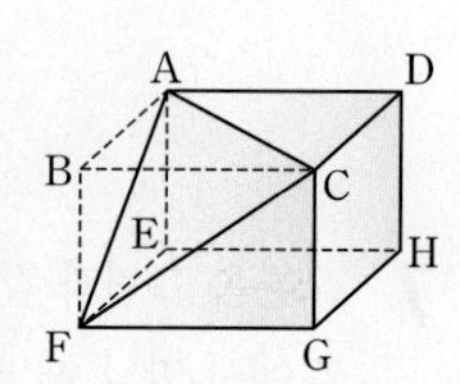

04 평행선의 성질

1 동위각과 엇각

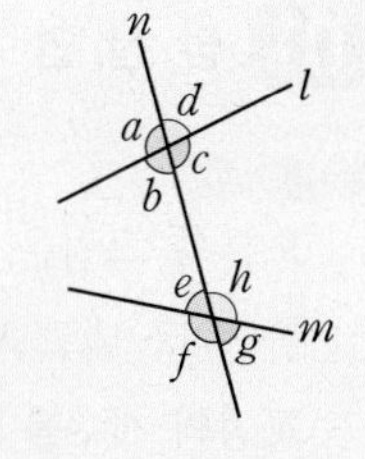

한 평면 위의 서로 다른 두 직선 l, m이 다른 한 직선 n과 만나서 생기는 8개의 각 중에서

(1) 동위각: 같은 위치에 있는 각 ➡ $\angle a$와 $\angle e$, $\angle b$와 $\angle f$, $\angle c$와 $\angle g$, $\angle d$와 $\angle h$

(2) 엇각: 엇갈린 위치에 있는 각 ➡ $\angle b$와 $\angle h$, $\angle c$와 $\angle e$

2 평행선의 성질

서로 다른 두 직선이 다른 한 직선과 만날 때, 두 직선이 평행하면

(1) 동위각의 크기는 서로 같다.

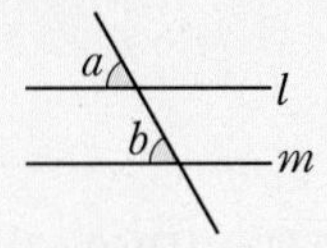

$l /\!/ m$이면 $\angle a = \angle b$

(2) 엇각의 크기는 서로 같다.

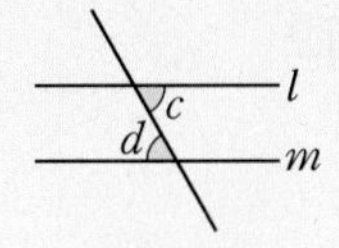

$l /\!/ m$이면 $\angle c = \angle d$

3 평행선이 되기 위한 조건

서로 다른 두 직선이 다른 한 직선과 만날 때

(1) 동위각의 크기가 같으면 두 직선은 평행하다.

(2) 엇각의 크기가 같으면 두 직선은 평행하다.

대표 문제

14 오른쪽 그림과 같이 세 직선이 만날 때, 다음 중 옳지 않은 것은?

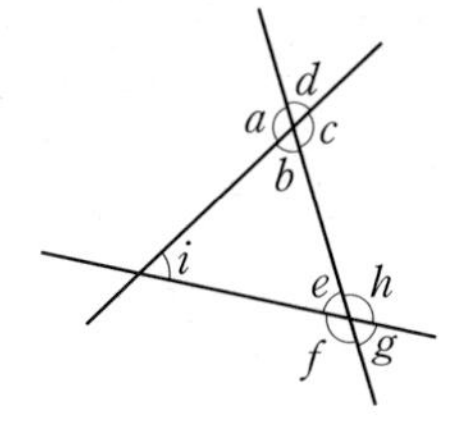

① $\angle a$와 $\angle c$는 맞꼭지각이다.

② $\angle a$와 $\angle f$는 엇각이다.

③ $\angle b$와 $\angle f$는 동위각이다.

④ $\angle c$와 $\angle e$는 엇각이다.

⑤ $\angle c$와 $\angle i$는 동위각이다.

15 오른쪽 그림에서 $l /\!/ m$일 때, $\angle a + \angle b$의 값을 구하시오.

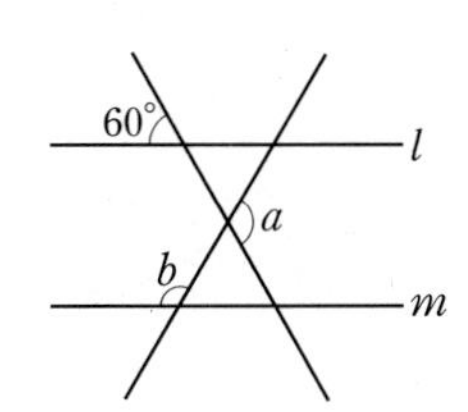

16 오른쪽 그림에서 $l /\!/ m$일 때, $\angle x$의 크기를 구하시오.

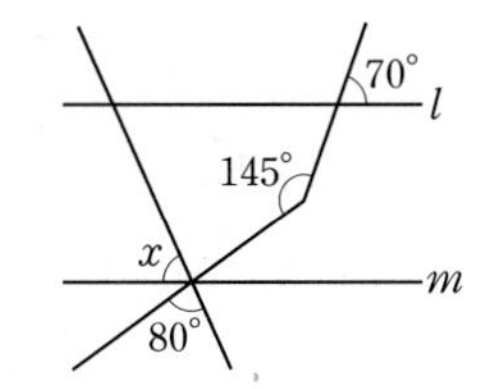

17 오른쪽 그림과 같이 직사각형 모양의 종이를 접었을 때, $\angle x$의 크기를 구하시오.

18 오른쪽 그림에서 평행한 직선을 모두 찾아 기호 $/\!/$를 사용하여 나타내시오.

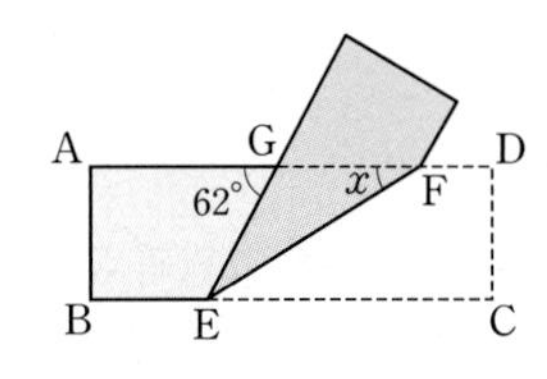

01 점, 선, 면

교과서 속 심화

1 오른쪽 그림은 정육면체에서 일부를 잘라 내고 남은 입체도형이다. 교점의 개수를 a개, 교선의 개수를 b개, 면의 개수를 c개, 한 꼭짓점에서 만나는 교선의 개수의 최댓값을 d개라 할 때, $a+b-c+d$의 값을 구하시오.

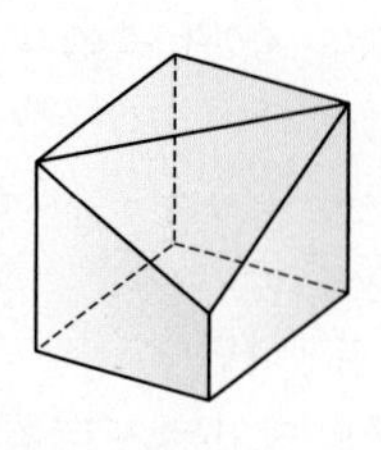

2 다음 그림과 같이 직선 l 위에 세 점 A, B, C가 있다. 이 중 두 점을 이어서 만들 수 있는 직선, 반직선, 선분에 대한 설명으로 옳지 않은 것을 모두 고르면? (정답 2개)

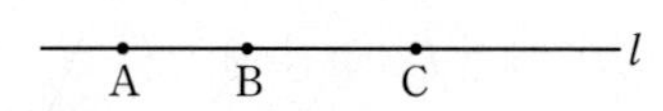

① $\overrightarrow{AB}$와 $\overrightarrow{AC}$는 같은 반직선이다.
② $\overrightarrow{CA}$와 $\overrightarrow{CB}$는 같은 반직선이다.
③ 서로 다른 직선은 2개이다.
④ 서로 다른 반직선은 6개이다.
⑤ 서로 다른 선분은 3개이다.

3 오른쪽 그림과 같이 반원 위에 5개의 점 A, B, C, D, E가 있다. 이 중 두 점을 이어서 만들 수 있는 선분의 개수를 a개, 직선의 개수를 b개, 반직선의 개수를 c개라 할 때, $a+b+c$의 값을 구하시오.

중요
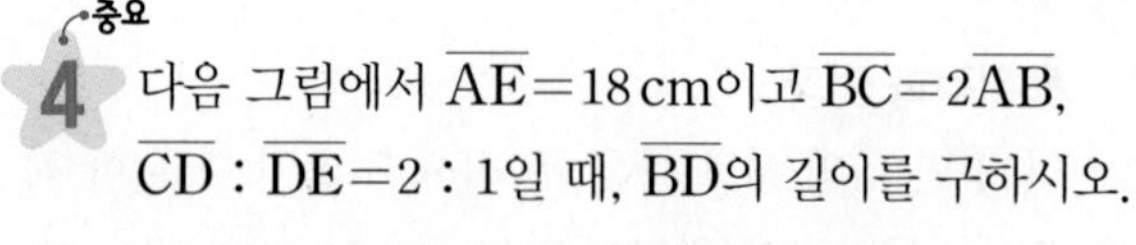

4 다음 그림에서 $\overline{AE}=18\,\text{cm}$이고 $\overline{BC}=2\overline{AB}$, $\overline{CD}:\overline{DE}=2:1$일 때, $\overline{BD}$의 길이를 구하시오.

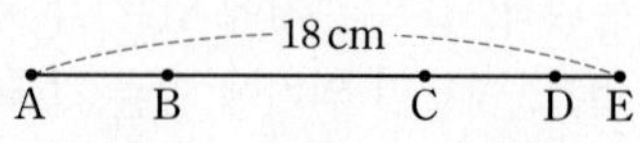

5 길이가 24 cm인 $\overline{AB}$ 위에 $\overline{AP}=2\overline{PB}$인 점 P를 잡고, $\overline{AB}$의 연장선 위에 $2\overline{BQ}=\overline{AQ}$인 점 Q를 잡았다. $\overline{PB}$의 중점을 M, $\overline{PQ}$의 중점을 N이라 할 때, $\overline{MN}$의 길이는?

① 6 cm ② 8 cm ③ 12 cm
④ 15 cm ⑤ 18 cm

6 아래 그림과 같이 한 직선 위에 같은 간격으로 떨어져 있는 9개의 점 중에서 두 점 A, D의 위치만 나타나 있다. 이때 다음 조건을 모두 만족시키는 서로 다른 7개의 점 B, C, E, F, G, H, I를 아래 직선 위에 각각 나타내시오.

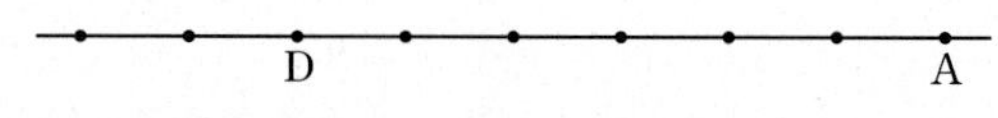

조건

(가) 세 점 C, D, E는 $\overline{AB}$의 사등분점이다.
(나) $\overline{BI}:\overline{AI}=3:5$, $\overline{AF}:\overline{DF}=1:1$
(다) 점 E는 $\overline{FH}$의 중점이다.

02 각

7 오른쪽 그림에서 $\angle AOC = \angle BOD = 90°$, $\angle AOB + \angle COD = 80°$일 때, $\angle BOC$의 크기를 구하시오.

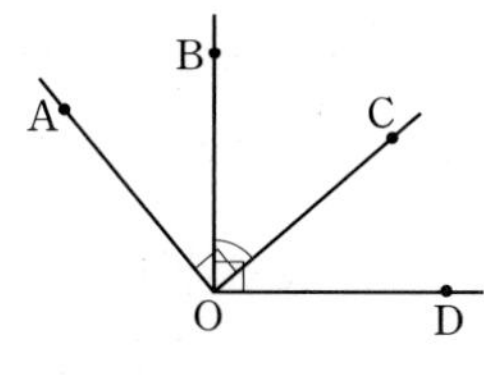

중요

8 오른쪽 그림에서 $\angle AOC = \frac{5}{3}\angle AOB$, $\angle DOE = \frac{3}{5}\angle COE$일 때, $\angle BOD$의 크기를 구하시오.

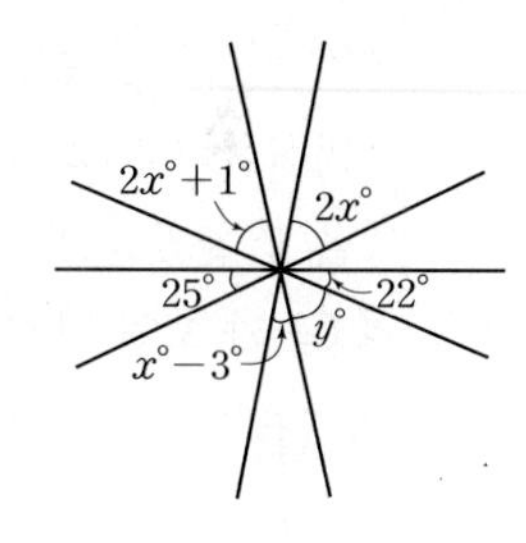

9 오른쪽 그림과 같이 시계가 5시 18분을 가리킬 때, 시침과 분침이 이루는 각 중에서 작은 쪽의 각의 크기를 구하시오.

10 오른쪽 그림과 같이 4개의 직선과 1개의 반직선이 한 점에서 만날 때 생기는 맞꼭지각은 모두 몇 쌍인가?

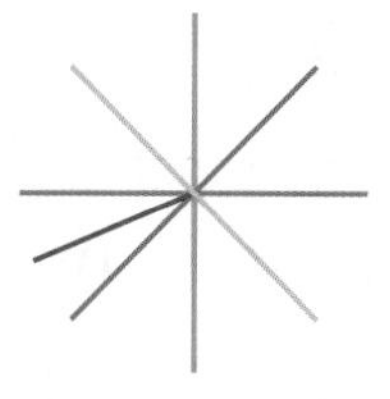

① 8쌍 ② 12쌍
③ 14쌍 ④ 16쌍
⑤ 18쌍

11 오른쪽 그림과 같이 5개의 직선이 한 점에서 만날 때, $y-x$의 값을 구하시오.

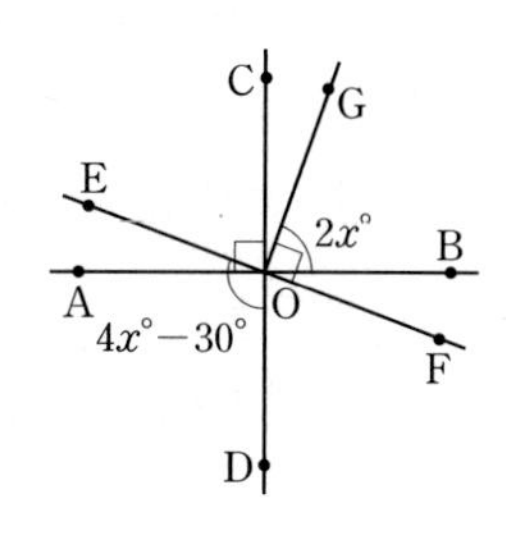

교과서 속 심화

12 오른쪽 그림에서 $\overleftrightarrow{AB} \perp \overleftrightarrow{CD}$, $\overleftrightarrow{EF} \perp \overrightarrow{OG}$이고 $\angle BOG = 2x°$, $\angle EOD = 4x° - 30°$일 때, x의 값을 구하시오.

03 점, 직선, 평면의 위치 관계

13 오른쪽 그림과 같이 네 점 A, B, C, D는 평면 P 위에 있고 두 점 E, F는 평면 Q 위에 있다. 이 여섯 개의 점 A, B, C, D, E, F 중 세 점으로 결정되는 서로 다른 평면의 개수를 구하시오. (단, 여섯 개의 점 중 어느 세 점도 한 직선 위에 있지 않다.)

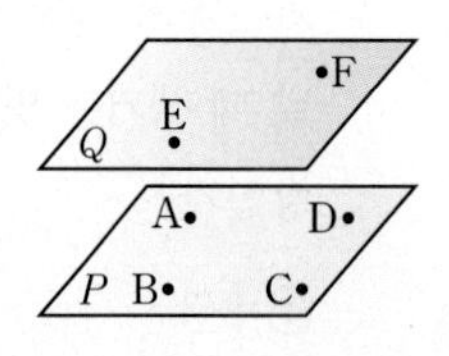

교과서 속 심화

14 오른쪽 그림과 같이 합동인 정삼각형 4개로 이루어진 전개도로 입체도형을 만들었을 때, 모서리 CF와 꼬인 위치에 있는 모서리는?

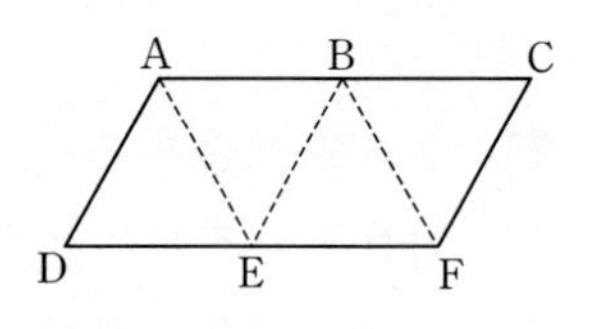

① $\overline{AB}$ ② $\overline{AD}$ ③ $\overline{AE}$
④ $\overline{BE}$ ⑤ $\overline{BF}$

중요

15 오른쪽 그림은 정육면체에서 일부를 잘라 내고 남은 입체도형이다. 다음 중 이 입체도형에 대한 설명으로 옳지 않은 것은?

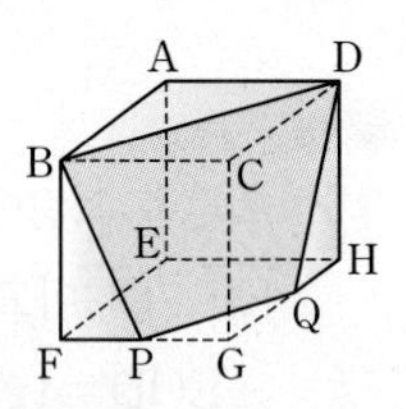

① 모서리 AB와 평행한 면은 2개이다.
② 면 EFPQH와 만나는 면은 5개이다.
③ 모서리 DH와 수직으로 만나는 모서리는 4개이다.
④ 모서리 BP와 꼬인 위치에 있는 모서리는 5개이다.
⑤ 모서리 BF와 한 점에서 만나는 면은 3개이다.

16 다음 중 오른쪽 그림과 같은 전개도로 만들어지는 직육면체에 대한 설명으로 옳지 않은 것은?

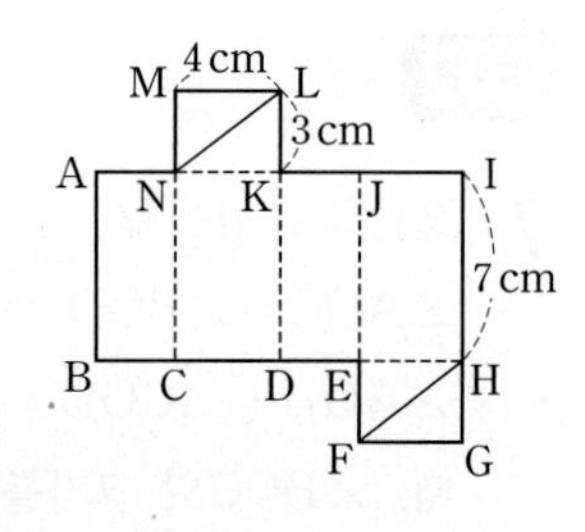

① $\overline{AB}$와 면 MNKL은 수직이다.
② $\overline{JI}$와 평행한 면은 2개이다.
③ $\overline{NL}$과 $\overline{FH}$는 평행하다.
④ $\overline{AB}$와 $\overline{NL}$은 꼬인 위치에 있다.
⑤ 점 K와 면 JEHI 사이의 거리는 3 cm이다.

17 오른쪽 그림과 같이 평면 P 위에 직사각형 모양의 종이를 반으로 접어서 올려 놓았다. 다음 중 $\overline{BE}$와 평면 P가 수직임을 설명하기 위해 필요한 것을 보기에서 모두 고른 것은?

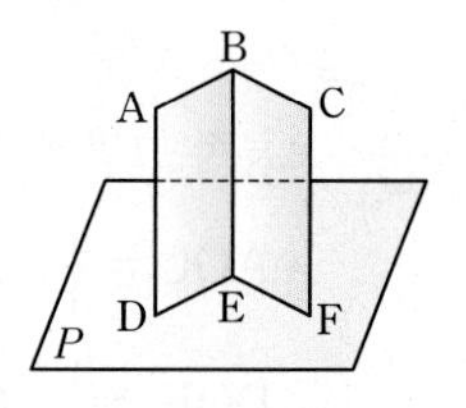

보기
ㄱ. $\overline{AB} /\!/ \overline{DE}$ ㄴ. $\overline{BE} \perp \overline{BC}$ ㄷ. $\overline{BE} \perp \overline{DE}$
ㄹ. $\overline{BE} \perp \overline{EF}$ ㅁ. $\overline{BE} /\!/ \overline{CF}$ ㅂ. $\overline{DE} \perp \overline{EF}$

① ㄱ, ㄷ ② ㄴ, ㄹ ③ ㄷ, ㄹ
④ ㄷ, ㅁ ⑤ ㅁ, ㅂ

18 공간에 서로 다른 세 직선 l, m, n과 서로 다른 세 평면 P, Q, R가 있다. 다음 중 옳은 것을 모두 고르면? (정답 2개)

① $l \perp n$, $l /\!/ m$이면 $m \perp n$이다.
② $l \perp P$, $m \perp P$이면 $l /\!/ m$이다.
③ $l /\!/ P$, $m /\!/ P$이면 $l /\!/ m$이다.
④ $l /\!/ P$, $l \perp Q$이면 $P \perp Q$이다.
⑤ $P \perp Q$, $Q \perp R$이면 $P /\!/ R$이다.

04 평행선의 성질

중요

19 오른쪽 그림의 삼각형 ABC에서 ∠B와 ∠C의 이등분선의 교점을 I라 하자. $\overline{BC} /\!/ \overline{DE}$일 때, ∠$x$의 크기를 구하시오.

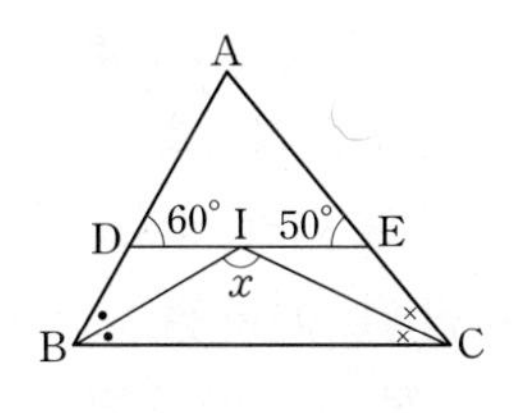

20 오른쪽 그림에서 $l /\!/ m$, $n /\!/ k$이고 ∠a : ∠b=2 : 3일 때, ∠x의 크기를 구하시오.

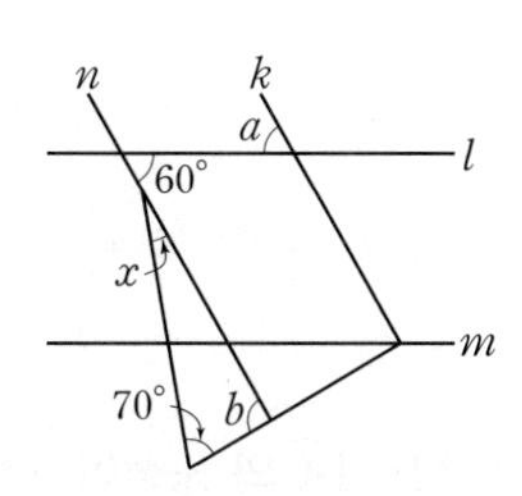

중요

21 오른쪽 그림에서 $l /\!/ m$일 때, ∠x의 크기를 구하시오.

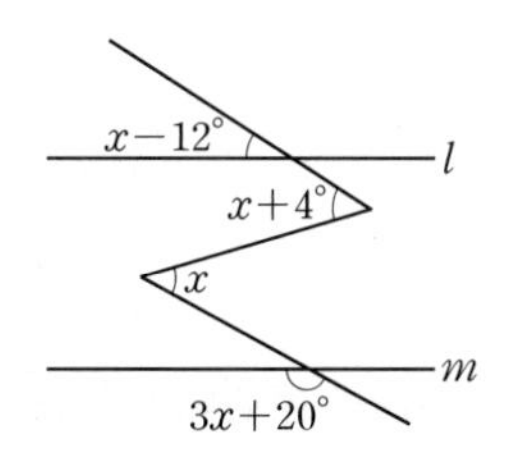

22 오른쪽 그림에서 $l /\!/ m$일 때, ∠a+∠b+∠c+∠d+∠e의 값을 구하시오.

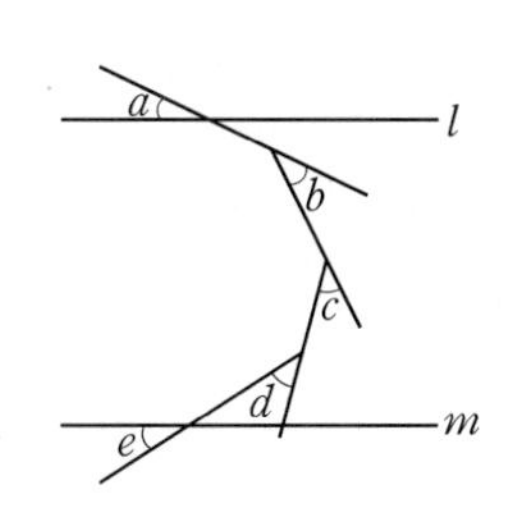

23 오른쪽 그림에서 $\overrightarrow{BA} /\!/ \overrightarrow{EF}$일 때, ∠CDE의 크기를 구하시오.

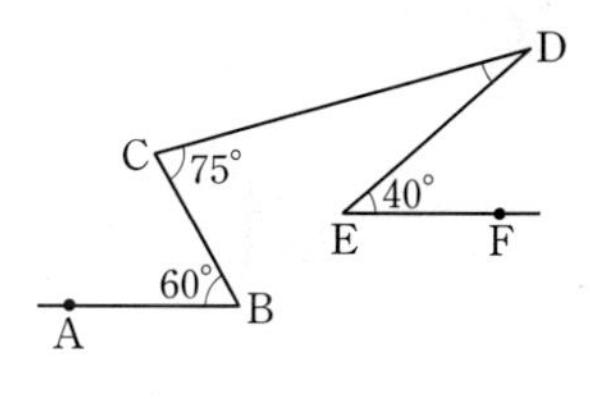

24 오른쪽 그림에서 $l /\!/ m$이고 $\angle CAD=\frac{1}{2}\angle BAC$, $\angle CBE=\frac{1}{2}\angle ABC$일 때, ∠ACB의 크기를 구하시오.

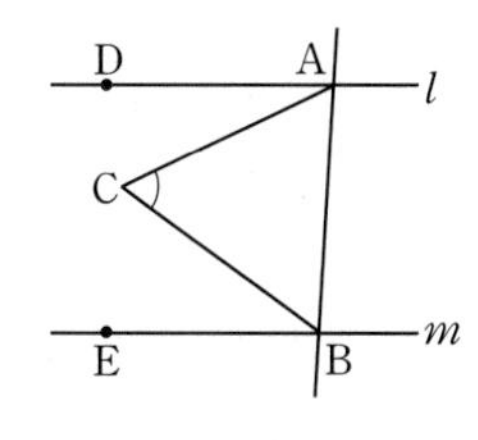

25 다음 그림에서 정사각형 ABCD의 대각선 BD의 연장선과 직선 l의 교점을 E라 하자. $l /\!/ m$이고 ∠a : ∠b=7 : 3일 때, ∠x의 크기를 구하시오.

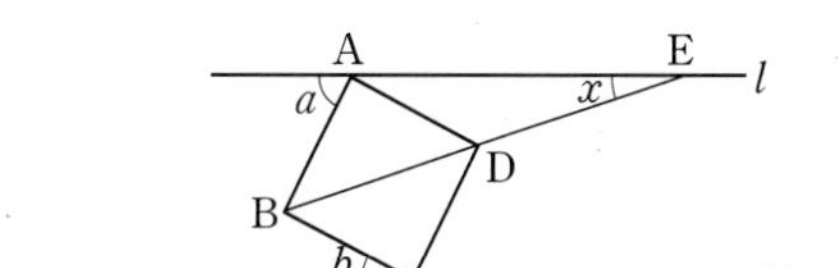

교과서 속 심화

26 다음 그림과 같이 직사각형 모양의 종이를 접었을 때, ∠a+∠b의 값을 구하시오.

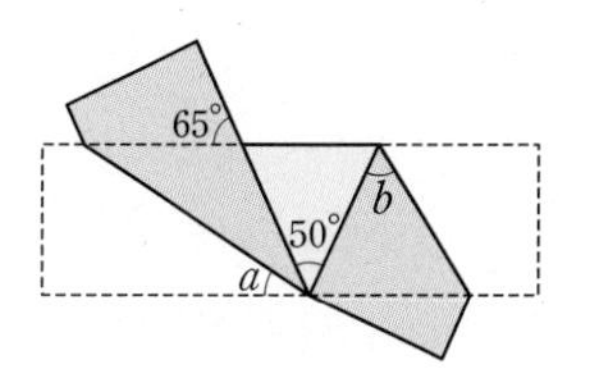

01

오른쪽 그림은 좌표평면 위에 두 점 $(1,\ 0)$, $(0,\ 10)$을 연결하고, x축 위의 점의 x좌표가 1만큼 커질 때 y축 위의 점의 y좌표가 1만큼 작아지도록 두 점을 각각 선분으로 연결한 것이다. 이와 같은 방법으로 점 $(1,\ 0)$과 점 $(0,\ 13)$, 점 $(2,\ 0)$과 점 $(0,\ 12)$, $\cdots$, 점 $(13,\ 0)$과 점 $(0,\ 1)$을 각각 연결하여 선분 13개가 만날 때, 교점의 개수를 구하시오.

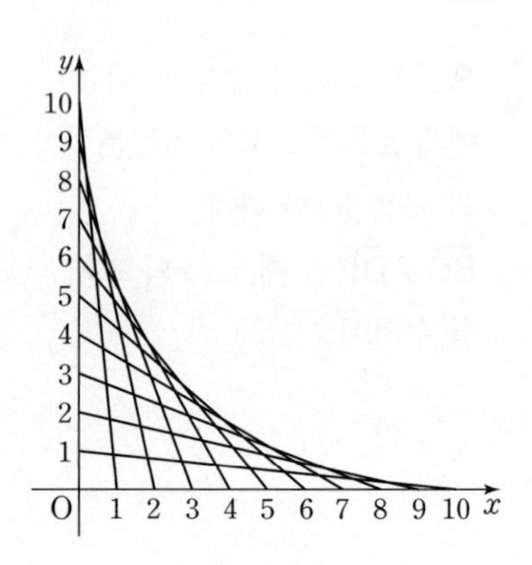

02

오른쪽 그림에서 두 점 M, N은 각각 $\overline{\mathrm{AB}}$, $\overline{\mathrm{BC}}$의 중점이고 $\overline{\mathrm{MP}}:\overline{\mathrm{PN}}=2:1$이다. $\overline{\mathrm{AB}}=a$, $\overline{\mathrm{BC}}=b$일 때, $\overline{\mathrm{PC}}$의 길이를 a, b를 사용한 식으로 나타내시오.

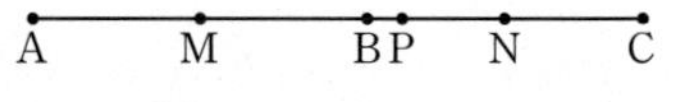

03

오른쪽 그림과 같이 2시와 3시 사이에 시침과 분침이 이루는 각이 평각이 되는 시각을 구하시오.

TOP

04

오른쪽 그림은 직사각형 모양의 종이를 $\overline{PQ}$, $\overline{DQ}$를 각각 접는 선으로 하여 접은 것이다. $\angle B'QC'=44°$이고 $\angle x : \angle y=4 : 3$일 때, $\angle x-\angle y$의 값을 구하시오.

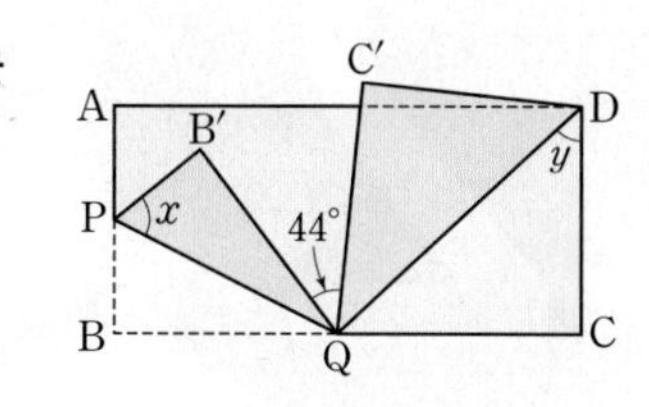

05

오른쪽 그림과 같은 정사각형 모양의 종이 ABCD가 있다. $\overline{BC}$와 $\overline{CD}$의 중점을 각각 E, F라 할 때, 점선을 따라 접어 만든 입체도형에서 면 CEF와 수직인 면의 개수를 a개, $\overline{AF}$와 꼬인 위치에 있는 모서리의 개수를 b개라 하자. 이때 $a+b$의 값을 구하시오.

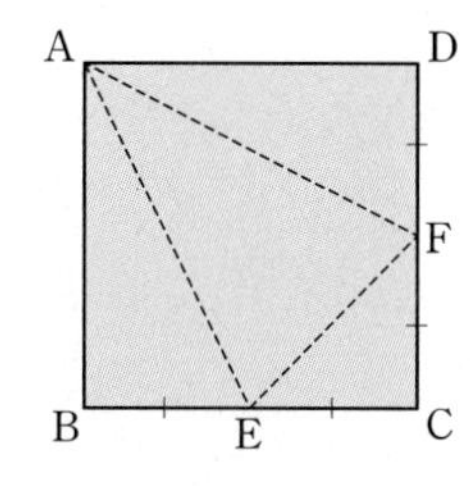

TOP

06

오른쪽 그림에서 $l /\!/ m$일 때, $\angle a+\angle b$의 값을 구하시오.

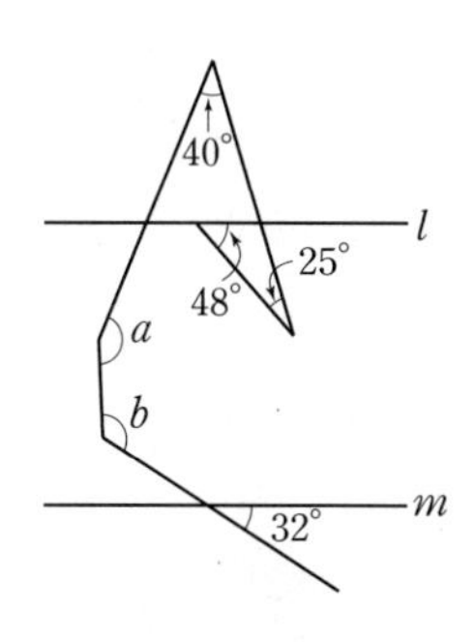

07

오른쪽 그림에서 $\overrightarrow{BA} /\!/ \overrightarrow{FG}$일 때,
$\angle ABC+\angle BCD+\angle CDE+\angle DEF+\angle EFG$의 값을 구하시오.

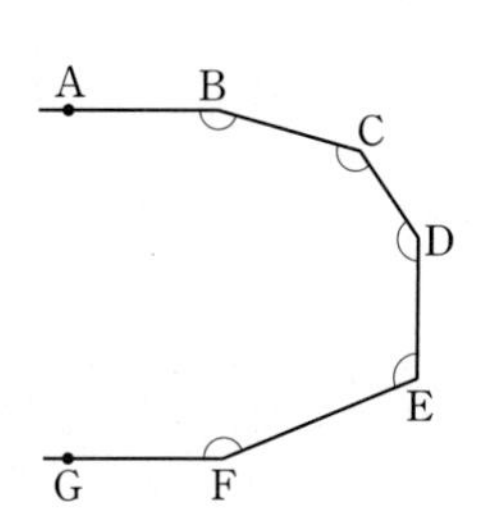

Ⅰ. 기본 도형

2 작도와 합동

01 작도

02 삼각형의 작도

03 삼각형의 합동

step 1

개념+대표 문제 확인하기

● 정답과 해설 7쪽

01 작도

1 작도: 눈금 없는 자와 컴퍼스만을 사용하여 도형을 그리는 것

2 길이가 같은 선분의 작도: 선분 AB와 길이가 같은 선분 PQ를 작도하는 방법은 다음과 같다.

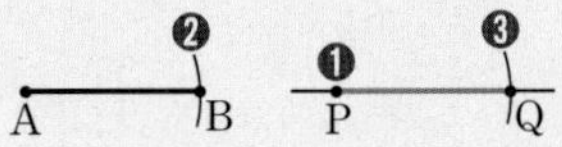

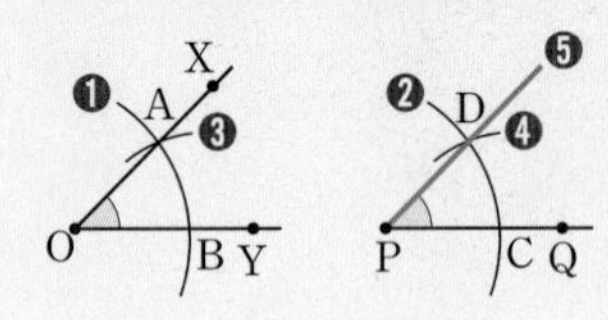

❶ 눈금 없는 자를 사용하여 직선을 그리고, 이 직선 위에 점 P를 잡는다.
❷ 컴퍼스를 사용하여 $\overline{AB}$의 길이를 잰다.
❸ 점 P를 중심으로 $\overline{AB}$의 길이를 반지름으로 하는 원을 그려 직선과의 교점을 Q라 하면 $\overline{AB}=\overline{PQ}$이다.

3 크기가 같은 각의 작도: $\angle XOY$와 크기가 같은 $\angle DPC$를 $\overrightarrow{PQ}$를 한 변으로 하여 작도하는 방법은 다음과 같다.

❶ 점 O를 중심으로 원을 그려 $\overrightarrow{OX}$, $\overrightarrow{OY}$와의 교점을 각각 A, B라 한다.
❷ 점 P를 중심으로 $\overline{OA}$의 길이를 반지름으로 하는 원을 그려 $\overrightarrow{PQ}$와의 교점을 C라 한다.
❸ 컴퍼스를 사용하여 $\overline{AB}$의 길이를 잰다.
❹ 점 C를 중심으로 $\overline{AB}$의 길이를 반지름으로 하는 원을 그려 ❷의 원과의 교점을 D라 한다.
❺ 두 점 P, D를 지나는 $\overrightarrow{PD}$를 그리면 $\angle DPC=\angle XOY$이다.

4 평행선의 작도: 직선 l 밖에 있는 한 점 P를 지나고 직선 l에 평행한 직선을 작도하는 방법은 다음과 같다.

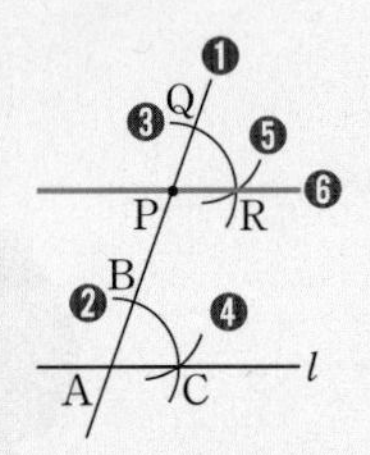

❶ 점 P를 지나는 직선을 그어 직선 l과의 교점을 A라 한다.
❷ 점 A를 중심으로 원을 그려 $\overleftrightarrow{PA}$, 직선 l과의 교점을 각각 B, C라 한다.
❸ 점 P를 중심으로 $\overline{AB}$의 길이를 반지름으로 하는 원을 그려 $\overleftrightarrow{PA}$와의 교점을 Q라 한다.
❹ 컴퍼스를 사용하여 $\overline{BC}$의 길이를 잰다.
❺ 점 Q를 중심으로 $\overline{BC}$의 길이를 반지름으로 하는 원을 그려 ❸의 원과의 교점을 R라 한다.
❻ 두 점 P, R를 지나는 $\overleftrightarrow{PR}$를 그리면 $l \,/\!/ \overleftrightarrow{PR}$이다.
└→ 동위각의 크기가 같으면 두 직선은 평행하다는 성질을 이용한 것이다.

대표 문제

1 다음 중 작도에 대한 설명으로 옳지 않은 것을 모두 고르면? (정답 2개)

① 선분을 연장할 때는 눈금 없는 자를 사용한다.
② 각의 크기를 잴 때는 각도기를 사용한다.
③ 두 선분의 길이를 비교할 때는 컴퍼스를 사용한다.
④ 선분의 길이를 옮길 때는 눈금 없는 자를 사용한다.
⑤ 원을 그릴 때는 컴퍼스를 사용한다.

2 오른쪽 그림과 같은 직선 l 위에 $\overline{CD}=2\overline{AB}$가 되도록 점 D를 작도하려고 할 때, 필요한 작도 도구는?

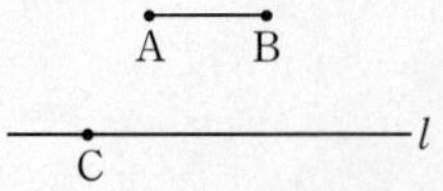

① 눈금 없는 자　② 눈금 있는 자
③ 각도기　④ 삼각자
⑤ 컴퍼스

3 다음 그림은 $\angle XOY$와 크기가 같고 반직선 PQ를 한 변으로 하는 각을 작도한 것이다. 보기 중 옳은 것을 모두 고르시오.

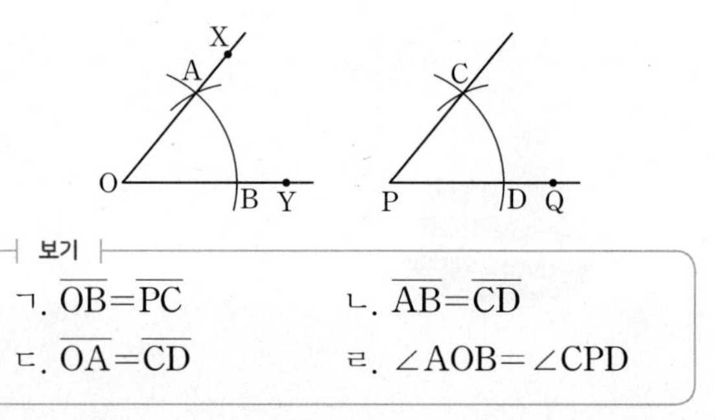

보기
ㄱ. $\overline{OB}=\overline{PC}$　ㄴ. $\overline{AB}=\overline{CD}$
ㄷ. $\overline{OA}=\overline{CD}$　ㄹ. $\angle AOB=\angle CPD$

4 오른쪽 그림은 직선 l 밖의 한 점 P를 지나고 직선 l에 평행한 직선을 작도한 것이다. 작도 순서를 바르게 나열하시오.

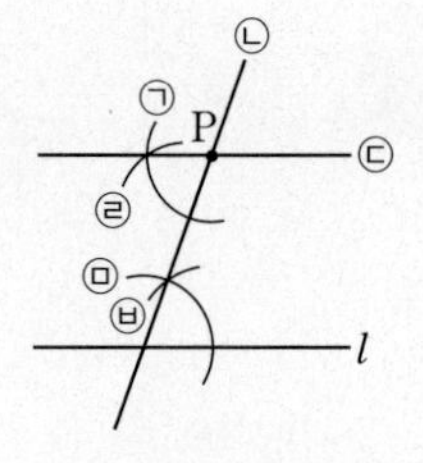

02 삼각형의 작도

1 삼각형

(1) 삼각형 ABC: 세 선분 AB, BC, CA로 이루어진 도형 기호 △ABC

(2) 대변과 대각: 한 각과 마주 보는 변을 대변, 한 변과 마주 보는 각을 대각이라 한다.

참고 일반적으로 ∠A, ∠B, ∠C의 대변인 $\overline{BC}$, $\overline{AC}$, $\overline{AB}$의 길이를 각각 a, b, c로 나타낸다.

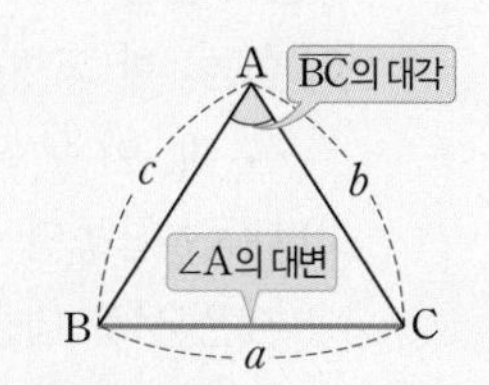

2 삼각형의 세 변의 길이 사이의 관계

삼각형에서 한 변의 길이는 나머지 두 변의 길이의 합보다 작다.

➡ (가장 긴 변의 길이)<(나머지 두 변의 길이의 합)

3 삼각형의 작도: 다음의 각 경우에 삼각형을 하나로 작도할 수 있다.

(→ 즉, 삼각형은 하나로 정해진다.)

(1) 세 변의 길이가 주어질 때	(2) 두 변의 길이와 그 끼인각의 크기가 주어질 때	(3) 한 변의 길이와 그 양 끝 각의 크기가 주어질 때
a, b, c → ❶ B, ❷ C, ❸	b, c, ∠A → ❶ ∠A, ❷ B, ❸ C	c, ∠A, ∠B → ❶ B, ❷ ∠A, ∠B, ❸ C

4 삼각형이 하나로 정해지지 않는 경우

(1) 가장 긴 변의 길이가 나머지 두 변의 길이의 합보다 크거나 같은 경우 → 삼각형이 그려지지 않는다.

(2) 두 변의 길이와 그 끼인각이 아닌 다른 한 각의 크기가 주어진 경우 → 삼각형이 그려지지 않거나 1개 또는 2개

(3) 세 각의 크기가 주어진 경우 → 모양도 같고 크기가 다른 삼각형이 무수히 많이 그려진다.

대표 문제

5 다음 중 삼각형의 세 변의 길이가 될 수 없는 것은?

① 3 cm, 4 cm, 5 cm ② 5 cm, 6 cm, 12 cm
③ 7 cm, 7 cm, 7 cm ④ 8 cm, 10 cm, 15 cm
⑤ 3 cm, 8 cm, 10 cm

6 오른쪽 그림과 같이 $\overline{AB}$와 ∠A, ∠B가 주어졌을 때, 다음 보기 중 △ABC를 작도하는 순서로 옳은 것을 모두 고르시오.

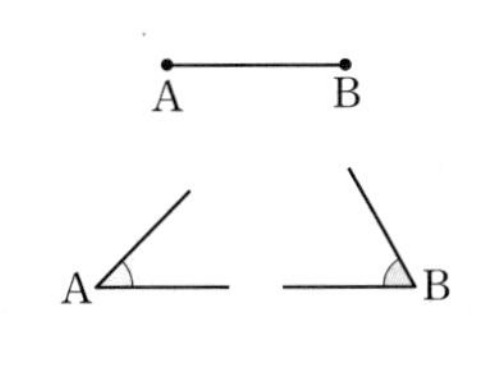

보기
ㄱ. ∠B → ∠A → $\overline{AB}$
ㄴ. $\overline{AB}$ → ∠B → ∠A
ㄷ. ∠A → ∠B → $\overline{AB}$
ㄹ. ∠A → $\overline{AB}$ → ∠B

7 다음 중 △ABC가 하나로 작도되는 것을 모두 고르면? (정답 2개)

① $\overline{AB}$=3 cm, $\overline{BC}$=5 cm, $\overline{CA}$=8 cm
② $\overline{BC}$=9 cm, ∠A=100°, ∠C=35°
③ $\overline{AB}$=5 cm, $\overline{BC}$=4 cm, ∠B=50°
④ ∠A=40°, ∠B=90°, ∠C=50°
⑤ $\overline{AB}$=6 cm, ∠A=85°, ∠B=95°

8 오른쪽 그림과 같이 △ABC에서 ∠C의 크기가 주어졌을 때, 삼각형이 하나로 정해지기 위해 필요한 조건이 아닌 것은?

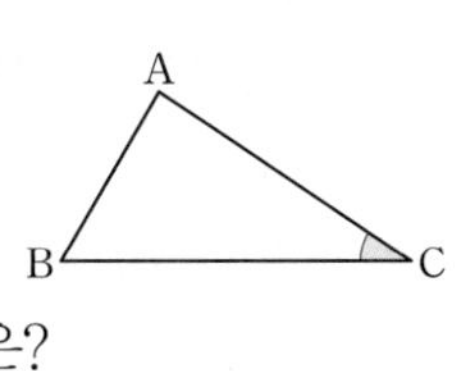

① $\overline{BC}$와 $\overline{AC}$ ② $\overline{AB}$와 $\overline{AC}$ ③ ∠B와 $\overline{BC}$
④ ∠A와 $\overline{BC}$ ⑤ ∠B와 $\overline{AB}$

03 삼각형의 합동

1 도형의 합동

(1) **합동**: 한 도형을 모양과 크기를 바꾸지 않고 다른 도형에 완전히 포갤 수 있을 때, 이 두 도형을 서로 합동이라 한다. 기호 $\triangle ABC \equiv \triangle PQR$

(2) **대응**: 합동인 두 도형에서 서로 포개어지는 꼭짓점과 꼭짓점, 변과 변, 각과 각은 서로 대응한다고 한다.

(3) **합동인 도형의 성질**: 두 도형이 서로 합동이면

① 대응변의 길이는 서로 같다. ② 대응각의 크기는 서로 같다.

2 삼각형의 합동 조건

다음의 각 경우에 두 삼각형은 서로 합동이다.

(1) 대응하는 세 변의 길이가 각각 같을 때 (SSS 합동)

(2) 대응하는 두 변의 길이가 각각 같고, 그 끼인각의 크기가 같을 때 (SAS 합동)

(3) 대응하는 한 변의 길이가 같고, 그 양 끝 각의 크기가 각각 같을 때 (ASA 합동)

대표 문제

9 다음 중 두 도형이 항상 합동이 아닌 것은?

① 넓이가 같은 두 정사각형
② 반지름의 길이가 같은 두 반원
③ 한 변의 길이가 같은 두 마름모
④ 가로, 세로의 길이가 각각 같은 두 직사각형
⑤ 둘레의 길이가 같은 두 정삼각형

10 다음 그림에서 $\triangle ABC \equiv \triangle DEF$일 때, $\overline{AB}$의 길이와 $\angle F$의 크기를 차례로 구하시오.

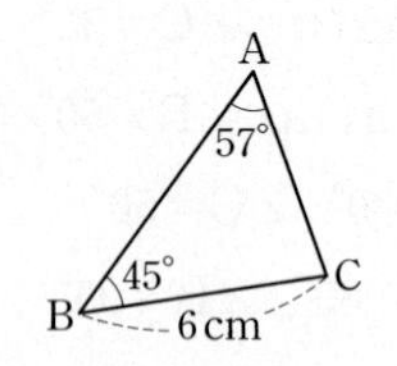

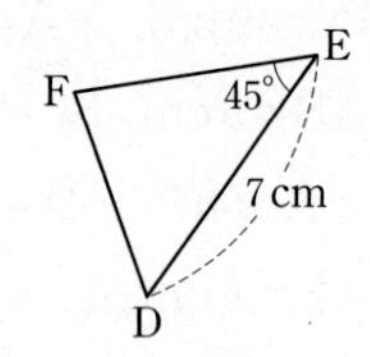

11 오른쪽 그림에서 $\overline{AB}=\overline{DB}$, $\overline{BC}=\overline{BE}$일 때, 다음 중 $\triangle BAC$와 $\triangle BDE$가 SAS 합동임을 설명하는 데 필요한 나머지 한 조건은?

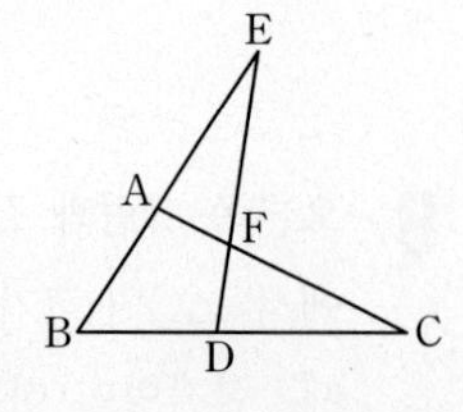

① $\overline{AC}=\overline{DE}$ ② $\angle B$는 공통
③ $\overline{AE}=\overline{DC}$ ④ $\angle C=\angle E$
⑤ $\angle AFE=\angle DFC$

12 오른쪽 그림에서 $\triangle ABC$와 $\triangle DCE$는 정삼각형이고 점 C는 $\overline{BE}$ 위의 점일 때, 다음은 $\triangle BCD \equiv \triangle ACE$임을 설명하는 과정이다. (가), (나), (다)에 알맞은 것을 쓰시오.

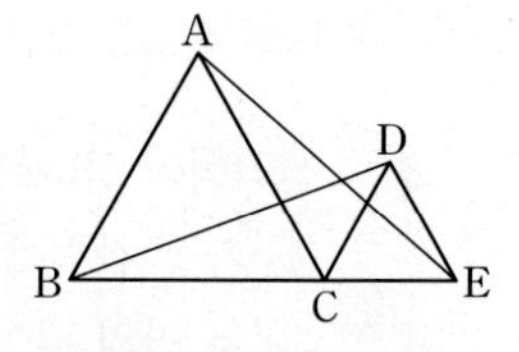

> $\triangle BCD$와 $\triangle ACE$에서
> $\triangle ABC$가 정삼각형이므로 $\overline{BC}=\overline{AC}$
> $\triangle DCE$가 정삼각형이므로 (가) $=\overline{CE}$
> 또 $\angle BCD=60^\circ+\angle$ (나) $=\angle ACE$
> $\therefore \triangle BCD \equiv \triangle ACE$ ((다) 합동)

13 오른쪽 그림에서 사각형 ABCD는 정사각형이고 $\triangle PBC$는 정삼각형일 때, $\triangle PAB$와 합동인 삼각형을 찾아 기호 $\equiv$를 사용하여 나타내고, 합동 조건을 말하시오.

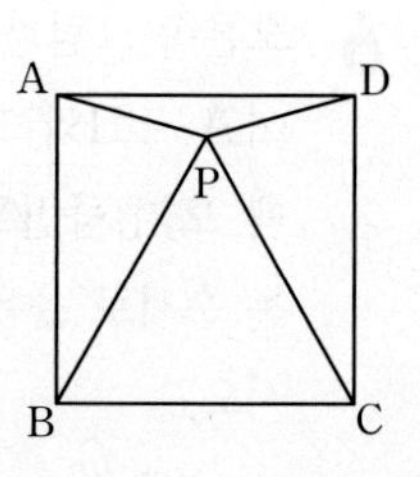

01 작도

1 한 변 AB의 길이가 주어졌을 때, 길이가 같은 선분의 작도를 이용하여 정삼각형을 작도하려고 한다. 이때 컴퍼스의 최소 사용 횟수는?

① 2회 ② 3회 ③ 4회
④ 5회 ⑤ 6회

2 오른쪽 그림은 직선 l 밖의 한 점 P를 지나고 직선 l에 평행한 직선을 작도한 것이다. 다음 중 옳지 않은 것은?

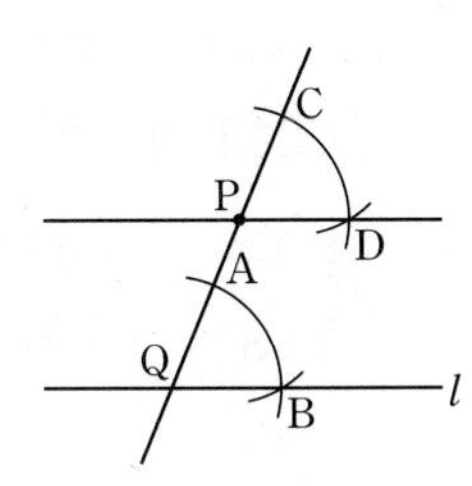

① $\overline{AB}=\overline{CD}$
② $\overline{PD}=\overline{QB}$
③ $\overline{PC}=\overline{PD}$
④ $\overline{QA}=\overline{PC}$
⑤ $\overline{QA}=\overline{AB}$

3 오른쪽 그림은 $\overline{AB}$, $\overline{BC}$의 길이와 $\angle B$의 크기가 주어졌을 때, 평행사변형 ABCD를 작도한 것이다. 다음 중 작도 순서로 옳지 않은 것은?

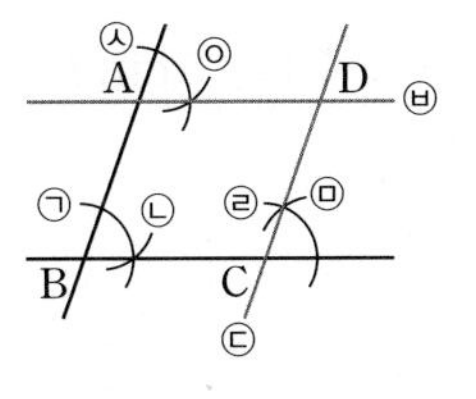

① ㉠ → ㉣ → ㉦ → ㉡ → ㉤ → ㉧ → ㉢ → ㉥
② ㉠ → ㉣ → ㉦ → ㉡ → ㉧ → ㉤ → ㉥ → ㉢
③ ㉠ → ㉦ → ㉣ → ㉡ → ㉤ → ㉥ → ㉧ → ㉢
④ ㉠ → ㉦ → ㉣ → ㉡ → ㉤ → ㉧ → ㉢ → ㉥
⑤ ㉠ → ㉦ → ㉣ → ㉡ → ㉧ → ㉤ → ㉥ → ㉢

4 한 점 A를 중심으로 하는 원을 그린 후, 그 원 위의 한 점 B를 중심으로 $\overline{AB}$의 길이를 반지름으로 하는 원을 그렸더니 두 원이 두 점에서 만났다. 그중에서 한 점을 C라 할 때, $\angle BAC$의 크기를 구하시오.

02 삼각형의 작도

5 삼각형의 세 변의 길이가 $x+4$, 3, $2x$일 때, 다음 중 x의 값이 될 수 없는 것을 모두 고르면? (정답 2개)

① 1 ② 3 ③ 5
④ 6 ⑤ 8

6 길이가 각각 5 cm, 6 cm, 9 cm, 10 cm, 14 cm인 5개의 선분 중에서 3개의 선분을 골라 만들 수 있는 서로 다른 삼각형의 개수를 구하시오.

7 중요 $\overline{AB}=5\,\text{cm}$일 때, 다음 중 $\triangle ABC$가 하나로 정해지는 조건을 모두 고르면? (정답 2개)

① $\overline{BC}=8\,\text{cm}$, $\overline{CA}=2\,\text{cm}$
② $\angle B=40°$, $\angle C=60°$
③ $\overline{BC}=9\,\text{cm}$, $\overline{CA}=5\,\text{cm}$
④ $\overline{BC}=7\,\text{cm}$, $\angle C=50°$
⑤ $\angle A=60°$, $\angle B=120°$

8 △ABC에서 $\overline{BC}=9$ cm, $\angle B=75°$일 때, △ABC가 하나로 정해지기 위해 필요한 나머지 한 조건을 다음 보기에서 모두 고르시오.

보기
ㄱ. $\angle A=30°$
ㄴ. $\angle C=105°$
ㄷ. $\overline{AB}=12$ cm
ㄹ. $\overline{AC}=3$ cm

9 다음 조건을 모두 만족시키도록 작도할 수 있는 서로 다른 삼각형은 모두 몇 개인지 구하시오.

조건
(가) 한 변의 길이는 7 cm이다.
(나) 두 각의 크기는 각각 50°, 70°이다.

03 삼각형의 합동

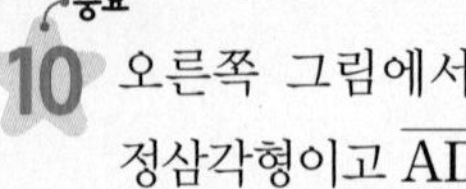

10 중요 오른쪽 그림에서 △ABC는 정삼각형이고 $\overline{AD}=\overline{CE}$일 때, $\angle BFC$의 크기를 구하시오.

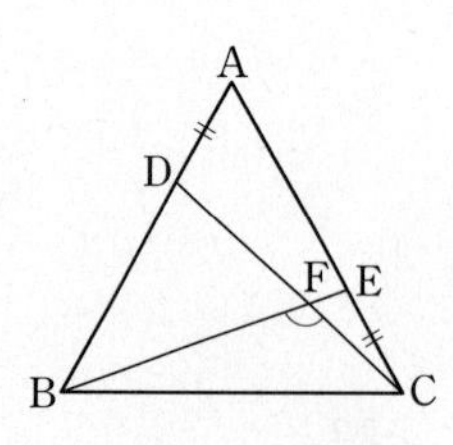

교과서 속 심화

11 오른쪽 그림에서 △ABC와 △DCE는 정삼각형이고 점 C는 $\overline{BE}$ 위의 점일 때, $\angle x$의 크기를 구하시오.

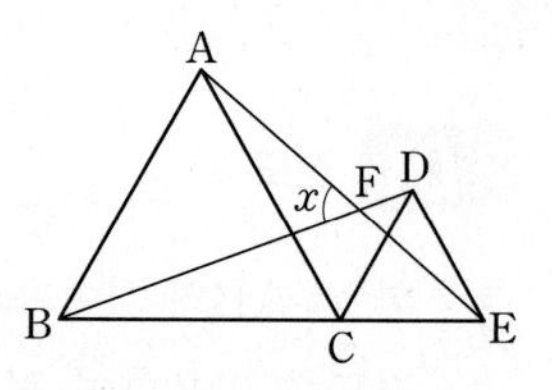

12 오른쪽 그림에서 △ABC와 △ADE는 정삼각형이고 $\angle ADB=80°$일 때, $\angle CED$의 크기는?

① 14° ② 16° ③ 18° ④ 20° ⑤ 22°

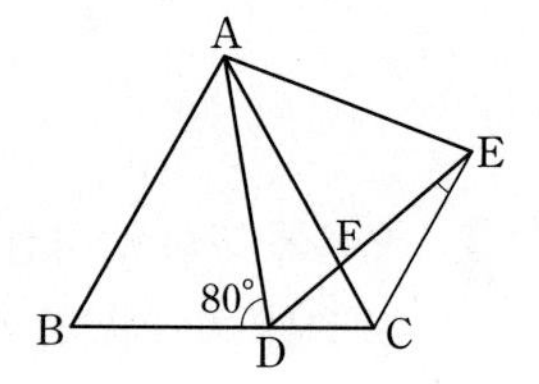

13 오른쪽 그림에서 △ABC와 △ADE는 한 변의 길이가 11 cm인 정삼각형이다. $\overline{DG}=3$ cm일 때, $\overline{BF}$의 길이를 구하시오.

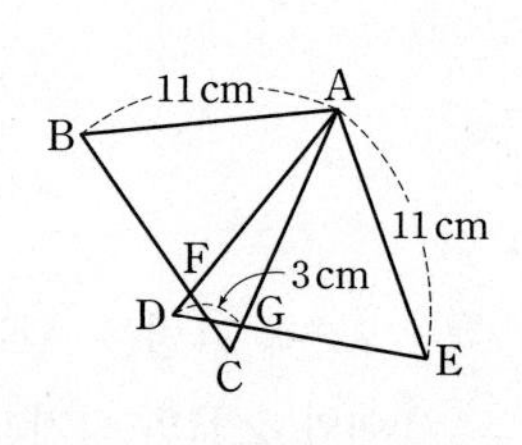

14 오른쪽 그림과 같은 평행사변형 ABCD에서 합동인 두 삼각형을 모두 찾아 기호 ≡를 사용하여 나타내시오.

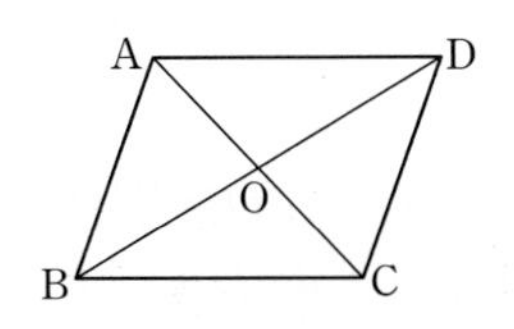

15 다음 그림은 직사각형 ABCD를 $\overline{AC}$를 접는 선으로 하여 접은 것이다. $\overline{AB}=5\,cm$, $\overline{BC}=12\,cm$, $\overline{CA}=13\,cm$일 때, △AEF의 둘레의 길이를 구하시오.

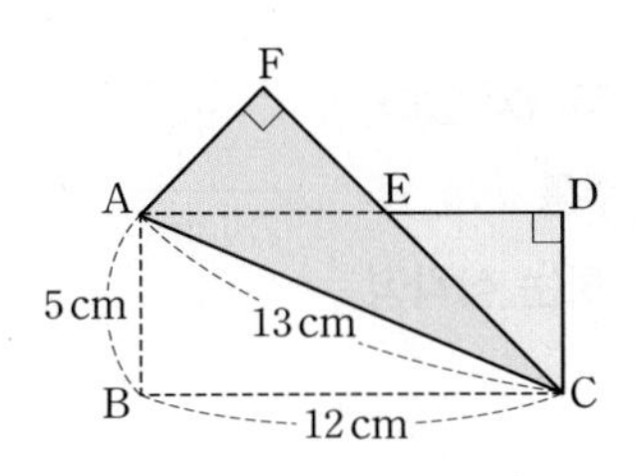

16 오른쪽 그림에서 점 E는 정사각형 ABCD의 대각선 BD 위의 점이고 ∠AED=102°일 때, ∠x의 크기를 구하시오.

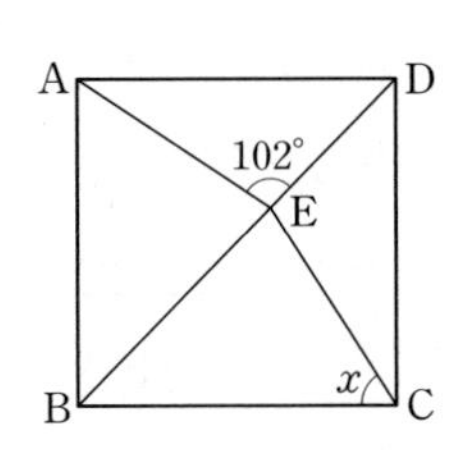

중요

17 오른쪽 그림의 두 정사각형 ABCD와 ECGF에 대하여 $\overline{BC}=5\,cm$, $\overline{DE}=7\,cm$, $\overline{BE}=13\,cm$일 때, △DCG의 둘레의 길이는?

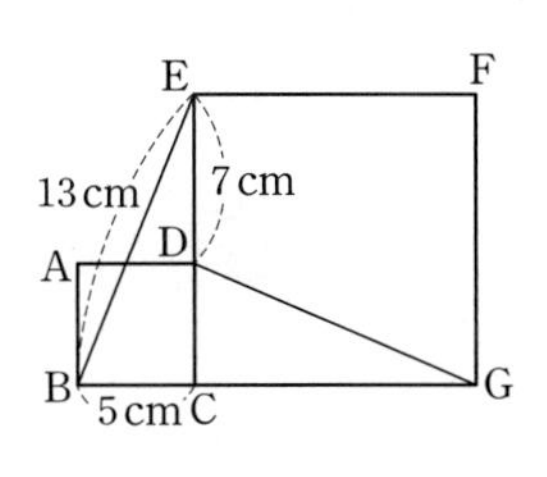

① 20 cm ② 24 cm ③ 25 cm
④ 30 cm ⑤ 35 cm

18 오른쪽 그림에서 두 사각형 ABCD와 EFGC는 정사각형이고 ∠ABG=72°, ∠CHE=65°일 때, ∠DEF의 크기를 구하시오.

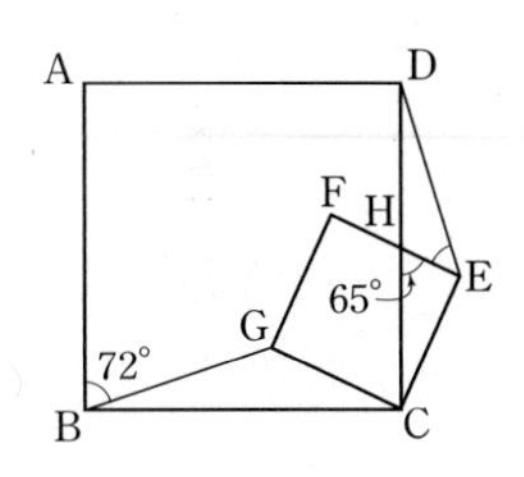

교과서 속 심화

19 오른쪽 그림과 같이 한 변의 길이가 10 cm인 두 정사각형이 있다. 정사각형 ABCD의 두 대각선의 교점 O에 다른 정사각형의 한 꼭짓점이 놓여 있을 때, 색칠한 부분의 넓이를 구하시오.

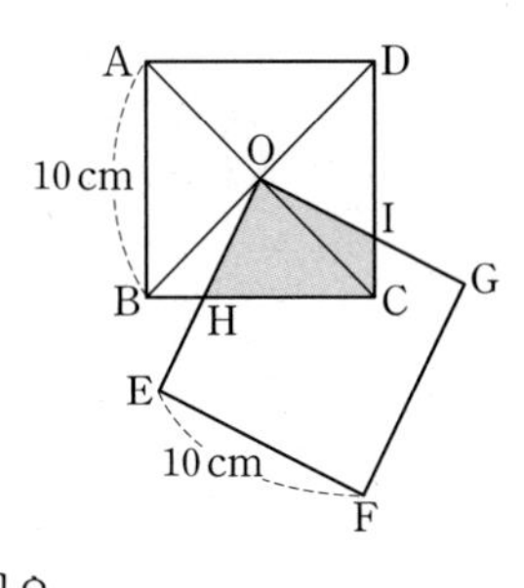

01

오른쪽 그림은 $\angle XOY=90°$일 때, $\angle XOY$의 삼등분선을 작도한 것이다. 다음 중 옳지 않은 것을 모두 고르면? (정답 2개)

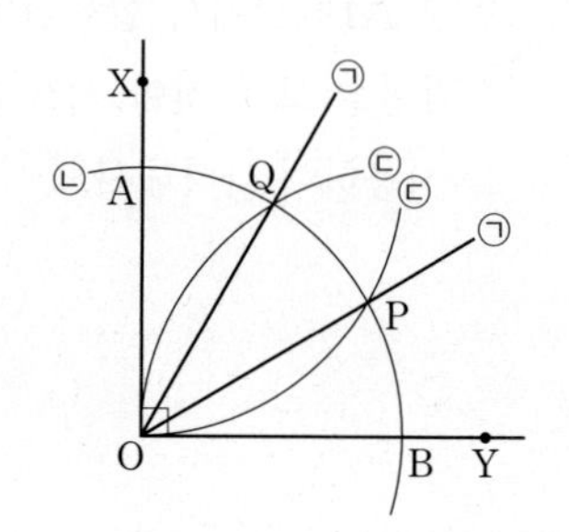

① $\angle AOP=\frac{2}{3}\angle AOB$

② $\overline{AP}=2\overline{PQ}$

③ $\angle OAQ=75°$

④ $\triangle AOP$는 정삼각형이다.

⑤ 작도 순서는 ㉢ → ㉡ → ㉠이다.

02

오른쪽 그림과 같이 두 변의 길이와 한 각의 크기가 주어져 있다. 주어진 각을 두 변의 끼인각으로 하는 삼각형의 개수를 x개, 주어진 각을 두 변의 끼인각이 아닌 다른 한 각으로 하는 삼각형의 개수를 y개라 할 때, $x+y$의 값을 구하시오.

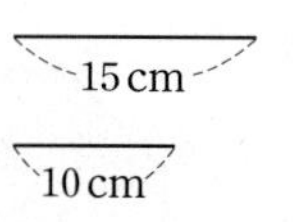

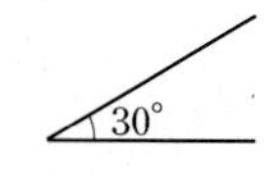

03

오른쪽 그림은 $\triangle ABC$의 각 변을 한 변으로 하는 정삼각형 DBA, EBC, FAC를 그린 것이다. $\overline{AB}=4\,cm$, $\overline{AC}=7\,cm$, $\overline{BC}=9\,cm$일 때, 다음 중 옳지 않은 것을 고르면?

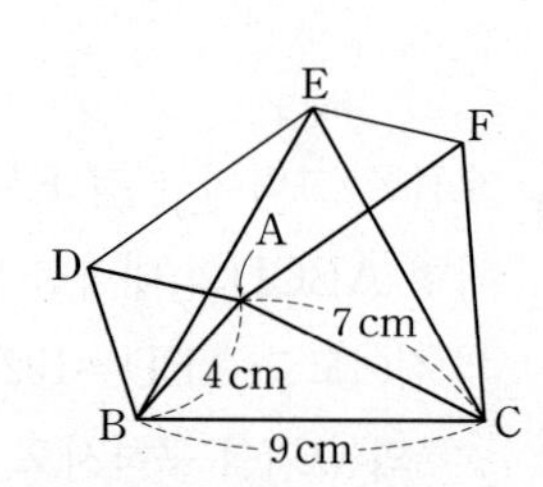

① $\angle DBE=\angle ABC$

② $\triangle DBE\equiv\triangle FEC$

③ $\overline{CF}=\overline{ED}$

④ $\angle DEC=\angle FEB$

⑤ 오각형 DBCFE의 둘레의 길이는 $31\,cm$이다.

04

오른쪽 그림에서 사각형 DEBA와 사각형 ACGF는 $\triangle ABC$의 두 변 AB, AC를 각각 한 변으로 하는 정사각형이다. 이때 $\angle x$의 크기를 구하시오.

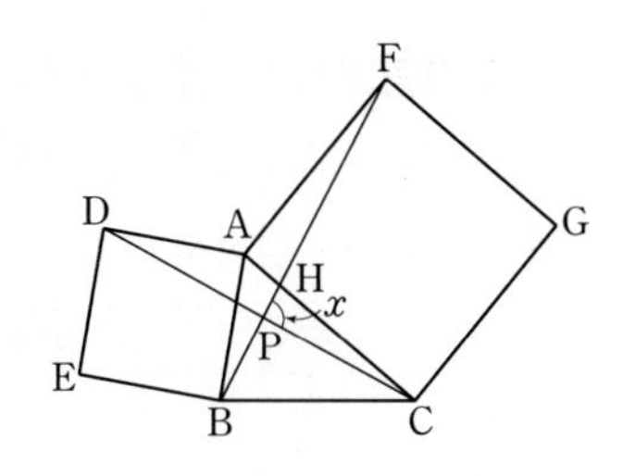

05

오른쪽 그림에서 두 사각형 ABCD와 GCEF는 정사각형이고 $\triangle DCE$의 넓이가 $200\,cm^2$일 때, $\overline{AB}$의 길이를 구하시오.

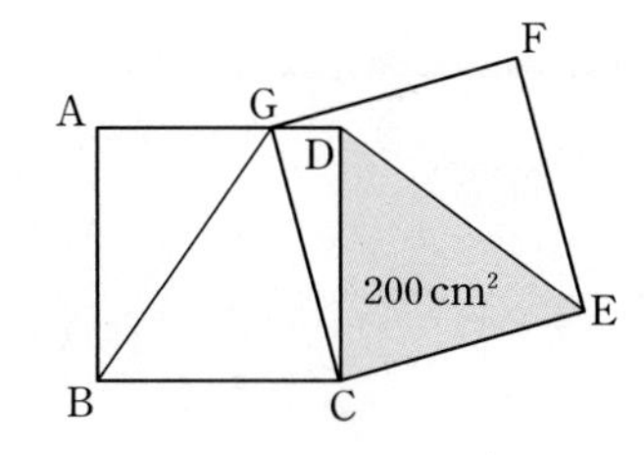

TOP

06

오른쪽 그림의 정사각형 ABCD에서 $\overline{BC}$ 위의 점 E에 대하여 $\angle AEF=60°$, $\angle EAF=45°$일 때, $\angle AFD$의 크기를 구하시오.

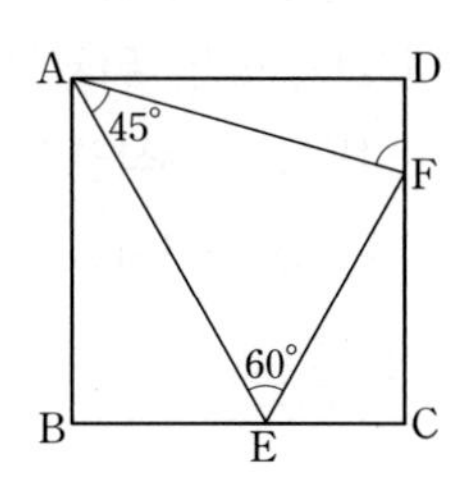

● 정답과 해설 11쪽

1~2 서술형 완성하기

모든 문제는 풀이 과정을 자세히 서술한 후 답을 쓰세요.

1 다음 그림에서 두 점 B, C는 $\overline{AD}$의 삼등분점이고 두 점 M, N은 각각 $\overline{AB}$, $\overline{CD}$의 중점이다. $\overline{MN}=12\,\mathrm{cm}$일 때, 물음에 답하시오.

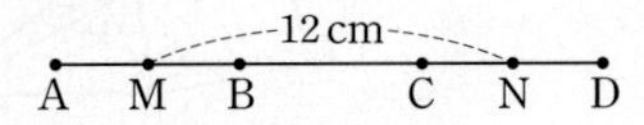

(1) $\overline{BC}$의 길이를 구하시오.

(2) $\overline{AD}$의 길이를 구하시오.

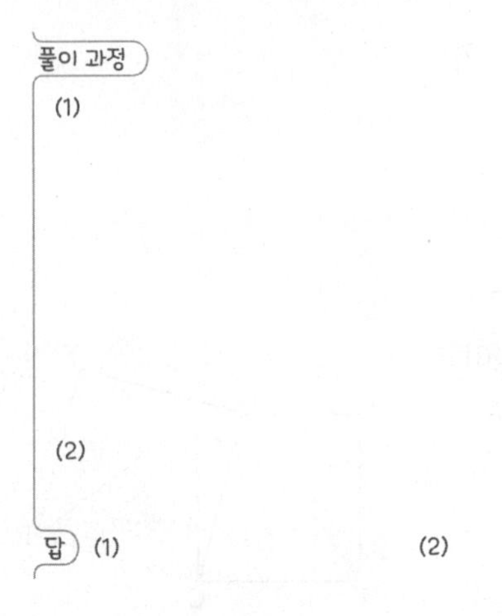

풀이 과정

(1)

(2)

답 (1) (2)

2 오른쪽 그림은 직육면체에서 삼각기둥을 잘라 내고 남은 입체도형이다. 각 모서리는 직선으로, 각 면은 평면으로 연장하여 생각할 때, 모서리 CD와 꼬인 위치에 있는 모서리의 개수를 a개, 면 FJKG와 수직인 면의 개수를 b개라 하자. 이때 $a+b$의 값을 구하시오.

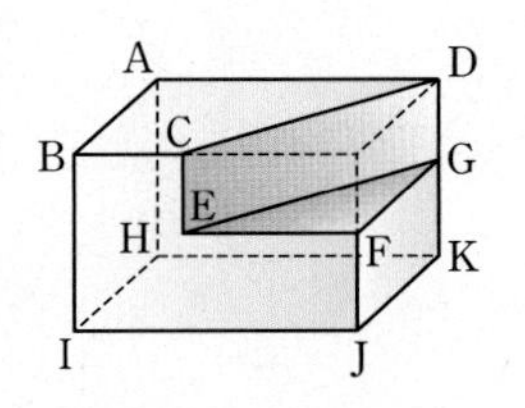

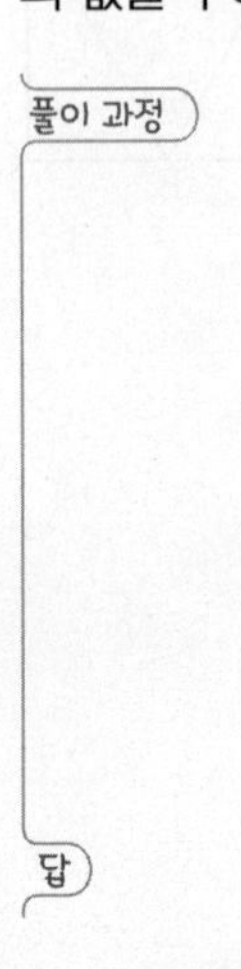

풀이 과정

답

3 오른쪽 그림에서 $\overleftrightarrow{AB} /\!/ \overleftrightarrow{CD}$이고 $\angle EFH=\frac{4}{3}\angle HFG$일 때, 다음을 구하시오.

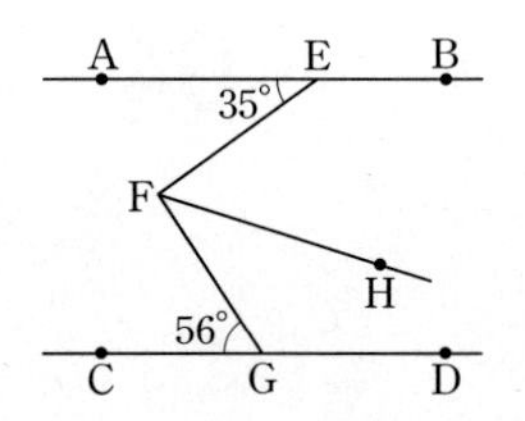

(1) $\angle EFG$의 크기

(2) $\angle EFH$의 크기

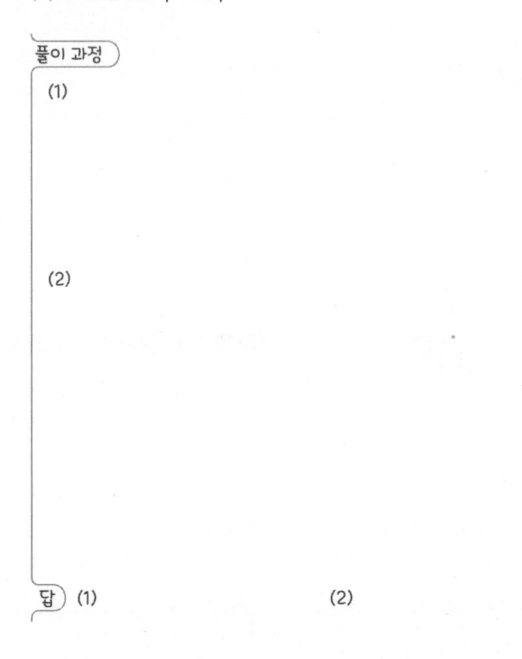

풀이 과정

(1)

(2)

답 (1) (2)

4 삼각형의 세 변의 길이가 $4\,\mathrm{cm}$, $9\,\mathrm{cm}$, $x\,\mathrm{cm}$일 때, x의 값이 될 수 있는 한 자리의 자연수의 개수를 구하시오.

풀이 과정

답

5 오른쪽 그림은 직선 l 밖의 한 점 P를 지나고 직선 l에 평행한 직선을 작도한 것이다. 다음 물음에 답하시오.

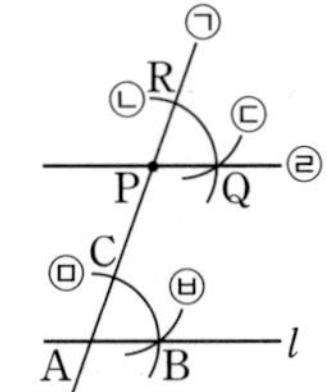

(1) 작도 순서를 바르게 나열하시오.

(2) △ABC와 △PQR가 합동임을 이용하여 ∠CAB=∠RPQ임을 설명하시오.
(단, 풀이 과정에 합동인 두 삼각형을 기호 ≡를 사용하여 나타내고, 합동 조건을 말하시오.)

풀이 과정

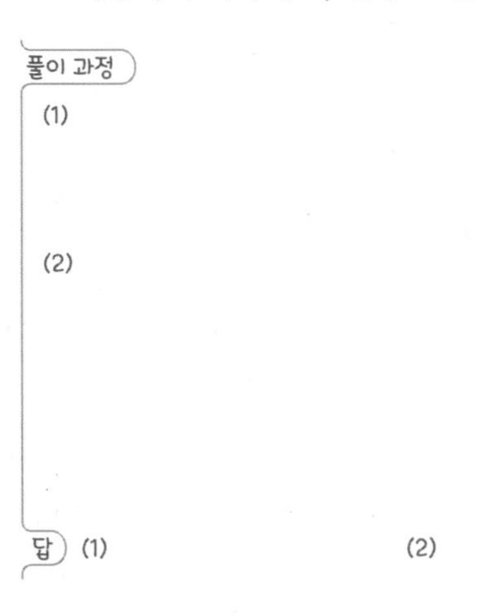

(1)

(2)

답 (1) (2)

6 오른쪽 그림과 같이 △ABC에서 $\overline{BC}$의 중점을 M, 두 점 B, C에서 $\overline{AM}$ 또는 그 연장선에 내린 수선의 발을 각각 P, Q라 할 때, 합동인 두 삼각형을 찾아 기호 ≡를 사용하여 나타내고, 합동 조건을 말하시오.

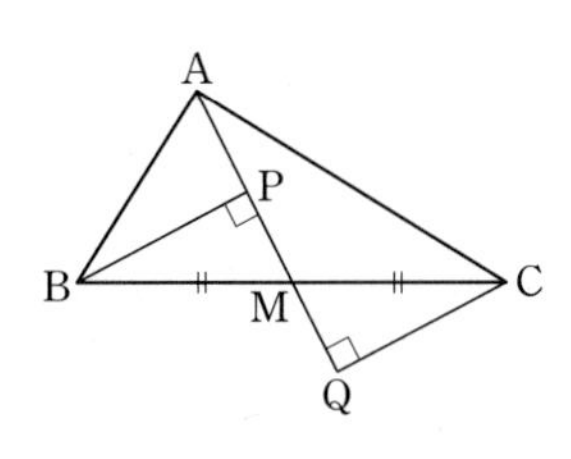

풀이 과정

답

7 다음 그림에서 $l // m$이고
∠ABC=∠CBD=∠DBE,
∠FGC=∠CGD=∠DGE일 때, $\angle x$, $\angle y$의 크기를 각각 구하시오.

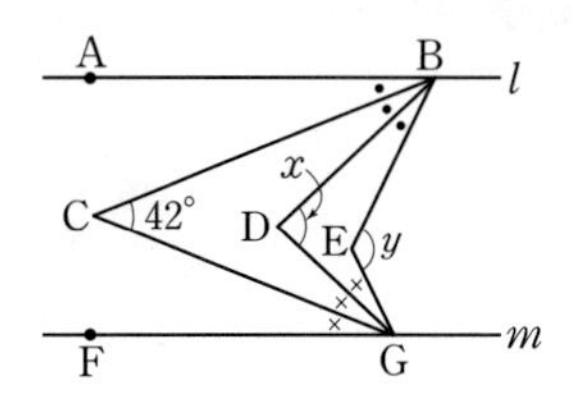

풀이 과정

답

8 오른쪽 그림과 같이 정사각형 ABCD의 대각선 BD 위에 점 E를 잡아 $\overline{AE}$의 연장선과 $\overline{BC}$의 연장선의 교점을 F라 하자. ∠AFC=38°일 때, ∠BCE+∠CEF의 값을 구하시오.

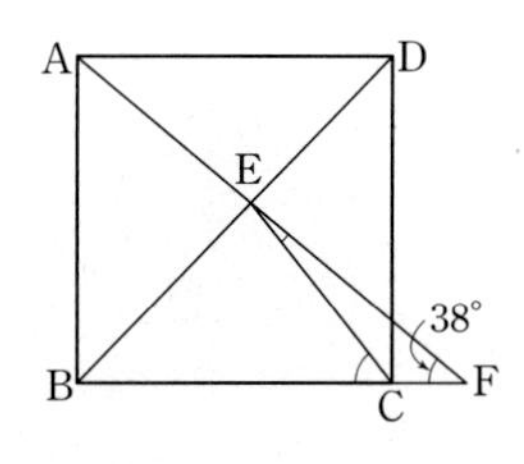

풀이 과정

답

3 다각형

● 정답과 해설 14쪽

01 다각형

1 다각형

(1) 다각형: 세 개 이상의 선분으로 둘러싸인 평면도형

① 내각: 다각형의 이웃하는 두 변으로 이루어진 각 중에서 안쪽에 있는 각

② 외각: 다각형의 각 꼭짓점에 이웃하는 두 변 중에서 한 변과 다른 한 변의 연장선이 이루는 각

변 / 꼭짓점 / 내각 / 외각 / 외각

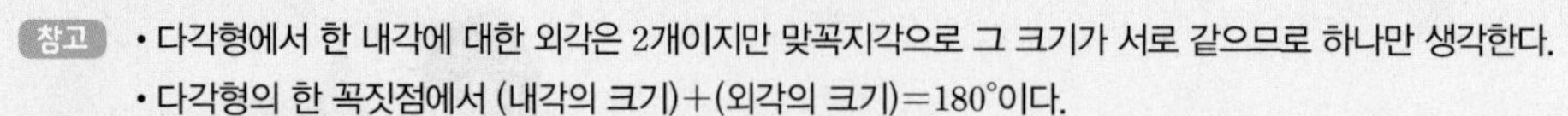

참고 • 다각형에서 한 내각에 대한 외각은 2개이지만 맞꼭지각으로 그 크기가 서로 같으므로 하나만 생각한다.

• 다각형의 한 꼭짓점에서 (내각의 크기)+(외각의 크기)=180°이다.

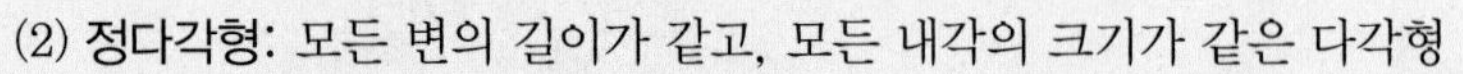

(2) 정다각형: 모든 변의 길이가 같고, 모든 내각의 크기가 같은 다각형

주의 • 변의 길이가 모두 같아도 내각의 크기가 다르면 정다각형이 아니다. 예 마름모

• 내각의 크기가 모두 같아도 변의 길이가 다르면 정다각형이 아니다. 예 직사각형

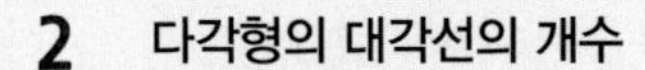

2 다각형의 대각선의 개수

(1) 대각선: 다각형에서 서로 이웃하지 않는 두 꼭짓점을 이은 선분

(2) 대각선의 개수

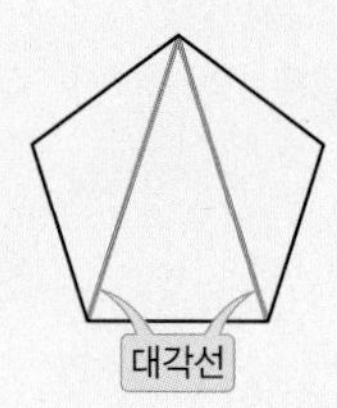

① n각형의 한 꼭짓점에서 그을 수 있는 대각선의 개수: $(n-3)$개

(꼭짓점의 개수 ← n, -3 → 한 꼭짓점에서 그을 수 있는 대각선의 개수)

② n각형의 대각선의 개수: $\frac{n(n-3)}{2}$개

(2 → 한 대각선을 두 번씩 세었으므로 2로 나눈다.)

참고 n각형의 한 꼭짓점에서 대각선을 모두 그었을 때 만들어지는 삼각형의 개수: $(n-2)$개

대표 문제

1 다음 중 옳지 않은 것을 모두 고르면? (정답 2개)

① 모든 내각의 크기가 같은 다각형을 정다각형이라 한다.

② 다각형의 변의 개수와 꼭짓점의 개수는 같다.

③ 한 평면에서 세 개 이상의 선분으로 둘러싸인 도형을 다각형이라 한다.

④ 다각형의 대각선의 개수는 변의 개수에 따라 달라진다.

⑤ 정다각형의 대각선의 길이는 모두 같다.

2 십오각형의 한 꼭짓점에서 그을 수 있는 대각선의 개수를 a개, 이때 만들어지는 삼각형의 개수를 b개라 할 때, $a+b$의 값을 구하시오.

3 어떤 다각형의 한 꼭짓점에서 대각선을 모두 그었을 때 만들어지는 삼각형의 개수가 5개이다. 이 다각형의 내부의 한 점에서 각 꼭짓점에 선분을 그었을 때 만들어지는 삼각형의 개수를 구하시오.

4 다음 조건을 모두 만족시키는 다각형의 이름을 말하시오.

조건

(가) 모든 변의 길이가 같고, 모든 내각의 크기가 같다.

(나) 대각선의 개수는 27개이다.

5 한 꼭짓점에서 그을 수 있는 대각선의 개수가 17개인 다각형의 대각선의 개수는?

① 80개 ② 95개 ③ 150개

④ 170개 ⑤ 185개

02 다각형의 내각과 외각

1 삼각형의 내각과 외각

(1) 삼각형의 세 내각의 크기의 합은 180°이다.

➡ △ABC에서 ∠A+∠B+∠C=180°

(2) 삼각형에서 한 외각의 크기는 그와 이웃하지 않는 두 내각의 크기의 합과 같다.

➡ △ABC에서 ∠ACD=∠A+∠B (∠ACD → ∠C의 외각)

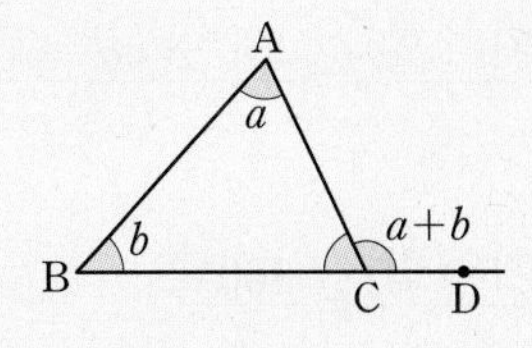

2 다각형의 내각과 외각

(1) n각형의 내각의 크기의 합은 180°×(n−2)이다. ((n−2) → 한 꼭짓점에서 대각선을 모두 그었을 때 만들어지는 삼각형의 개수)

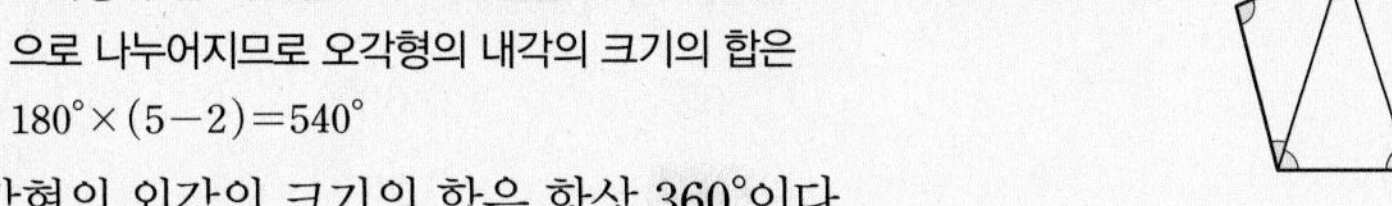

예 오각형의 한 꼭짓점에서 대각선을 모두 그으면 5−2=3(개)의 삼각형으로 나누어지므로 오각형의 내각의 크기의 합은 180°×(5−2)=540°

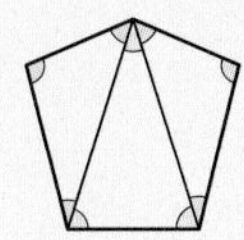

(2) n각형의 외각의 크기의 합은 항상 360°이다.

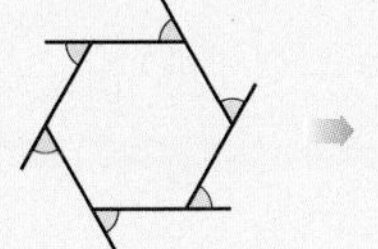

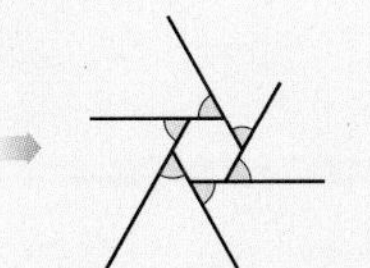
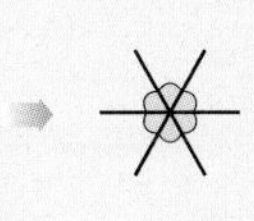

개념 활용하기

■ 삼각형의 내각과 외각을 이용하여 도형의 각의 크기 구하기

(1) 보조선을 긋고, 삼각형의 세 내각의 크기의 합이 180°임을 이용한다.

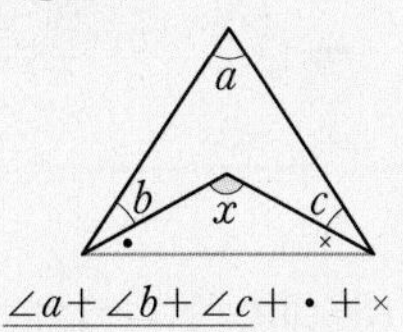

∠a+∠b+∠c+•+× =180°

∠x+•+×=180°

➡ ∠x=∠a+∠b+∠c

(2) 적당한 삼각형을 찾아 삼각형의 내각과 외각 사이의 관계를 이용한다.

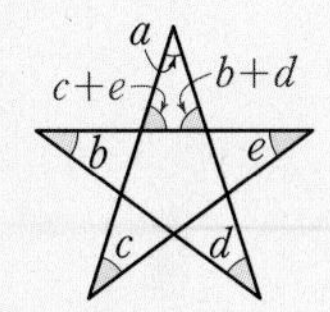

➡ ∠a+∠b+∠c+∠d+∠e=180°

대표 문제

6 오른쪽 그림에서 ∠x의 크기를 구하시오.

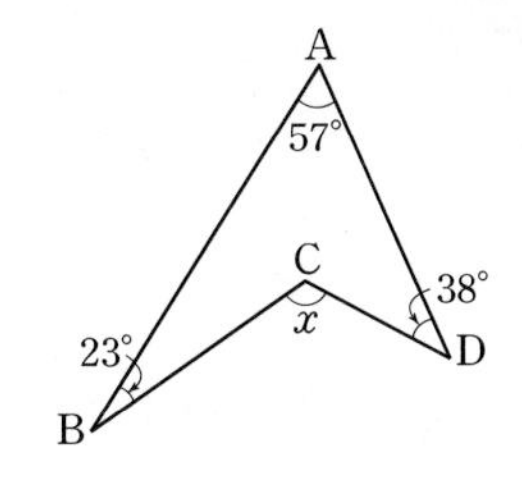

7 오른쪽 그림에서 ∠x+∠y의 값을 구하시오.

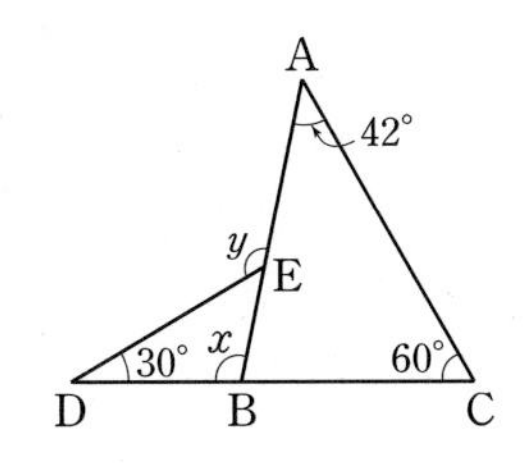

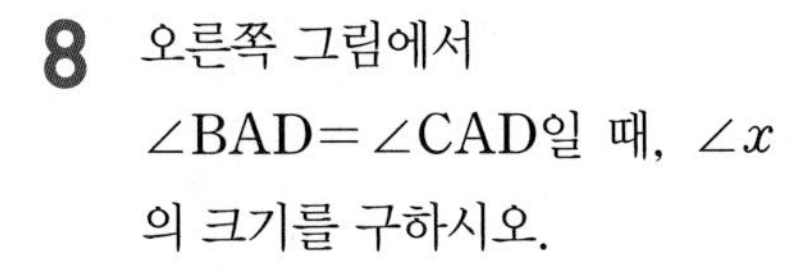

8 오른쪽 그림에서 ∠BAD=∠CAD일 때, ∠x의 크기를 구하시오.

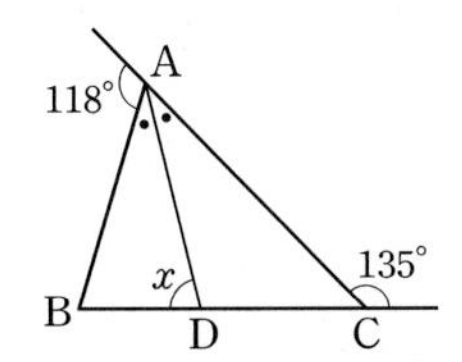

9 오른쪽 그림에서 ∠x의 크기를 구하시오.

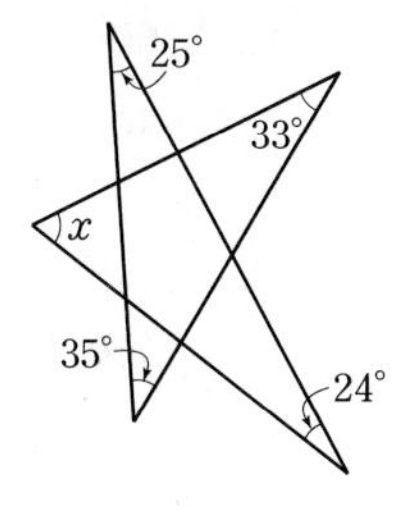

10 내각의 크기의 합이 1440°인 다각형의 대각선의 개수를 구하시오.

11 오른쪽 그림에서 ∠x의 크기를 구하시오.

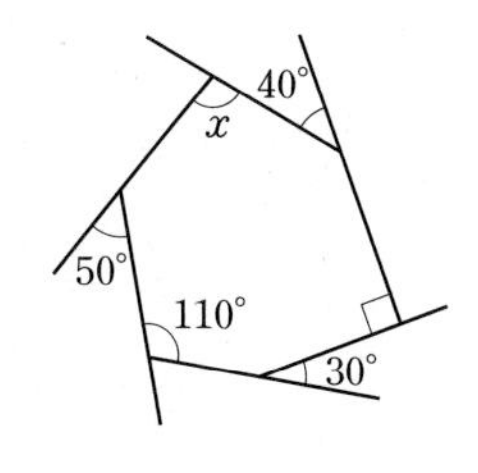

03 정다각형의 한 내각과 한 외각의 크기

(1) 정n각형의 한 내각의 크기

➡ $\dfrac{(\text{정}n\text{각형의 내각의 크기의 합})}{n}=\dfrac{180^\circ\times(n-2)}{n}$

(2) 정n각형의 한 외각의 크기

➡ $\dfrac{(\text{정}n\text{각형의 외각의 크기의 합})}{n}=\dfrac{360^\circ}{n}$

→ 정n각형은 모든 내각의 크기가 같고 모든 외각의 크기가 같으므로 n으로 나눈다.

대표 문제

12 한 내각의 크기가 140°인 정다각형의 한 꼭짓점에서 그을 수 있는 대각선의 개수를 구하시오.

13 한 외각의 크기가 30°인 정다각형의 내각의 크기의 합은?

① 1800° ② 1980° ③ 2340°
④ 2880° ⑤ 3060°

14 한 내각의 크기와 한 외각의 크기의 비가 9 : 1인 정다각형은?

① 정팔각형 ② 정구각형 ③ 정십각형
④ 정십이각형 ⑤ 정이십각형

15 오른쪽 그림의 정오각형에서 $\overline{AC}$와 $\overline{BE}$의 교점을 F라 할 때, ∠AFE의 크기는?

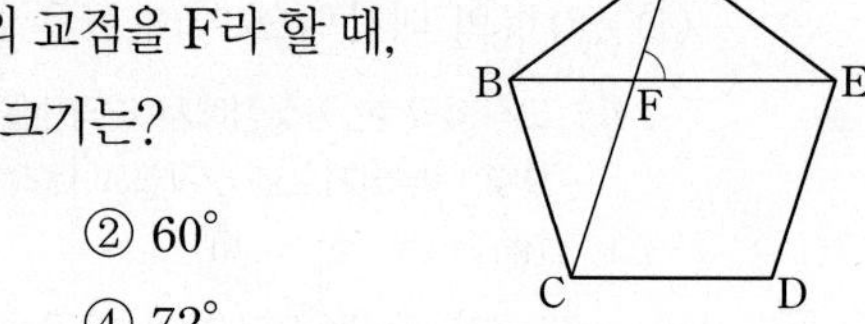

① 55° ② 60°
③ 67° ④ 72°
⑤ 78°

16 다음 그림은 한 변의 길이가 같은 정오각형과 정팔각형을 한 변이 겹치도록 붙여 놓은 것이다. 이때 ∠x의 크기를 구하시오.

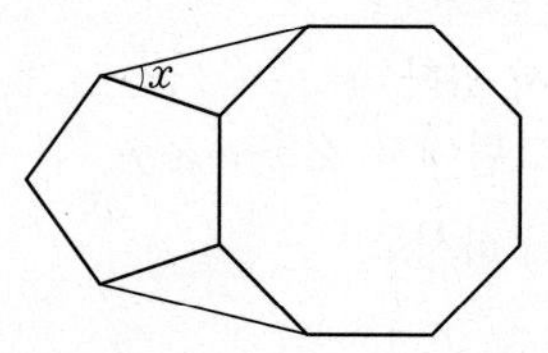

01 다각형

1 오른쪽 그림과 같이 길이가 같은 18개의 선분으로 정삼각형을 만들었다. 이 도형에서 찾을 수 있는 정다각형은 모두 몇 개인지 구하시오.

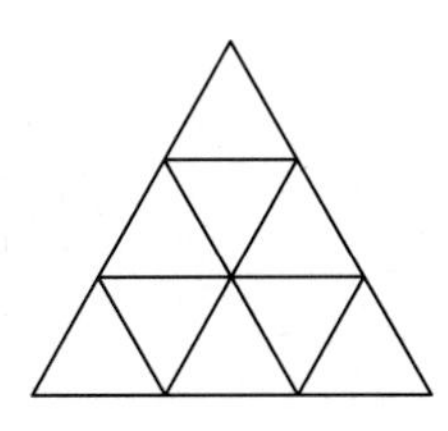

중요
2 어떤 다각형의 한 꼭짓점에서 그을 수 있는 대각선의 개수를 a개, 이때 만들어지는 삼각형의 개수를 b개라 할 때, $a+b=21$을 만족시키는 다각형은?

① 십삼각형 ② 십사각형 ③ 십오각형
④ 십육각형 ⑤ 십칠각형

3 오른쪽 그림과 같이 8명의 학생이 둥글게 서 있다. 모든 학생이 서로 한 번씩 악수를 하려고 할 때, 악수는 모두 몇 번 하게 되는가?

① 8번 ② 15번
③ 20번 ④ 25번
⑤ 28번

4 어떤 다각형의 변의 개수를 a개, 대각선의 개수를 b개라 할 때, $a : b=1 : 6$이다. 이때 $a+b$의 값을 구하시오.

5 한 꼭짓점에서 그을 수 있는 대각선의 개수가 8개인 정다각형의 길이가 서로 다른 대각선의 개수는?

① 3개 ② 4개 ③ 8개
④ 11개 ⑤ 22개

02 다각형의 내각과 외각

중요
6 다음 그림은 $\overline{AB}=\overline{AC}$인 이등변삼각형 ABC에 대하여 $\overline{AB}$, $\overline{AC}$를 각각 한 변으로 하는 정삼각형 ADB, ACE를 그린 것이다. $\overline{CD}$와 $\overline{BE}$의 교점을 F라 하고 $\angle ABC=70°$일 때, $\angle FCE$의 크기를 구하시오.

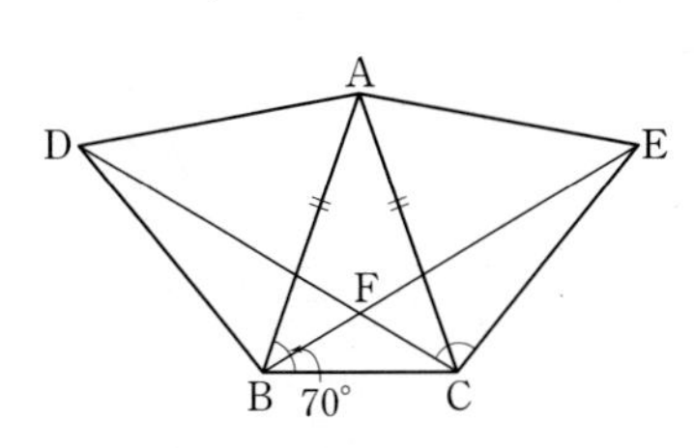

중요

7 오른쪽 그림의 $\triangle ABC$에서 $\angle B$와 $\angle C$의 삼등분선의 교점 중 두 점을 각각 D, E라 하자. $\angle BAC=48°$일 때, $\angle BDC$의 크기를 구하시오.

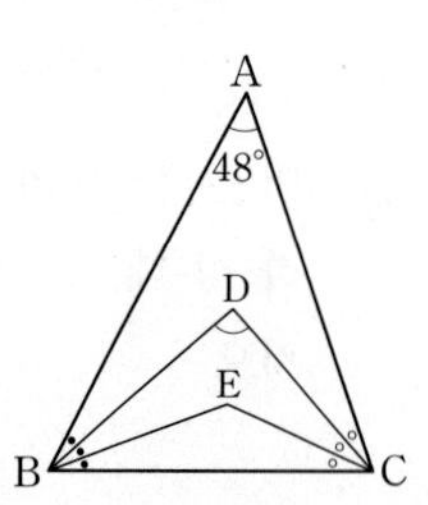

8 다음 그림에서 $\angle F=90°$일 때, $\angle A+\angle B+\angle C+\angle D+\angle E$의 값은?

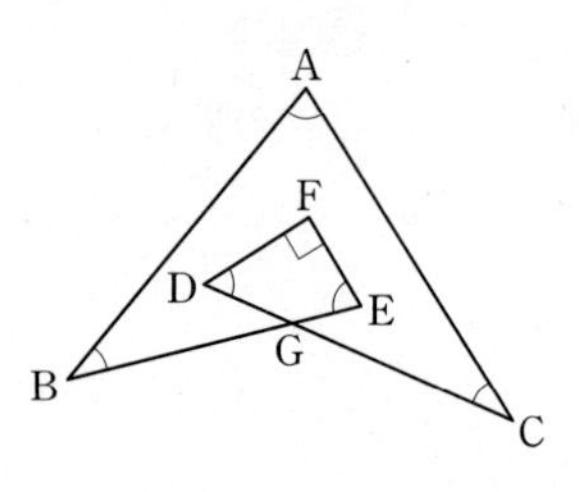

① 160° ② 180° ③ 270°
④ 360° ⑤ 540°

9 다음 그림에서 $\angle x-\angle y$의 값을 구하시오.

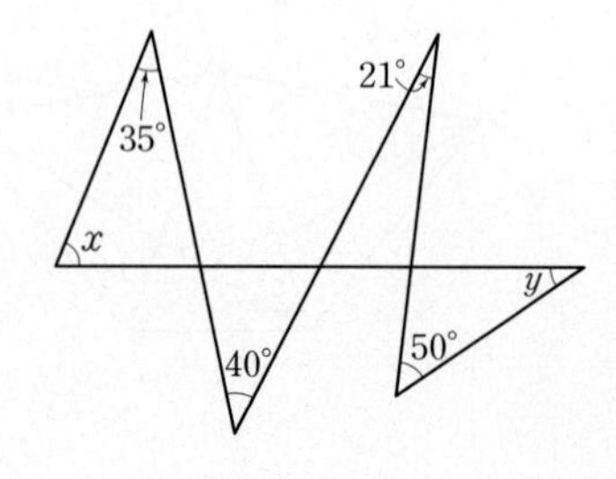

교과서 속 심화

10 다음 그림에서 $\overline{OA}=\overline{AB}=\overline{BC}=\overline{CD}=\overline{DE}$이고 $\angle AOB=16°$일 때, $\angle x$의 크기를 구하시오.

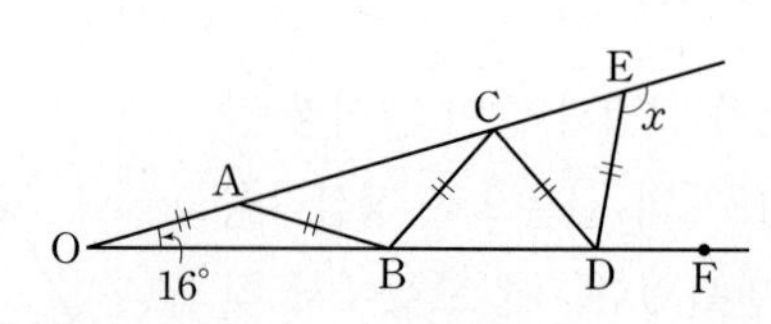

11 다음 그림에서 $\triangle DBE$는 $\triangle ABC$를 점 B를 중심으로 시계 반대 방향으로 30°만큼 회전시킨 것이다. 점 A가 $\overline{DE}$ 위의 점이고 $\angle C=48°$일 때, $\angle ABE$의 크기를 구하시오.

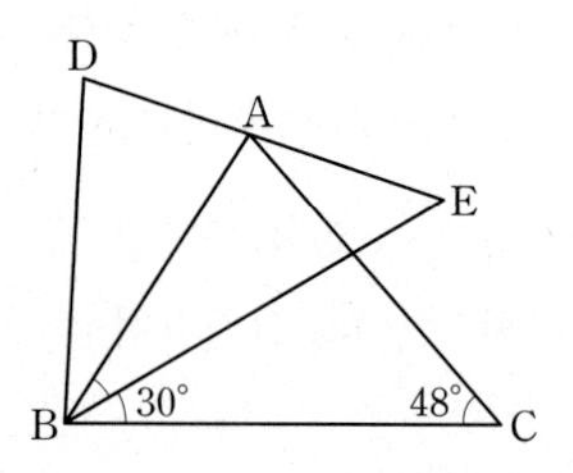

교과서 속 심화

12 오른쪽 그림과 같이 $\angle A=40°$인 $\triangle ABC$가 그려진 색종이를 $\overline{BC}$와 $\overline{BA}$가 겹치도록 접을 때 생기는 선을 l, $\overline{CD}$와 $\overline{CA}$가 겹치도록 접을 때 생기는 선을 m이라 하자. 두 선 l, m의 교점을 E라 할 때, $\angle x$의 크기를 구하시오.

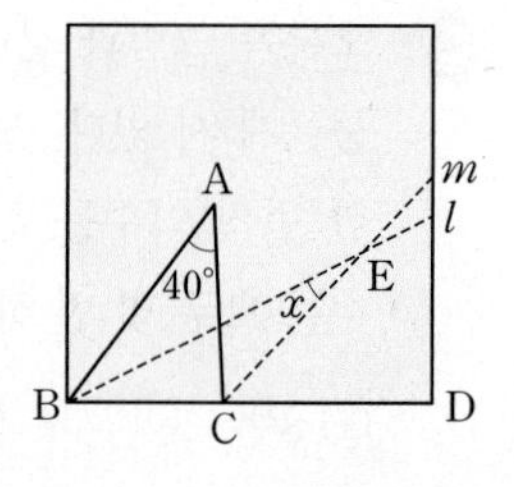

중요

13 오른쪽 그림의 △ABC에서 ∠B의 외각의 이등분선과 ∠C의 외각의 이등분선의 교점을 E라 하자. $\angle A=72°$일 때, ∠BEC의 크기를 구하시오.

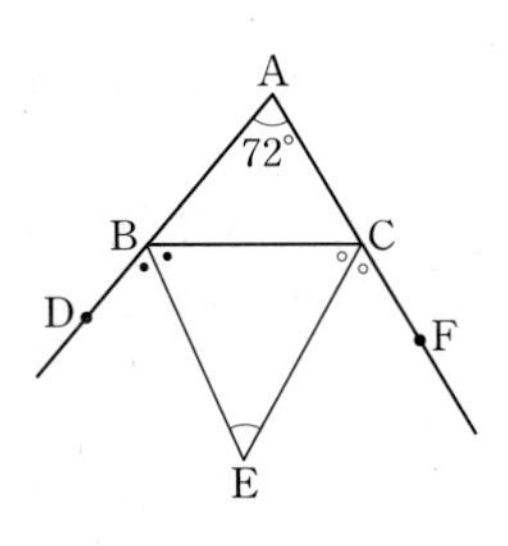

14 다음 중 오른쪽 그림에서 $\angle x$의 크기와 같은 것은?

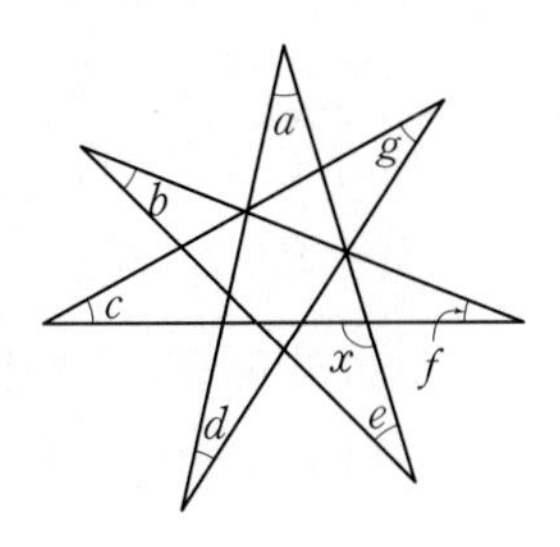

① $\angle a+\angle b+\angle c+\angle d$
② $\angle a+\angle b+\angle d+\angle e$
③ $\angle a+\angle c+\angle d+\angle g$
④ $\angle b+\angle c+\angle e+\angle f$
⑤ $\angle c+\angle e+\angle f+\angle g$

15 모든 내각과 외각의 크기의 합이 3060°인 다각형의 대각선의 개수를 구하시오.

16 오른쪽 그림의 오각형 ABCDE에서 점 F는 ∠A와 ∠B의 이등분선의 교점이고 점 G는 ∠D와 ∠E의 이등분선의 교점이다. $\angle C=100°$일 때, $\angle F+\angle G$의 값은?

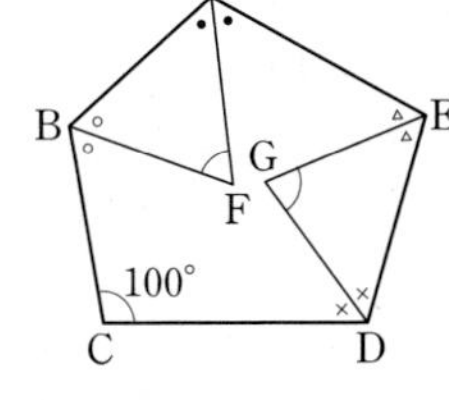

① 90° ② 100° ③ 115°
④ 120° ⑤ 140°

17 다음 그림에서 ∠BAE : ∠EAF=3 : 1, ∠CDE : ∠EDF=3 : 1일 때, $\angle x$의 크기를 구하시오.

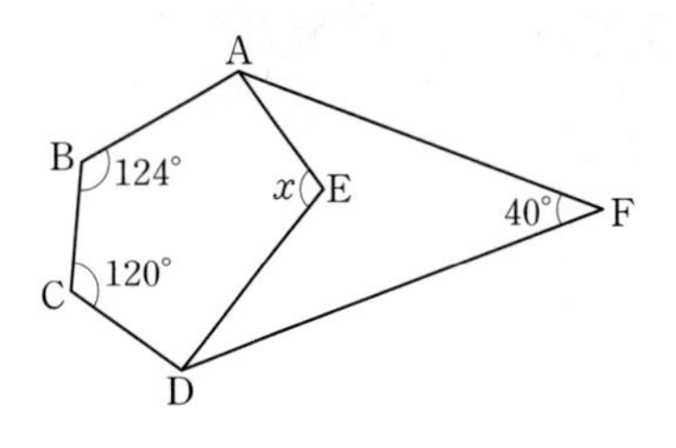

18 오른쪽 그림에서 $\angle a+\angle b+\angle c+\angle d+\angle e+\angle f$의 값을 구하시오.

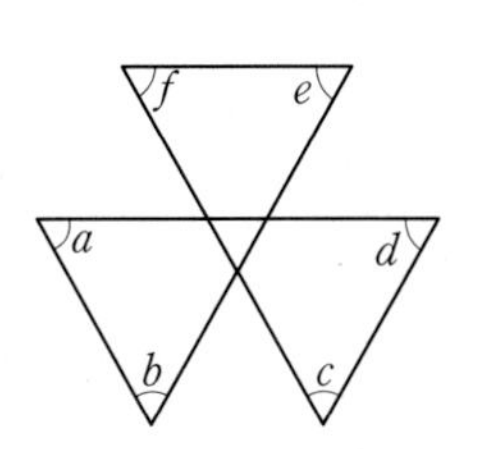

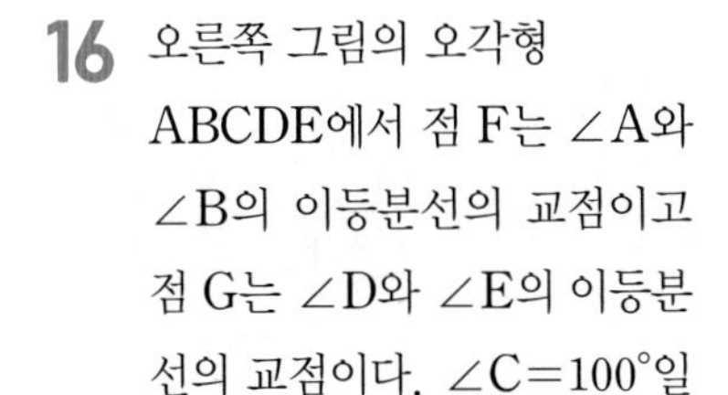

19 오른쪽 그림에서 색칠한 모든 각의 크기의 합을 구하시오.

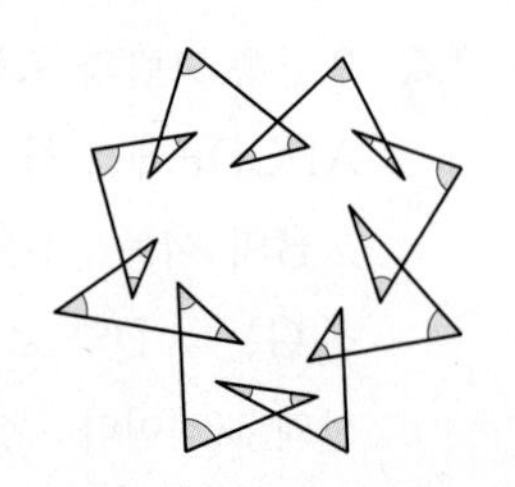

교과서 속 심화

20 다음 그림에서 $\angle F=30°$일 때, $\angle A+\angle B+\angle C+\angle D+\angle E$의 값을 구하시오.

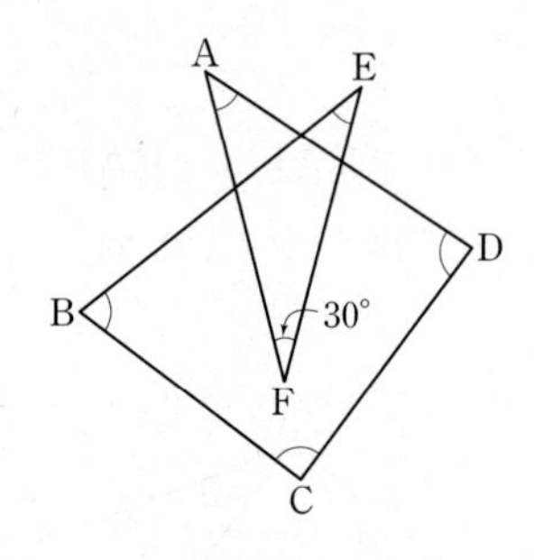

21 다음 그림에서 $\angle a+\angle b+\angle c+\angle d+\angle e+\angle f+\angle g$의 값을 구하시오.

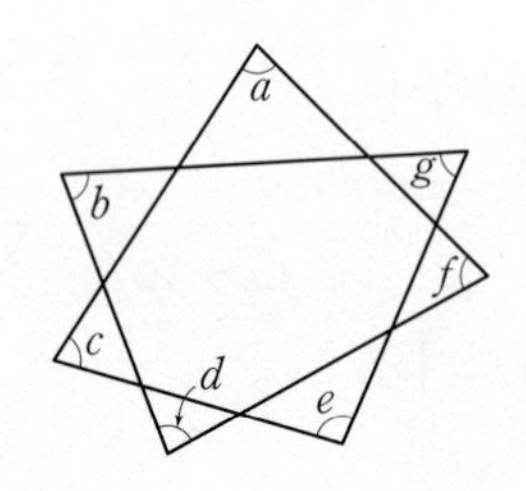

03 정다각형의 한 내각과 한 외각의 크기

22 한 내각의 크기가 한 외각의 크기보다 132°만큼 더 큰 정다각형을 구하시오.

23 정a각형, 정b각형, 정c각형$(a\le b\le c)$ 모양의 3장의 타일이 있다. 이 세 타일의 한 꼭짓점이 바닥 위의 한 점 P에 모두 놓이도록 타일의 변끼리 이어 붙였을 때, 빈틈이 생기지 않는 경우를 순서쌍 (a, b, c)로 나타내려고 한다. 다음 중 순서쌍 (a, b, c)가 될 수 있는 것을 모두 고르면? (정답 2개)

① (3, 5, 8) ② (3, 9, 12) ③ (4, 6, 12)
④ (5, 5, 10) ⑤ (6, 8, 8)

중요

24 오른쪽 그림은 한 변의 길이가 서로 같은 정삼각형 ABC와 정사각형 ACDE를 한 변이 겹치도록 붙여 놓은 것이다. 이때 $\angle x$의 크기를 구하시오.

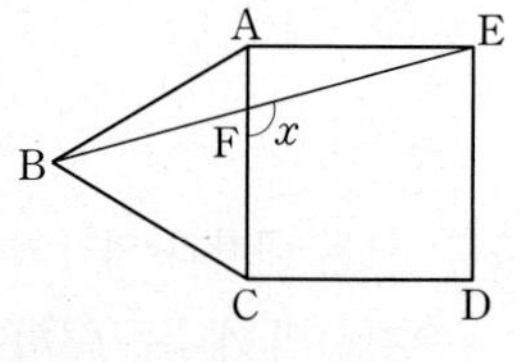

25 오른쪽 그림과 같은 정팔각형에서 $\angle x$의 크기를 구하시오.

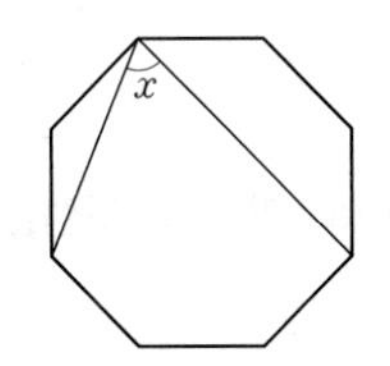

26 오른쪽 그림은 한 변의 길이가 같은 정삼각형, 정사각형, 정오각형을 그린 것이다. 이때 $\angle x$의 크기는?

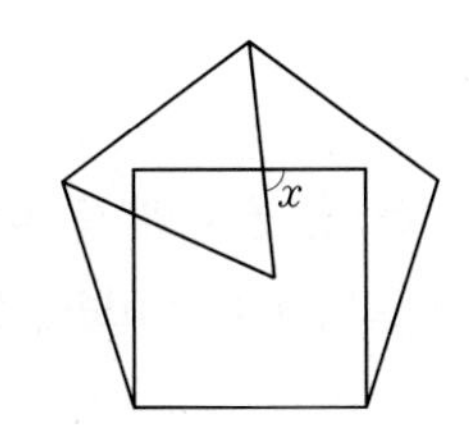

① 66°　② 72°
③ 84°　④ 90°
⑤ 96°

27 다음 그림은 한 변의 길이가 같은 정육각형과 정오각형을 붙여 놓은 것이다. 정육각형의 한 변의 연장선과 정오각형의 한 변의 연장선이 만날 때, $\angle x$의 크기를 구하시오.

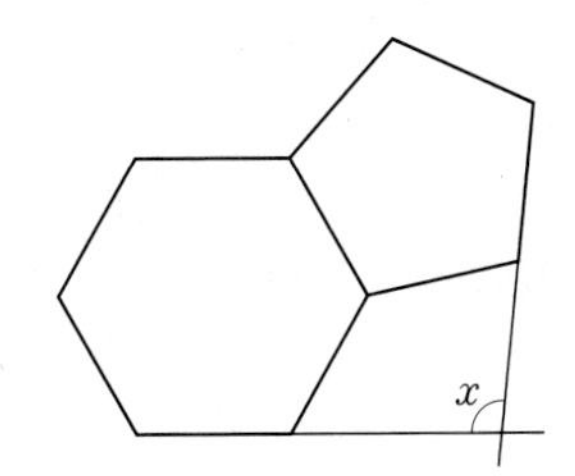

28 오른쪽 그림과 같은 정구각형에서 두 변 AB, DE의 연장선이 만나는 점을 P라 할 때, $\angle x$의 크기를 구하시오.

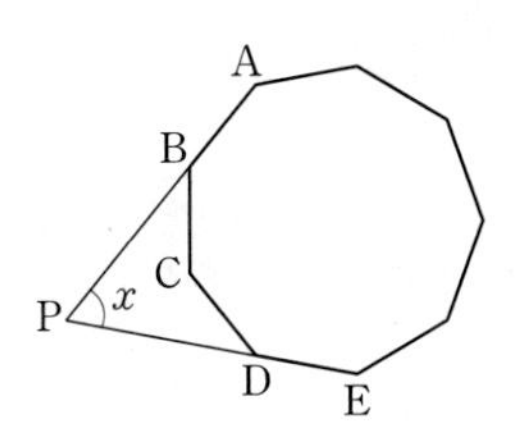

29 다음 그림은 정십각형인데 일부가 찢어져 보이지 않는다. 변 BC 위의 점 E, 변 CD 위의 점 F에 대하여 $\overline{BE}=\overline{CF}$이고 $\overline{AE}$와 $\overline{BF}$의 교점을 G라 할 때, $\angle AGF$의 크기를 구하시오.

중요

30 다음 그림과 같이 정오각형 ABCDE의 두 꼭짓점 A, C를 지나는 직선을 각각 l, m이라 하자. $l /\!/ m$일 때, $\angle x-\angle y$의 값을 구하시오.

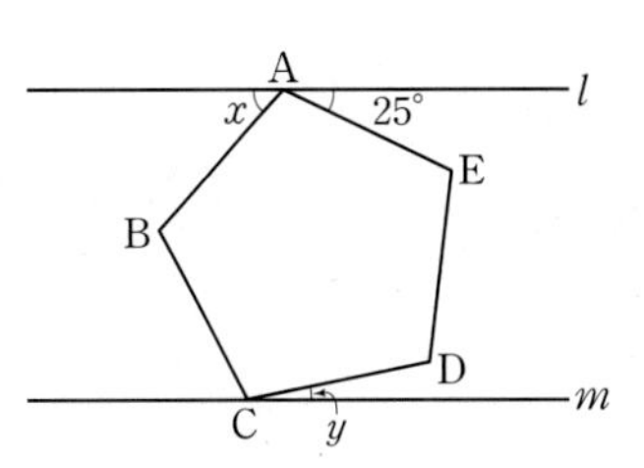

01

오른쪽 그림의 정육각형 ABCDEF에서 3개의 꼭짓점을 연결하여 만들 수 있는 이등변삼각형의 개수를 구하시오.

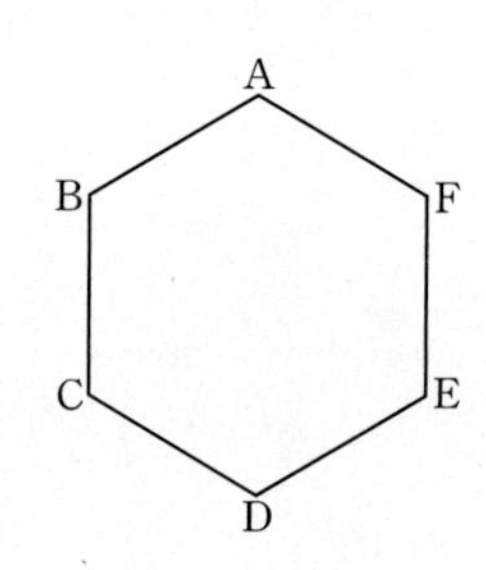

02

오른쪽 그림과 같이 반지름의 길이가 $5\,\mathrm{cm}$인 원 O에 꼭 맞는 정십각형이 있다. 이 정십각형의 대각선 중에서 길이가 $10\,\mathrm{cm}$보다 짧은 대각선의 개수를 구하시오.

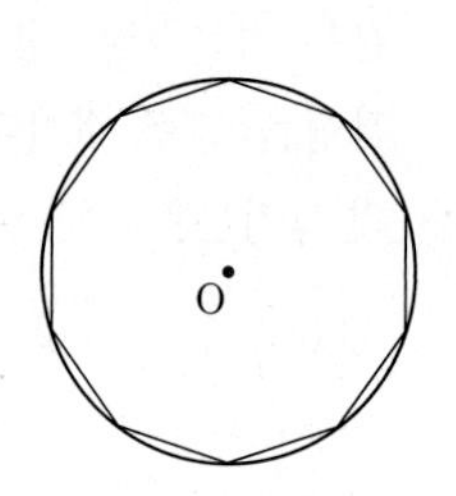

03

오른쪽 그림과 같이 $\triangle$ABC에서 $\angle$B의 삼등분선과 $\angle$C의 삼등분선의 교점으로 사각형 PQRS를 만들었다. 이때 $\angle$PQR$+\angle$PSR의 값을 구하시오.

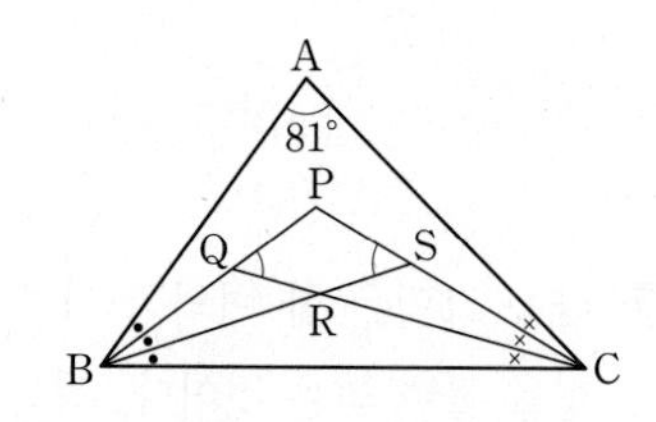

TOP

04

오른쪽 그림에서 사각형 ABCD는 직사각형일 때, $\angle a+\angle b+\angle c+\angle d+\angle e+\angle f+\angle g$의 값을 구하시오.

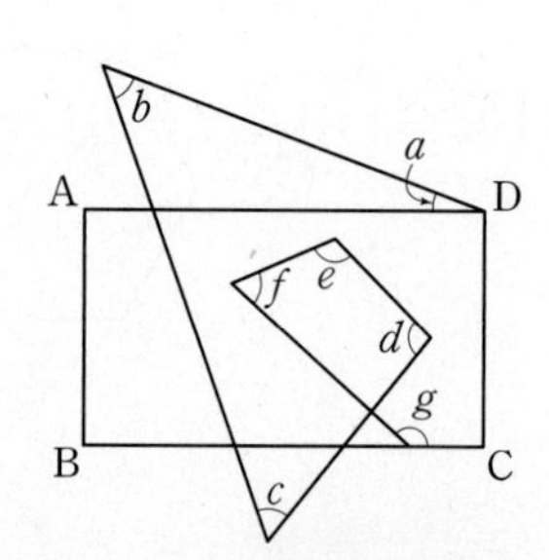

05

오른쪽 그림의 정오각형 ABCDE에서 $\angle \mathrm{B}$의 외각의 이등분선과 $\angle \mathrm{E}$의 외각의 삼등분선 중 꼭짓점 A와 가까운 삼등분선의 교점을 F라 할 때, $\angle x$의 크기를 구하시오.

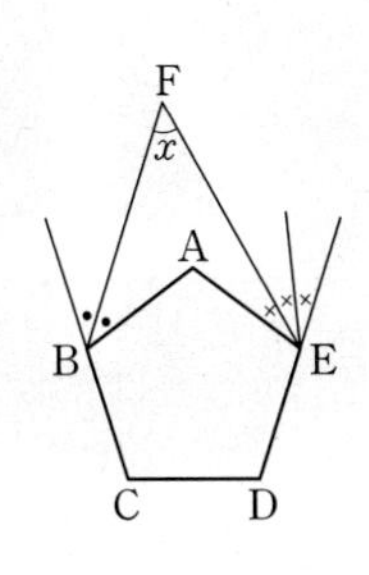

06

오른쪽 그림과 같이 정사각형 ABCD를 대각선 BD를 접는 선으로 하여 접은 후 $\overline{\mathrm{BD}}$의 중점 O에 대하여
$\angle \mathrm{BOF}=\angle \mathrm{FOE}=\angle \mathrm{EOD}$가 되도록 두 번 더 접었다. 이때 $\angle x$의 크기를 구하시오.

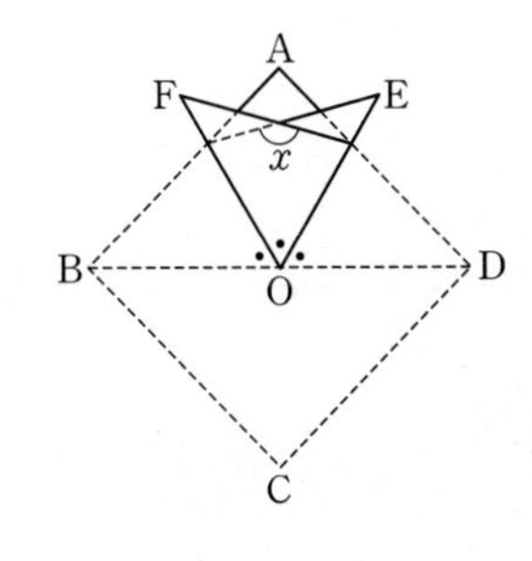

07

정다각형 중에서 한 내각의 크기가 정수인 것은 모두 몇 개인지 구하시오.
(단, 변의 길이는 생각하지 않는다.)

TOP
08

오른쪽 그림의 정오각형에서 $l /\!/ m$일 때, $\angle a+\angle b+\angle c$의 값을 구하시오.

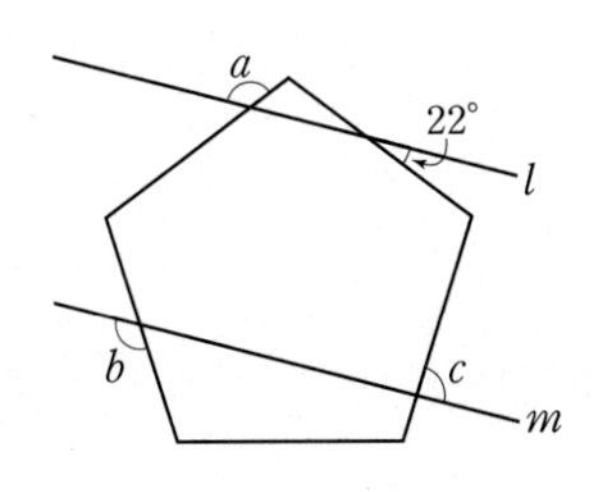

4 원과 부채꼴

01 원과 부채꼴

02 부채꼴의 호의 길이와 넓이

● 정답과 해설 22쪽

01 원과 부채꼴

1 **원**: 평면 위의 한 점 O에서 일정한 거리에 있는 모든 점으로 이루어진 도형

(1) **호 AB**: 원 위의 두 점 A, B를 양 끝 점으로 하는 원의 일부분 기호 $\overset{\frown}{AB}$

(2) **할선**: 원 위의 두 점을 지나는 직선

(3) **현 CD**: 원 위의 두 점 C, D를 이은 선분 → 원의 지름은 그 원에서 가장 긴 현이다.

(4) **부채꼴 AOB**: 원 O의 호 AB와 두 반지름 OA, OB로 이루어진 도형

(5) **중심각**: 부채꼴 AOB에서 두 반지름 OA, OB가 이루는 각, 즉 ∠AOB를 호 AB에 대한 중심각 또는 부채꼴 AOB의 중심각이라 한다.

(6) **활꼴**: 현 CD와 호 CD로 이루어진 도형 → 반원은 활꼴인 동시에 부채꼴이다.

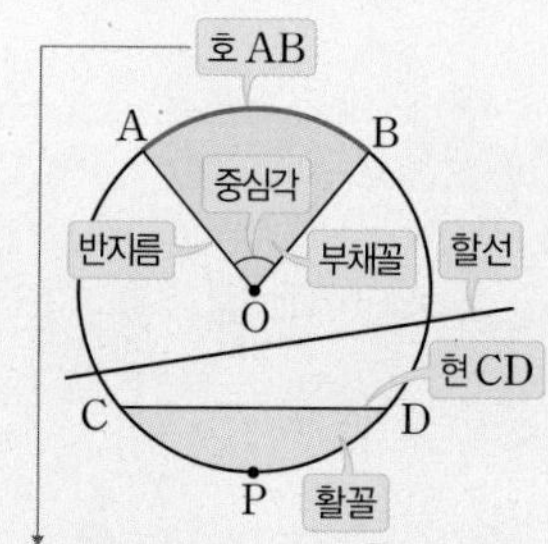

호를 표현할 때, 보통 $\overset{\frown}{AB}$는 길이가 짧은 쪽의 호를 의미하고 길이가 긴 쪽의 호는 호 위에 한 점 P를 잡아 $\overset{\frown}{APB}$로 나타낸다.

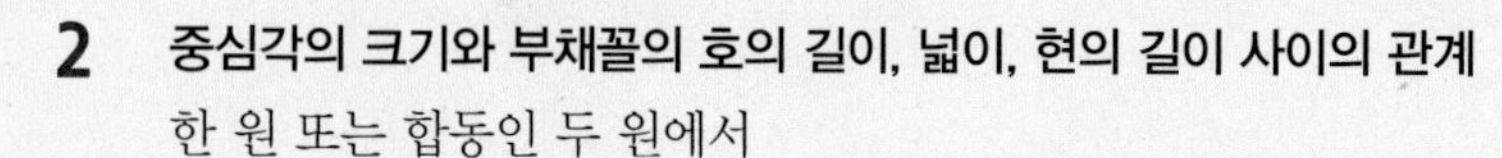

2 **중심각의 크기와 부채꼴의 호의 길이, 넓이, 현의 길이 사이의 관계**

한 원 또는 합동인 두 원에서

(1) 중심각의 크기가 같은 두 부채꼴의 호의 길이와 넓이는 각각 같다.

(2) 부채꼴의 호의 길이와 넓이는 각각 중심각의 크기에 정비례한다.

(3) 중심각의 크기가 같은 두 부채꼴의 현의 길이는 같다.

(4) 현의 길이는 중심각의 크기에 정비례하지 않는다.

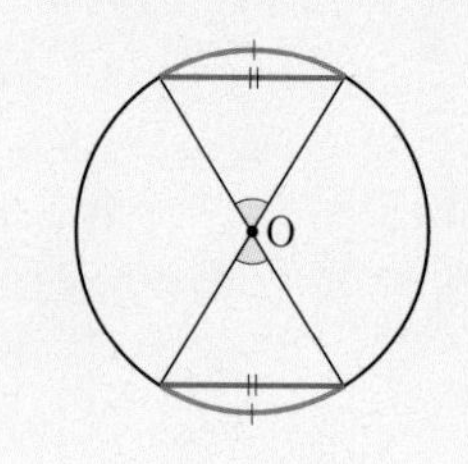

대표 문제

1 다음 중 오른쪽 그림의 원 O에 대한 설명으로 옳지 않은 것은?

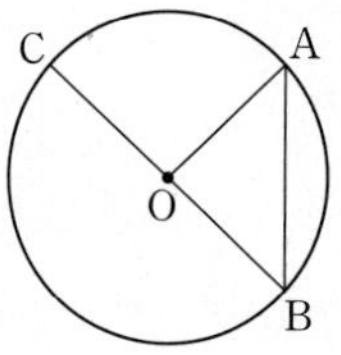

① $\overset{\frown}{AB}$와 $\overset{\frown}{BC}$는 호이다.
② $\overline{BC}$보다 길이가 긴 현이 있다.
③ $\overset{\frown}{AB}$에 대한 중심각은 ∠AOB이다.
④ $\overset{\frown}{AB}$와 $\overline{AB}$로 둘러싸인 도형은 활꼴이다.
⑤ 원 위의 두 점 A, B를 양 끝 점으로 하는 호는 2개이다.

2 오른쪽 그림의 원 O에서 x의 값을 구하시오.

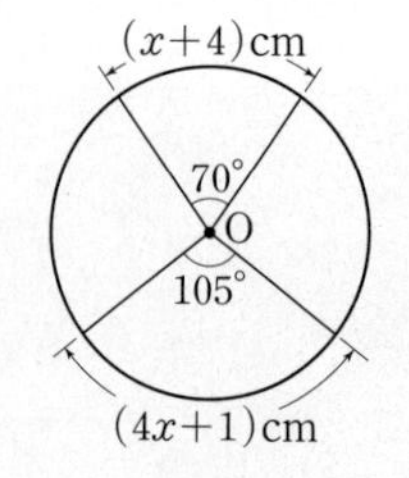

3 오른쪽 그림의 원 O에서 $\overset{\frown}{AB}:\overset{\frown}{BC}:\overset{\frown}{CA}=4:5:6$일 때, ∠AOB의 크기를 구하시오.

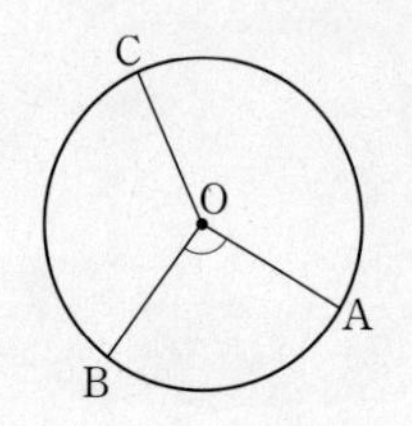

4 오른쪽 그림에서 $\overline{AD}$는 원 O의 지름이고 $\overline{AB}\,/\!/\,\overline{OC}$이다. ∠COD=30°, $\overset{\frown}{AB}$=12 cm일 때, $\overset{\frown}{CD}$의 길이를 구하시오.

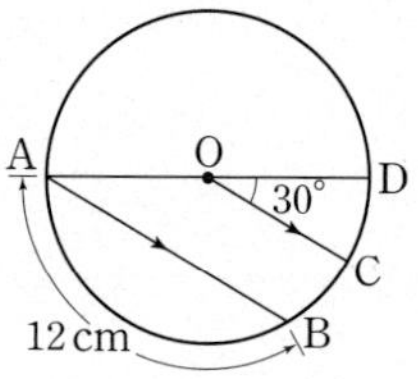

5 오른쪽 그림의 원 O에서 ∠AOD=117°, ∠BOC=78°이고 부채꼴 AOD의 넓이가 15 cm²일 때, 부채꼴 BOC의 넓이를 구하시오.

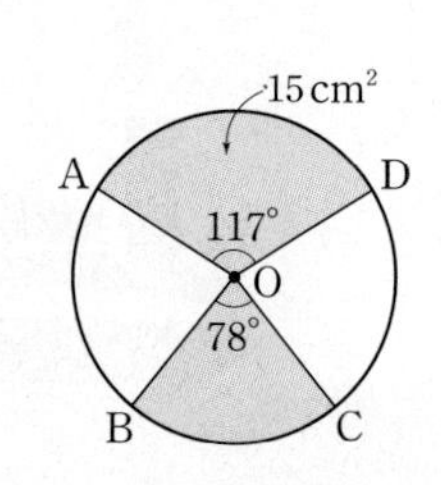

6 오른쪽 그림의 원 O에서 ∠AOB=∠BOC=∠COD일 때, 다음 중 옳지 않은 것은?

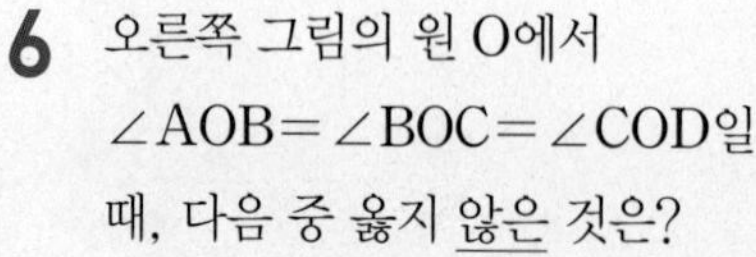

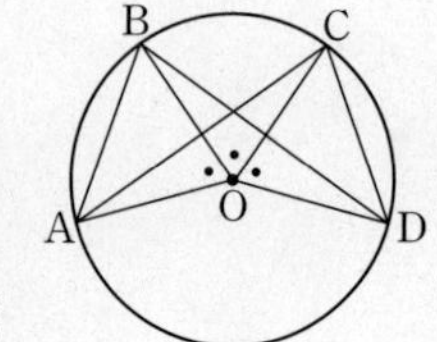

① $\overset{\frown}{AB}=\overset{\frown}{CD}$ ② $2\overset{\frown}{AB}=\overset{\frown}{AC}$
③ $\overline{AC}=\overline{BD}$ ④ $2\overline{AB}=\overline{BD}$
⑤ 2×(부채꼴 AOB의 넓이)=(부채꼴 BOD의 넓이)

02 부채꼴의 호의 길이와 넓이

1 **원주율**: 원의 지름의 길이에 대한 원의 둘레의 길이의 비의 값 기호 π → '파이'라 읽는다.

➡ $(\text{원주율})=\dfrac{(\text{원의 둘레의 길이})}{(\text{원의 지름의 길이})}$

2 **원의 둘레의 길이와 넓이**

반지름의 길이가 r인 원의 둘레의 길이를 l, 넓이를 S라 하면

(1) $l=2\pi r$ (2) $S=\pi r^2$

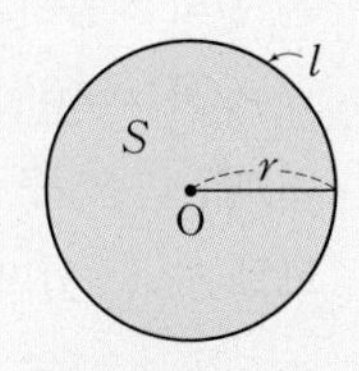

3 **부채꼴의 호의 길이와 넓이**

반지름의 길이가 r, 중심각의 크기가 $x°$인 부채꼴의 호의 길이를 l, 넓이를 S라 하면

(1) $l=2\pi r\times\dfrac{x}{360}$ (2) $S=\pi r^2\times\dfrac{x}{360}$, $S=\dfrac{1}{2}rl$

→ 중심각의 크기가 주어진 경우 → 중심각의 크기가 주어지지 않은 경우

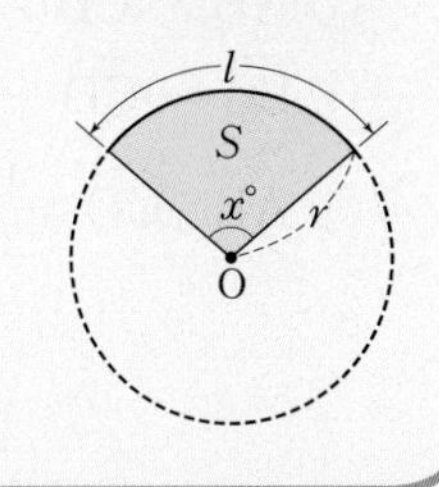

대표 문제

7 오른쪽 그림의 원 O에서 색칠한 부분의 둘레의 길이와 넓이를 차례로 구하시오.

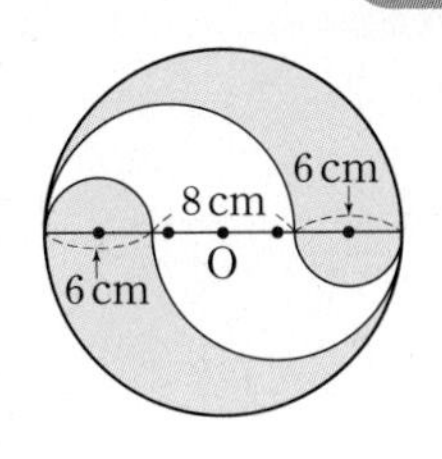

8 호의 길이가 2π cm이고 넓이가 8π cm^{2}인 부채꼴의 중심각의 크기를 구하시오.

9 오른쪽 그림과 같은 부채꼴에서 색칠한 부분의 둘레의 길이를 구하시오.

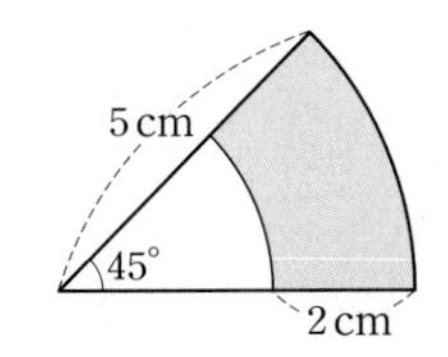

10 오른쪽 그림과 같이 한 변의 길이가 8 cm인 정사각형에서 색칠한 부분의 넓이를 구하시오.

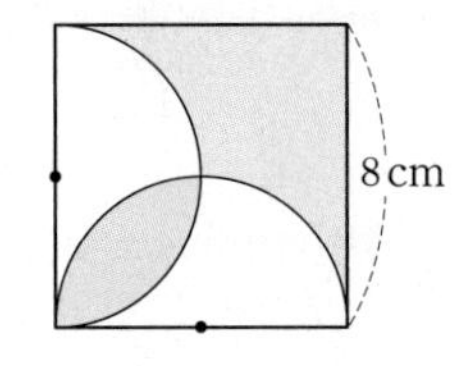

11 오른쪽 그림은 직각삼각형 ABC의 각 변을 지름으로 하는 반원을 그린 것이다. 이때 색칠한 부분의 넓이를 구하시오.

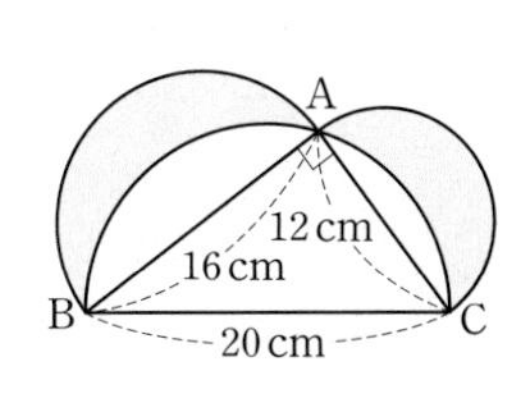

12 오른쪽 그림은 지름의 길이가 10 cm인 반원을 점 A를 중심으로 시계 반대 방향으로 30° 만큼 회전시킨 것이다. 이때 색칠한 부분의 넓이를 구하시오.

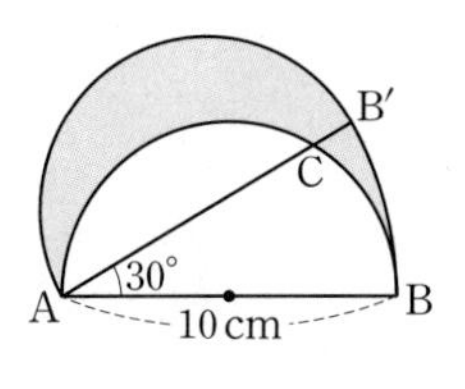

● 정답과 해설 23쪽

01 원과 부채꼴

1 오른쪽 그림의 원 O에서 $\overline{AC}$는 원의 지름이고 $\angle AOB=60^\circ$, $\angle COD=20^\circ$일 때, 다음 중 옳은 것을 모두 고르면? (정답 2개)

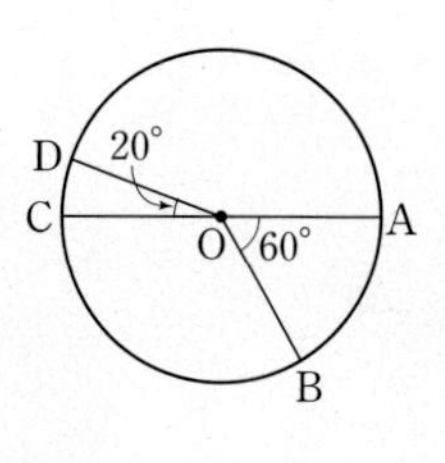

① $\widehat{AB}>3\widehat{CD}$　② $\overline{AB}=3\overline{CD}$
③ $\widehat{BC}=6\widehat{CD}$　④ $\overline{AB}=\overline{OC}$
⑤ $\widehat{AB}+\widehat{CD}=\frac{1}{2}\widehat{AC}$

2 오른쪽 그림의 반원 O에서 $\overline{AB}\,/\!/\,\overline{OC}$이고 $\widehat{AB}:\widehat{BD}=5:4$일 때, $\angle COD$의 크기를 구하시오.

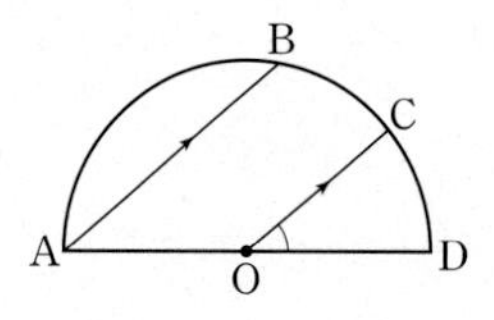

3 오른쪽 그림과 같은 원 모양의 시계에서 2시, 4시, 5시, 10시인 점을 각각 A, B, C, D라 할 때, $\angle ADC$의 크기를 구하시오.

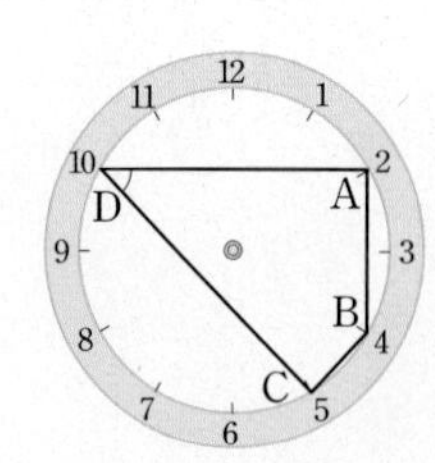

4 오른쪽 그림에서 $\overline{AC}$는 원 O의 지름이다. $\angle DAC=40^\circ$, $\angle ACB=50^\circ$이고 $\widehat{AD}=5\pi$ cm일 때, $\widehat{AB}+\widehat{CD}$의 값을 구하시오.

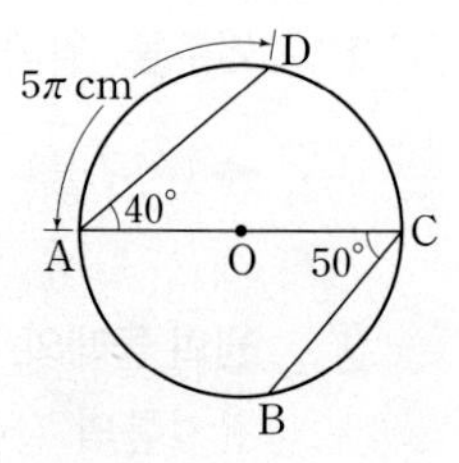

교과서 속 심화

5 다음 그림과 같이 원 O의 지름인 $\overline{AB}$의 연장선과 $\overline{CD}$의 연장선의 교점을 E라 하자. $\overline{CE}=\overline{CO}$, $\angle OEC=20^\circ$, $\widehat{BD}=12$ cm일 때, $\widehat{AC}$의 길이를 구하시오.

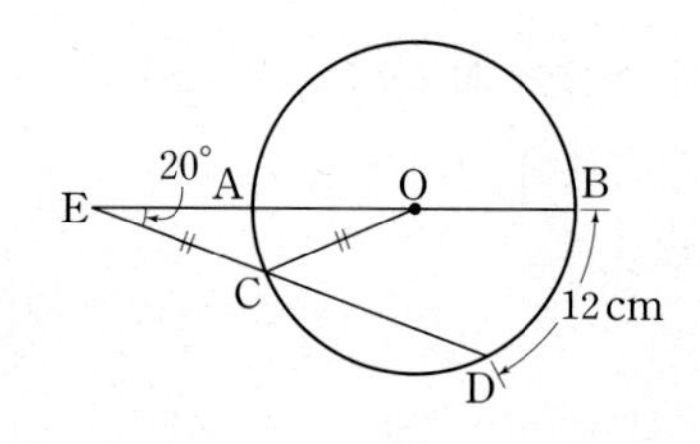

6 원 O 위에 다섯 개의 점 A, B, C, D, E가 시계 방향으로 순서대로 놓여 있다. $\angle AOB=\angle BOC=\angle COD=\angle DOE$일 때, 다음 중 옳지 않은 것을 모두 고르면? (정답 2개)

① $\widehat{CE}=2\widehat{BC}$
② $\triangle OAD=3\triangle ODE$
③ 세 점 A, O, D는 일직선 위에 있다.
④ (부채꼴 AOC의 넓이)=(부채꼴 BOD의 넓이)
⑤ $\angle AOB$와 $\angle DOE$가 맞꼭지각이면 $\overline{AB}\,/\!/\,\overline{ED}$이다.

02 부채꼴의 호의 길이와 넓이

7 오른쪽 그림은 반지름의 길이가 각각 1 cm, 2 cm, 3 cm인 세 개의 원의 중심이 점 O와 일치하도록 그리고, 지름에 의해 반지름의 길이가 3 cm인 원의 둘레의 길이가 8등분되도록 지름 4개를 그은 것이다. 이때 색칠한 부분의 둘레의 길이를 구하시오.

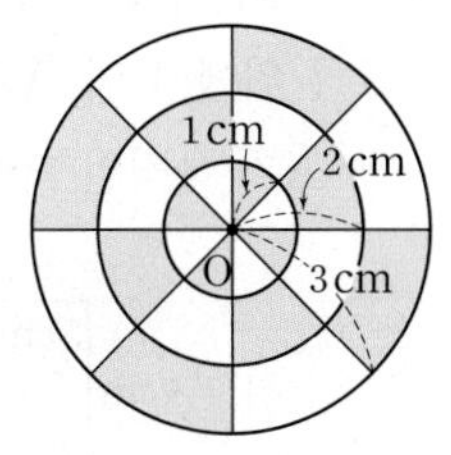

8 오른쪽 그림과 같이 반지름의 길이가 3 cm인 원 O에 꼭 맞는 정육각형이 있다. 정육각형의 각 꼭짓점을 중심으로 반지름의 길이가 원 O의 반지름의 길이와 같은 원의 호를 원 O의 내부에 그렸을 때, 색칠한 부분의 둘레의 길이를 구하시오.

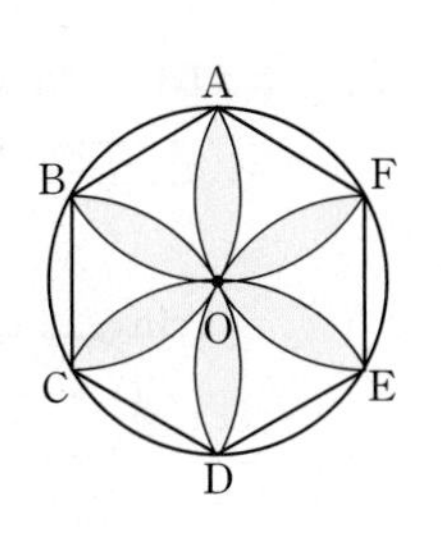

9 오른쪽 그림은 직사각형 ABCD와 $\overline{AB}$를 지름으로 하는 반원을 붙여 놓은 것이다. $\widehat{AM}=\widehat{BM}$일 때, 색칠한 부분의 넓이를 구하시오.

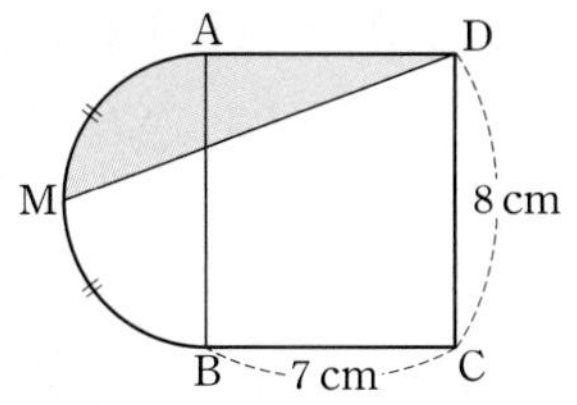

교과서 속 심화

10 오른쪽 그림의 사각형 ABCD는 한 변의 길이가 7 cm인 정사각형이다. $\widehat{AC}$와 $\widehat{BD}$의 교점을 E라 할 때, 색칠한 부분의 넓이를 구하시오.

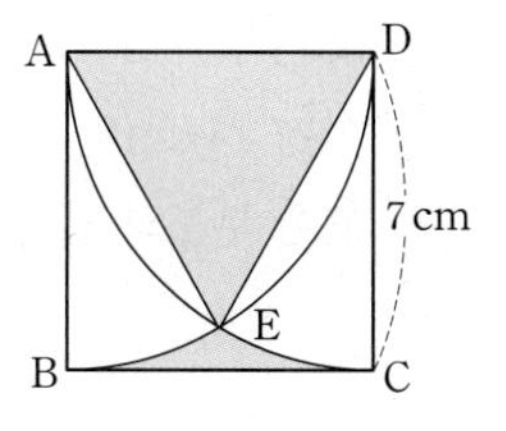

중요

11 오른쪽 그림과 같은 두 원 O, O′에서 $\overline{AO'}$은 원 O의 지름이고 $\overline{BO}$는 원 O′의 지름이다. $\overline{OO'}=9$ cm일 때, 색칠한 부분의 넓이를 구하시오.

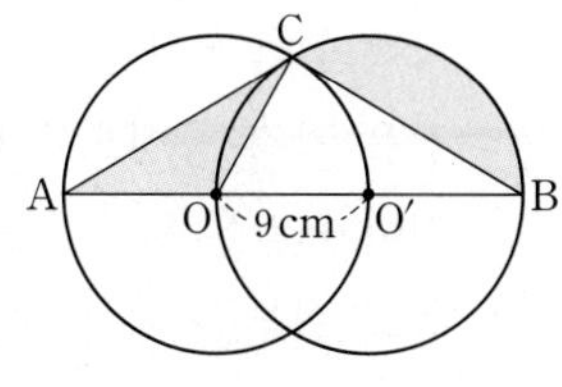

12 오른쪽 그림과 같이 한 변의 길이가 12 cm인 정팔각형에서 색칠한 부분의 둘레의 길이와 넓이를 차례로 구하시오.

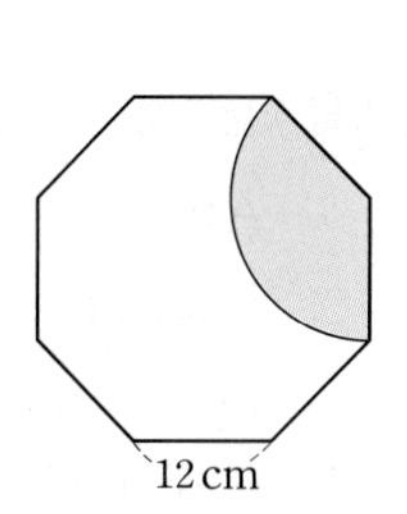

중요
13 오른쪽 그림과 같이 한 변의 길이가 14 cm인 정사각형에서 색칠한 부분의 넓이를 구하시오.

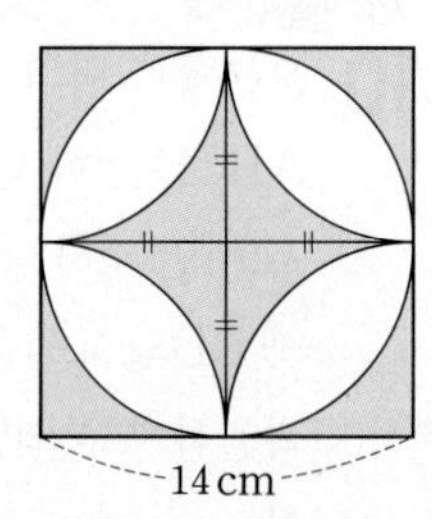

14 한 변의 길이가 12 cm인 정사각형의 네 꼭짓점과 네 변의 중점을 각각 중심으로 반지름의 길이가 같은 원 8개를 그린 후 원의 일부를 제거하여 오른쪽 그림과 같은 도형을 만들었다. 이때 색칠한 부분의 넓이를 구하시오.

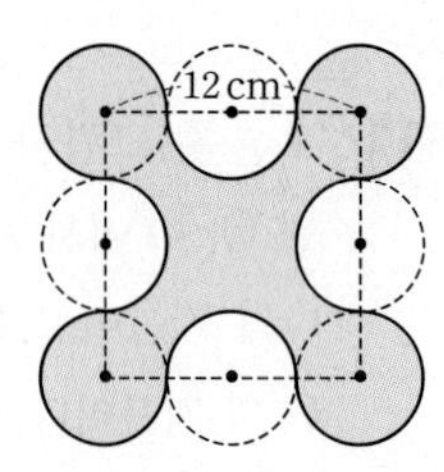

15 오른쪽 그림과 같은 직사각형 ABCD와 부채꼴 BCE에서 색칠한 두 부분의 넓이가 같고, $\overline{BC}=6$ cm일 때, $\overline{AB}$의 길이를 구하시오.

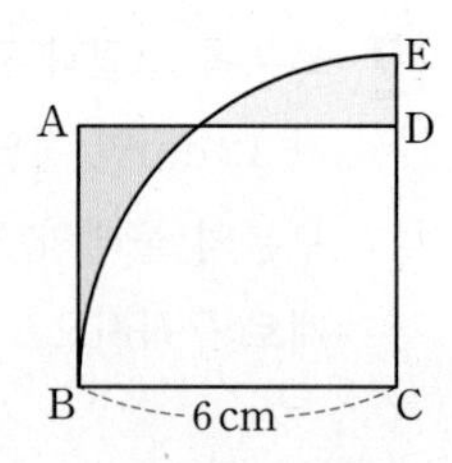

16 다음 그림과 같이 가로, 세로의 길이가 각각 3 cm, 4 cm이고 대각선의 길이가 5 cm인 직사각형을 직선 l 위에서 점 A가 점 A′에 오도록 회전시켰을 때, 점 A가 움직인 거리를 구하시오.

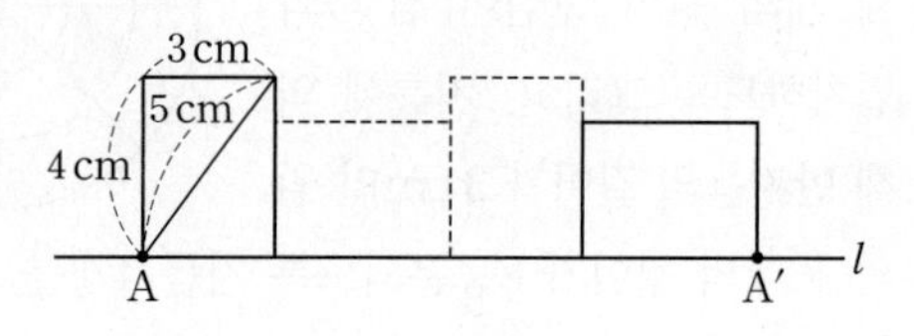

17 다음 그림과 같이 신근이와 용훈이는 밑면의 반지름의 길이가 3 cm인 원기둥 모양의 통 4개를 끈의 길이가 최소가 되도록 묶으려고 한다. 누구의 방법이 끈을 몇 cm 더 적게 사용하는지 구하시오.
(단, 끈의 두께와 매듭의 길이는 생각하지 않는다.)

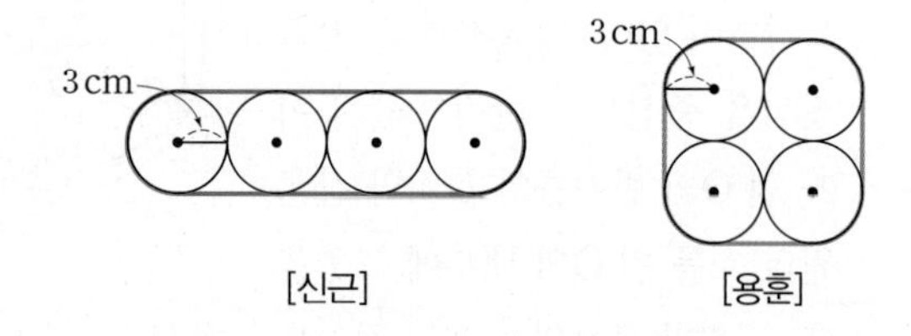

교과서 속 심화
18 다음 그림과 같이 평평한 풀밭에 한 변의 길이가 5 m인 정사각형 모양의 채소밭을 만들고, A지점에 길이가 8 m인 끈으로 염소를 묶어 두었다. 이때 염소가 채소밭 밖에서 최대한 움직일 수 있는 영역의 넓이를 구하시오. (단, 끈의 매듭의 길이와 염소의 크기는 생각하지 않는다.)

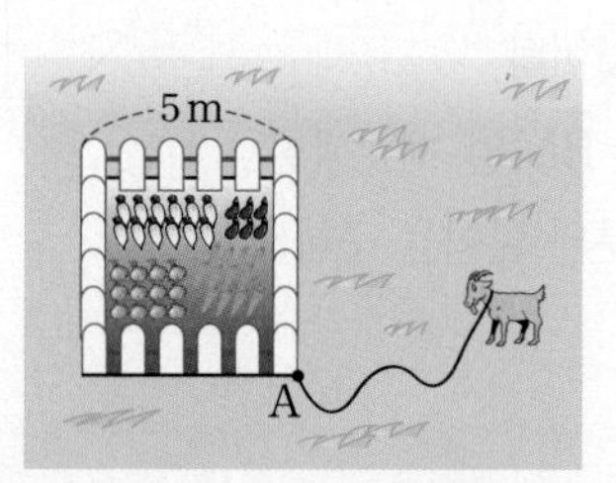

● 정답과 해설 26쪽

01

오른쪽 그림의 원 O에서 $\overline{AB}$의 연장선과 $\overline{DC}$의 연장선의 교점을 P라 하자. $\angle APD=34^\circ$이고 $\widehat{AB}$의 길이와 $\widehat{DC}$의 길이는 원 O의 둘레의 길이의 각각 $\frac{1}{5}$, $\frac{1}{6}$일 때, 원 O의 둘레의 길이와 $\widehat{BC}$의 길이의 비를 가장 간단한 자연수의 비로 나타내시오.

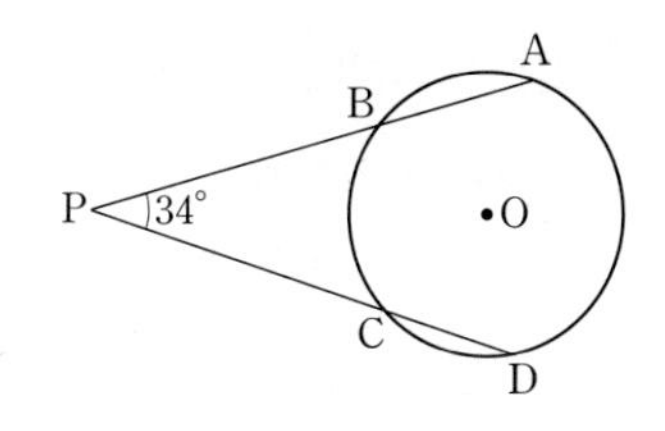

02

오른쪽 그림과 같이 한 변의 길이가 10 cm인 정사각형 ABCD에서 각 꼭짓점을 중심으로 하는 부채꼴을 그렸을 때, 색칠한 부분의 둘레의 길이를 구하시오.

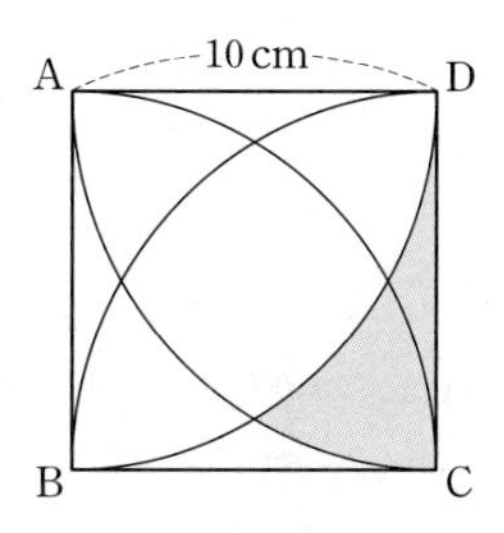

03

오른쪽 그림에서 △ADE는 $\overline{AB}=1$ cm, $\overline{AC}=2$ cm인 △ABC를 점 A를 중심으로 점 C가 점 E에 오도록 시계 반대 방향으로 60°만큼 회전시킨 것이다. 이때 색칠한 부분의 넓이를 구하시오.

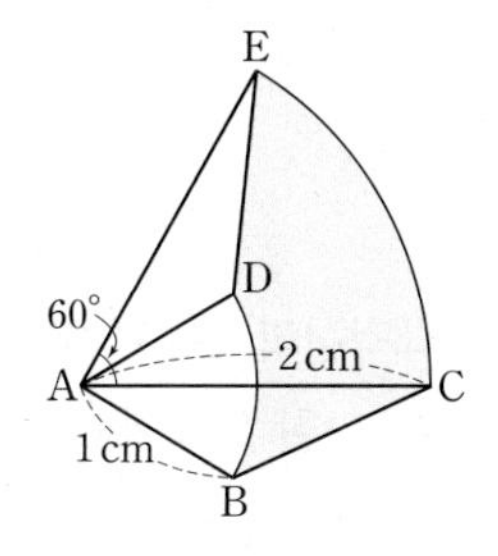

TOP
04

오른쪽 그림과 같이 반지름의 길이가 2 cm인 원이 한 변의 길이가 8 cm인 정오각형의 둘레를 한 바퀴 돌았을 때, 원이 지나간 자리의 넓이를 구하시오.

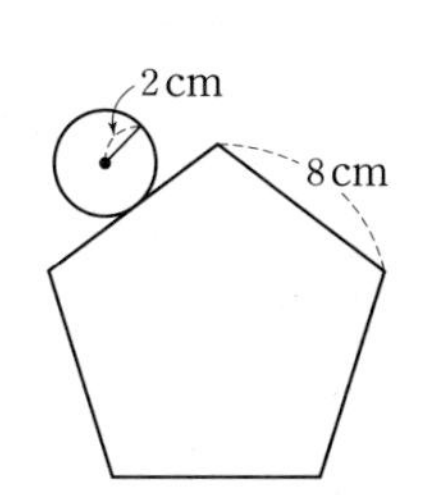

3~4 서술형 완성하기

모든 문제는 풀이 과정을 자세히 서술한 후 답을 쓰세요.

1 오른쪽 그림에서 $\angle y - \angle x$의 값을 구하시오.

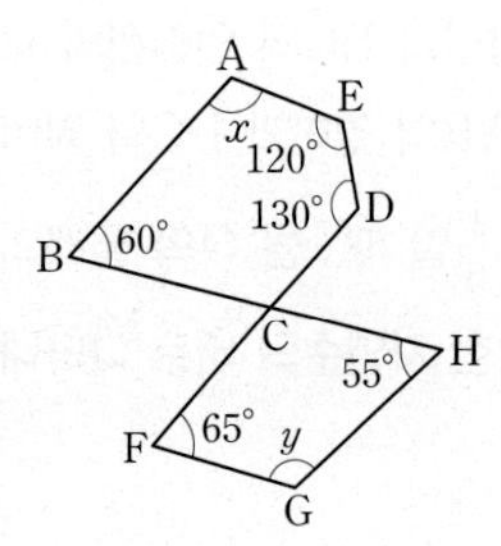

풀이 과정

답

2 대각선의 개수가 35개인 정다각형의 한 내각의 크기를 $\angle a$, 한 외각의 크기를 $\angle b$라 할 때, $\angle a - \angle b$의 값을 구하시오.

풀이 과정

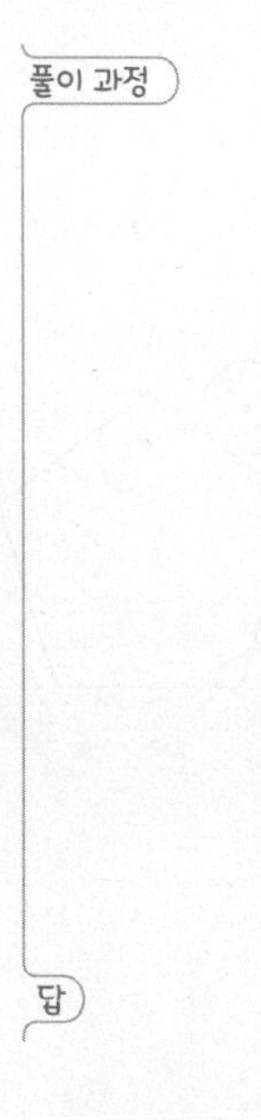

답

3 오른쪽 그림과 같이 한 변의 길이가 같은 정오각형 ABCDE와 정육각형 HICDFG가 있다. $\overline{AB}$와 $\overline{HF}$의 교점을 J라 할 때, $\angle HJB$의 크기를 구하시오.

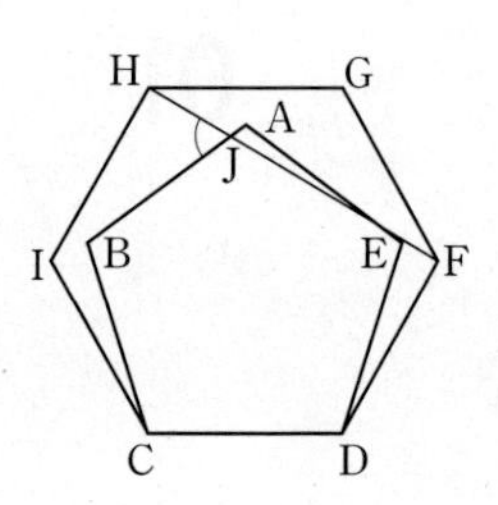

풀이 과정

답

4 오른쪽 그림에서 $\overline{AB}$는 원 O의 지름이다. $\overline{DO} = \overline{DE}$이고 $\angle DEO = 30°$일 때, $\widehat{AC} : \widehat{BD}$를 가장 간단한 자연수의 비로 나타내시오.

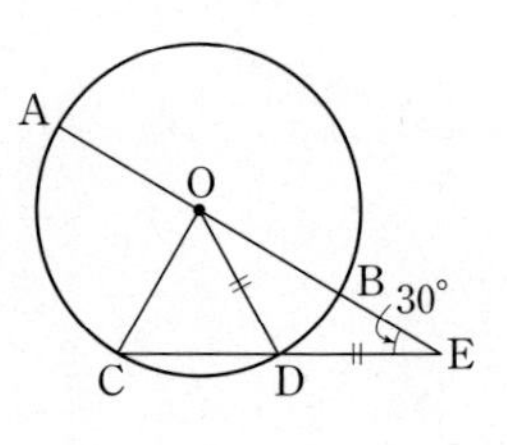

풀이 과정

답

5 오른쪽 그림에서 지름의 길이가 10 cm인 반원 O의 넓이와 부채꼴 CAB의 넓이가 같을 때, 다음 물음에 답하시오.

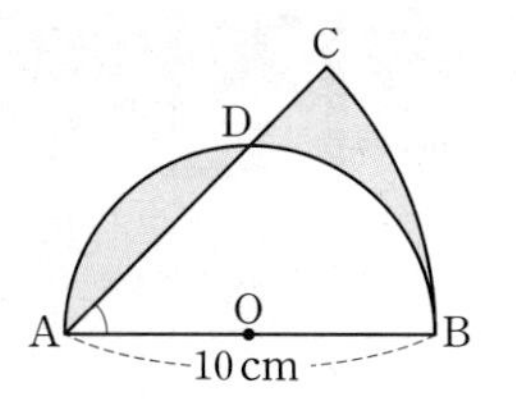

(1) $\angle$CAB의 크기를 구하시오.

(2) 색칠한 부분의 둘레의 길이를 구하시오.

풀이 과정

(1)

(2)

답 (1) (2)

6 오른쪽 그림은 대각선의 길이가 2 cm인 정사각형의 각 꼭짓점을 중심으로 반지름의 길이가 1 cm인 4개의 부채꼴을 그린 것이다. 이때 색칠한 부분의 넓이를 구하시오.

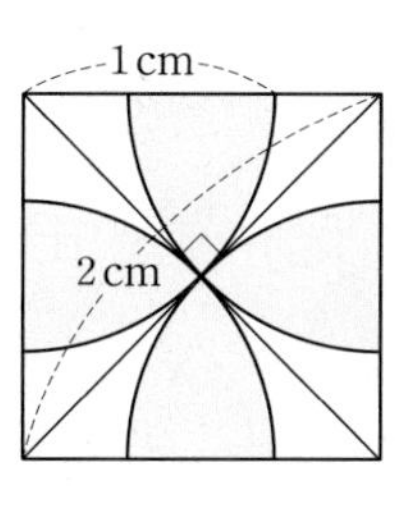

풀이 과정

답

7 오른쪽 그림의 사각형 ABCD에서 $\overline{BA}$의 연장선과 $\overline{CD}$의 연장선의 교점을 E, $\overline{AD}$의 연장선과 $\overline{BC}$의 연장선의 교점을 F라 하고, $\angle$E의 이등분선과 $\angle$F의 이등분선의 교점을 G라 하자. $\angle BAD=70°$, $\angle BCD=80°$일 때, $\angle$EGF의 크기를 구하시오.

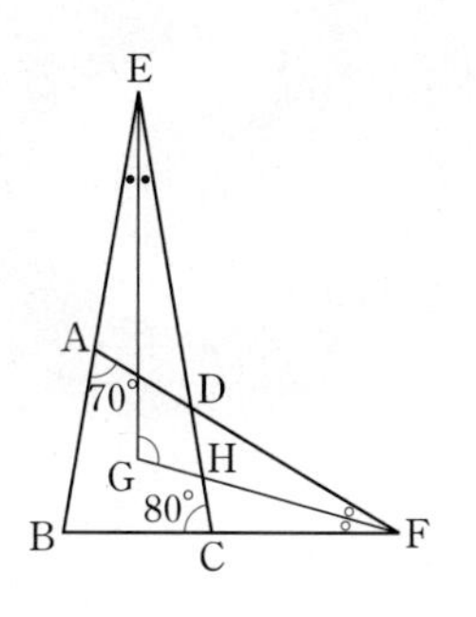

풀이 과정

답

8 오른쪽 그림과 같이 한 변의 길이가 5 m인 정오각형 모양의 울타리에 토끼가 끈으로 묶여 있다. 이때 끈은 A 지점과 B 지점 사이를 움직일 수 있도록 울타리와 고리로 연결되어 있다. 끈의 길이가 6 m일 때, 토끼가 울타리 밖에서 최대한 움직일 수 있는 영역의 넓이를 구하시오. (단, 끈의 매듭의 길이와 토끼의 크기는 생각하지 않는다.)

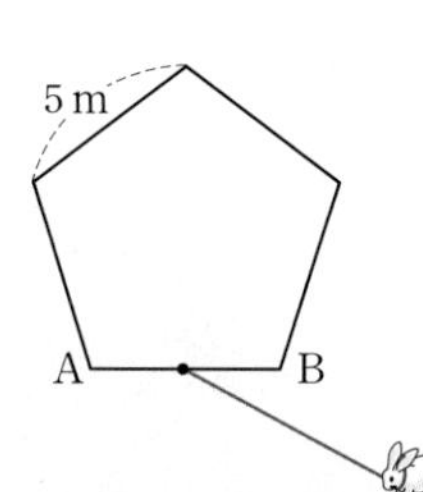

풀이 과정

답

5 다면체와 회전체

개념+대표 문제 확인하기

● 정답과 해설 29쪽

01 다면체

1 다면체: 다각형인 면으로만 둘러싸인 입체도형

(1) 면: 다면체를 둘러싸고 있는 다각형

(2) 모서리: 다각형의 변

(3) 꼭짓점: 다각형의 꼭짓점

주의 원기둥, 원뿔, 구 등과 같이 원이나 곡면으로 둘러싸인 입체도형은 다면체가 아니다.

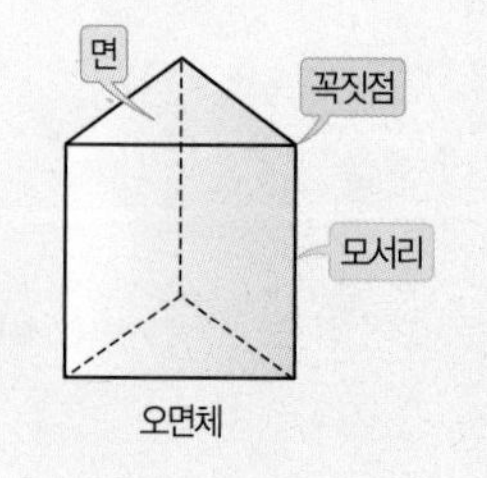

오면체

2 각기둥, 각뿔, 각뿔대

(1) 각기둥: 두 밑면은 서로 평행하고 합동인 다각형이며, 옆면은 모두 직사각형인 다면체

(2) 각뿔: 밑면은 다각형이고, 옆면은 모두 삼각형인 다면체

(3) 각뿔대: 각뿔을 밑면에 평행한 평면으로 잘라서 생기는 두 다면체 중에서 각뿔이 아닌 쪽의 입체도형

다면체	n각기둥	n각뿔	n각뿔대
겨냥도	사각기둥	사각뿔	사각뿔대
밑면의 모양	n각형	n각형	n각형
옆면의 모양	직사각형	삼각형	사다리꼴
면의 개수	$(n+2)$개	$(n+1)$개	$(n+2)$개
모서리의 개수	$3n$개	$2n$개	$3n$개
꼭짓점의 개수	$2n$개	$(n+1)$개	$2n$개

개념 더하기

■ **다면체의 꼭짓점, 모서리, 면의 개수 사이의 관계**

바람을 넣어 구와 같은 모양으로 부풀릴 수 있는 다면체에 대하여 꼭짓점의 개수를 v개, 모서리의 개수를 e개, 면의 개수를 f개라 하면 다음이 성립한다.

➡ $v-e+f=2$ ← 오일러 공식

예

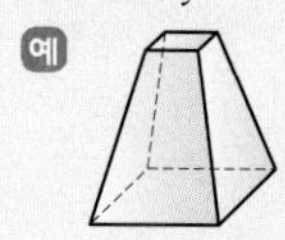

위의 그림과 같은 사각뿔대에서 $v=8$, $e=12$, $f=6$이므로 $v-e+f=8-12+6=2$

대표 문제

1 다음 중 다면체가 아닌 것을 모두 고르면? (정답 2개)

① 삼각기둥 ② 직육면체 ③ 정육각형
④ 사각뿔대 ⑤ 원뿔

2 삼각뿔의 모서리의 개수를 a개, 오각뿔대의 꼭짓점의 개수를 b개, 칠각기둥의 면의 개수를 c개라 할 때, $a-b+c$의 값을 구하시오.

3 다음 조건을 모두 만족시키는 입체도형의 이름을 말하시오.

조건
(가) 밑면이 1개이다.
(나) 옆면의 모양은 삼각형이다.
(다) 십면체이다.

4 다음 중 각뿔대에 대한 설명으로 옳지 않은 것은?

① 육각뿔대의 모서리의 개수는 18개이다.
② n각뿔대의 면의 개수는 $(n+2)$개이다.
③ 옆면의 모양은 사다리꼴이다.
④ 두 밑면은 서로 평행하고 합동이다.
⑤ 각뿔대를 밑면에 평행한 평면으로 자르면 항상 각뿔대가 생긴다.

개념 더하기

5 바람을 넣어 부풀리면 구와 같은 모양이 되게 할 수 있는 다면체의 꼭짓점의 개수가 6개, 모서리의 개수가 9개일 때, 이 다면체의 면의 개수를 구하시오.

02 정다면체

1 정다면체

각 면이 모두 합동인 정다각형이고, 각 꼭짓점에 모인 면의 개수가 같은 다면체

2 정다면체의 종류: 정사면체, 정육면체, 정팔면체, 정십이면체, 정이십면체의 다섯 가지뿐이다.

정다면체	정사면체	정육면체	정팔면체	정십이면체	정이십면체
겨냥도					
면의 모양	정삼각형	정사각형	정삼각형	정오각형	정삼각형
한 꼭짓점에 모인 면의 개수	3개	3개	4개	3개	5개
면의 개수	4개	6개	8개	12개	20개
모서리의 개수	6개	12개	12개	30개	30개
꼭짓점의 개수	4개	8개	6개	20개	12개
전개도					

참고 정다면체는 입체도형이므로 한 꼭짓점에 모인 면이 3개 이상이어야 하고, 한 꼭짓점에 모인 각의 크기의 합이 360°보다 작아야 한다. 따라서 한 꼭짓점에 모일 수 있는 면의 개수는 정삼각형이 3개, 4개, 5개, 정사각형이 3개, 정오각형이 3개이므로 정다면체의 종류는 다섯 가지뿐이다.

대표 문제

6 다음 중 정다면체에 대한 설명으로 옳은 것은?

① 정다면체의 종류는 무수히 많다.
② 정이십면체의 꼭짓점의 개수는 20개이다.
③ 각 면이 모두 합동인 정다각형으로 이루어져 있다.
④ 정다면체의 면의 모양은 정삼각형, 정사각형, 정육각형뿐이다.
⑤ 한 꼭짓점에 모인 면의 개수가 가장 많은 정다면체는 정십이면체이다.

7 다음 조건을 모두 만족시키는 정다면체는?

조건
(가) 한 꼭짓점에 모인 면의 개수는 3개이다.
(나) 모서리의 개수는 12개이다.

① 정사면체 ② 정육면체 ③ 정팔면체
④ 정십이면체 ⑤ 정이십면체

8 다음 중 정육면체의 전개도가 될 수 없는 것은?

① 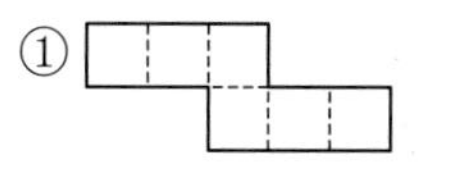
② 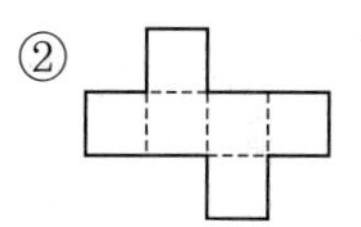
③ 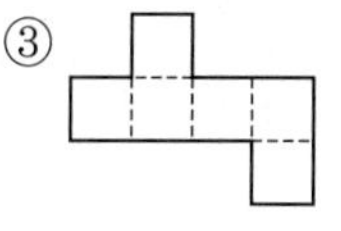
④ 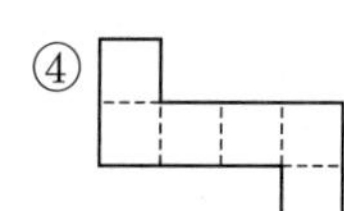
⑤ 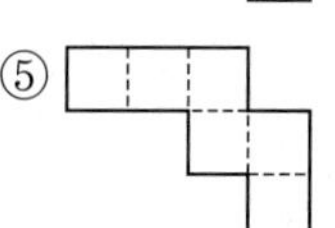

9 오른쪽 그림과 같은 전개도로 정팔면체를 만들 때, $\overline{AB}$와 겹치는 모서리는?

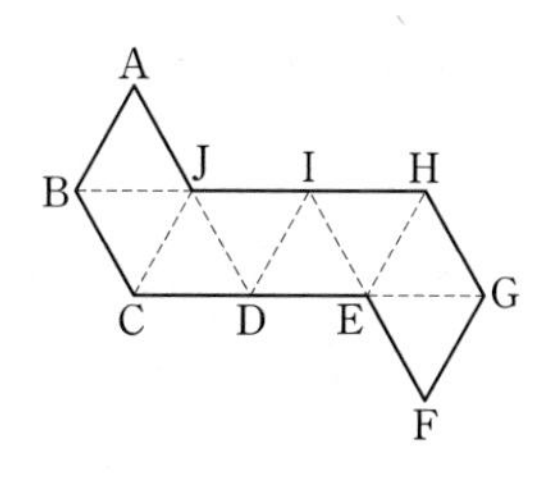

① $\overline{BC}$ ② $\overline{FG}$
③ $\overline{GH}$ ④ $\overline{IH}$
⑤ $\overline{JI}$

03 회전체

1 회전체

(1) **회전체**: 평면도형을 한 직선 l을 축으로 하여 1회전 시킬 때 생기는 입체도형을 회전체라 하고, 직선 l을 회전축이라 한다.

(2) **원뿔대**: 원뿔을 밑면에 평행한 평면으로 잘라서 생기는 두 입체도형 중에서 원뿔이 아닌 쪽의 입체도형

(3) **평면도형과 회전체**

회전체	원기둥	원뿔	원뿔대	구
겨냥도	l, 밑면, 모선, 옆면, 회전축, 밑면	l, 모선, 옆면, 회전축, 밑면	l, 밑면, 모선, 옆면, 회전축, 밑면	l, 회전축
회전시키기 전의 평면도형	직사각형	직각삼각형	두 각이 직각인 사다리꼴	반원

2 회전체의 성질

(1) 회전체를 회전축에 수직인 평면으로 자른 단면의 경계는 항상 원이다.

(2) 회전체를 회전축을 포함하는 평면으로 자른 단면은 모두 합동이고, 회전축에 대한 선대칭도형이다.

→ 어떤 직선으로 접어서 완전히 겹쳐지는 도형

대표 문제

10 다음 보기 중 평면도형을 직선 l을 회전축으로 하여 1회전 시킬 때 생기는 입체도형으로 옳은 것을 모두 고르시오.

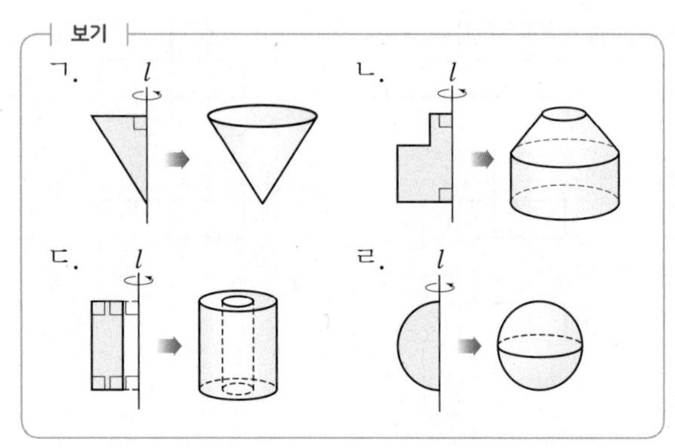

11 다음 중 회전체와 그 회전체를 회전축을 포함하는 평면으로 자를 때 생기는 단면의 모양이 바르게 짝 지어지지 않은 것을 모두 고르면? (정답 2개)

① 원기둥 – 직사각형 ② 원뿔 – 직각삼각형

③ 반구 – 반원 ④ 구 – 원

⑤ 원뿔대 – 직사각형

12 오른쪽 그림과 같은 회전체를 회전축을 포함하는 평면으로 자를 때 생기는 단면의 넓이를 구하시오.

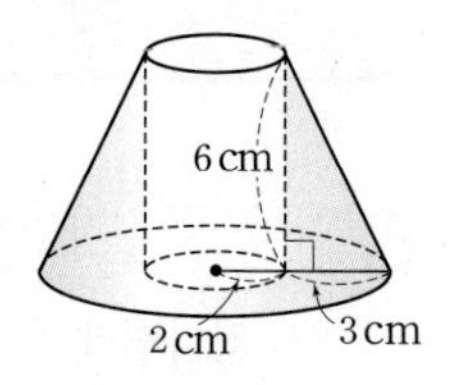

13 다음 중 회전체에 대한 설명으로 옳은 것은?

① 모든 회전체는 전개도를 그릴 수 있다.

② 모든 회전체의 회전축은 오직 하나뿐이다.

③ 직사각형의 한 변을 회전축으로 하여 1회전 시킬 때 생기는 회전체는 직육면체이다.

④ 회전체를 회전축을 포함하는 평면으로 자른 단면은 회전축에 대한 선대칭도형이다.

⑤ 원뿔대를 회전축에 수직인 평면으로 자른 단면은 항상 합동인 원이다.

● 정답과 해설 30쪽

01 다면체

1 다음 중 보기의 입체도형에 대한 설명으로 옳은 것은?

보기		
삼각기둥	사각뿔대	원기둥
원뿔	오각뿔	구

① 다면체는 4개이다.
② 꼭짓점의 개수와 면의 개수가 같은 다면체는 2개이다.
③ 옆면의 모양이 모두 사각형인 다면체는 3개이다.
④ 육면체는 2개이다.
⑤ 각 꼭짓점에 모인 면의 개수가 모두 같은 다면체는 3개이다.

교과서 속 심화

2 꼭짓점의 개수가 24개인 각기둥의 모서리의 개수를 a개, 면의 개수를 b개라 할 때, $a-b$의 값은?

① 14 ② 16 ③ 18
④ 20 ⑤ 22

3 오른쪽 그림과 같이 가운데가 뚫린 입체도형에서 꼭짓점의 개수를 v개, 모서리의 개수를 e개, 면의 개수를 f개라 할 때, $v-e+f$의 값을 구하시오.

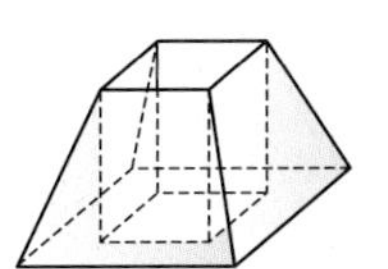

4 n각뿔의 밑면의 대각선의 개수가 14개일 때, n각뿔대의 모서리의 개수를 구하시오.

중요

5 다음 조건을 모두 만족시키는 입체도형의 꼭짓점의 개수를 구하시오.

조건
(가) 두 밑면은 서로 평행하다.
(나) 밑면에 포함되지 않은 모든 모서리를 연장한 직선은 한 점에서 만난다.
(다) 모서리의 개수는 면의 개수보다 14개 더 많다.

02 정다면체

6 다음 중 정다면체에 대한 설명으로 옳지 않은 것은?

① 정육각형을 한 면으로 하는 정다면체는 존재하지 않는다.
② 정사면체, 정팔면체, 정이십면체는 면의 모양이 모두 정삼각형이다.
③ 정사면체를 제외한 모든 정다면체는 서로 평행인 면이 존재한다.
④ 정다면체를 둘러싸고 있는 정다각형의 면의 모양에 따라 정다면체의 이름이 결정된다.
⑤ 정사면체의 각 면의 한가운데에 있는 점을 연결하여 만든 정다면체는 정사면체이다.

7 중요 다음 그림과 같이 크기가 같은 두 개의 정사면체의 한 면을 꼭 맞대어 입체도형을 만들려고 한다. 이때 만들어진 입체도형이 정다면체가 아닌 이유를 설명하시오.

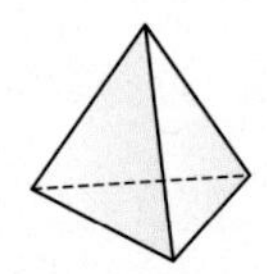
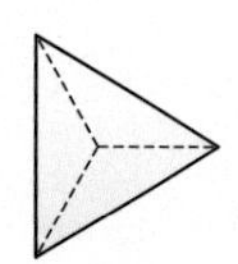

8 오른쪽 그림과 같은 정육면체의 각 면의 대각선의 교점을 연결하여 만든 입체도형의 이름을 말하고, 모서리의 개수를 구하시오.

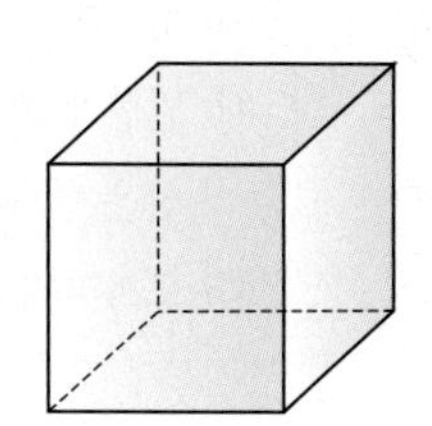

9 다음 그림과 같은 전개도로 만들어지는 정다면체에 대한 설명으로 옳은 것을 모두 고르면? (정답 2개)

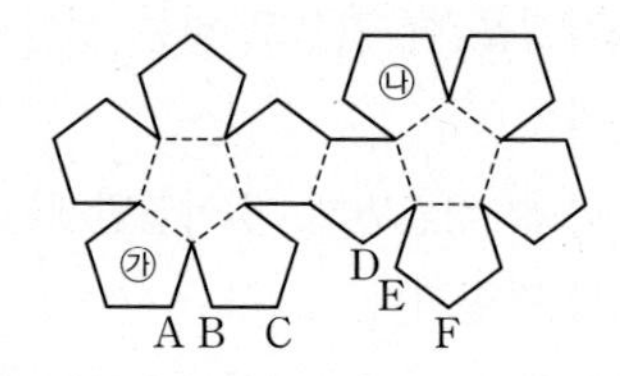

① 한 꼭짓점에 모인 면의 개수는 4개이다.
② 면 ㉮와 면 ㉯는 서로 평행한 면이다.
③ 꼭짓점 A와 만나는 꼭짓점은 점 B와 점 E이다.
④ 모서리의 개수는 30개이다.
⑤ 꼭짓점의 개수는 12개이다.

10 오른쪽 그림과 같이 각 면에 1에서 8까지의 숫자가 적힌 전개도로 정팔면체를 만들 때, 두 면이 한 모서리에서 만나면 그 두 면은 '서로 이웃한다.'고 하자. 예를 들어 7이 적힌 면과 서로 이웃한 면에 적힌 숫자는 1, 3, 8이다. 이때 2가 적힌 면과 서로 이웃한 세 면에 적힌 숫자의 합을 구하시오.

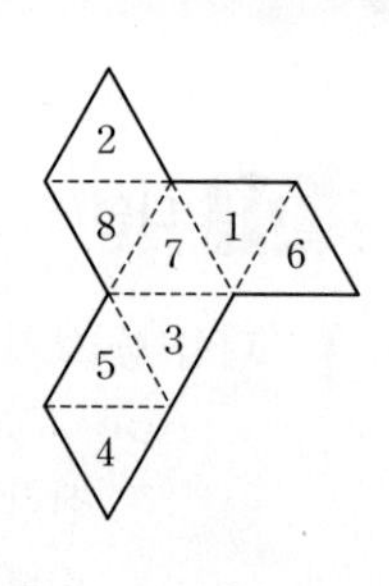

11 오른쪽 그림과 같은 전개도로 만들어지는 정육면체를 세 점 A, B, C를 지나는 평면으로 자를 때 생기는 단면에서 ∠BAC의 크기를 구하시오.

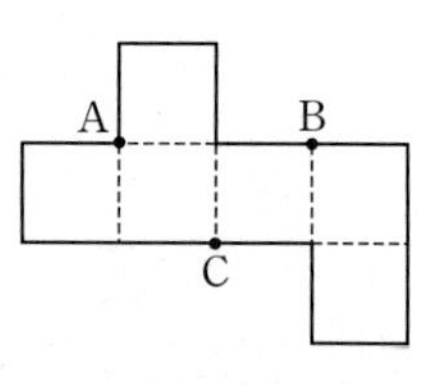

12 중요 다음 조건을 모두 만족시키는 입체도형과 n각뿔의 꼭짓점의 개수가 같을 때, n의 값을 구하시오.

조건
㈎ 각 면은 모두 합동인 정삼각형이다.
㈏ 한 꼭짓점에 모인 면의 개수는 5개이다.

13 다음 중 정육면체를 한 평면으로 자를 때 생기는 단면의 모양이 될 수 없는 것은?

① 이등변삼각형 ② 직사각형
③ 마름모 ④ 정오각형
⑤ 육각형

중요
14 다음 중 정십이면체의 각 면의 한가운데에 있는 점을 연결하여 만든 정다면체에 대한 설명으로 옳지 않은 것은?

① 면의 개수는 20개이다.
② 십각뿔대와 모서리의 개수가 같다.
③ 십이각뿔과 꼭짓점의 개수가 같다.
④ 모든 면은 합동인 정삼각형으로 이루어져 있다.
⑤ 한 꼭짓점에 모인 면의 개수는 5개이다.

15 다음 그림과 같이 정이십면체를 각 꼭짓점에 모인 모서리의 삼등분점을 지나도록 모두 자르면 정오각형과 정육각형으로 이루어진 축구공 모양의 입체도형이 된다. 이 입체도형의 꼭짓점의 개수를 a개, 모서리의 개수를 b개라 할 때, $b-a$의 값을 구하시오.

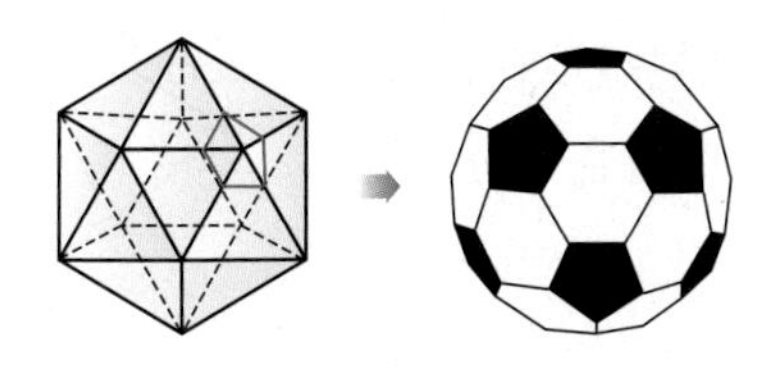

16 다음 입체도형 중 한 평면으로 자를 때 각뿔대가 만들어질 수 있는 것을 모두 고르면? (정답 2개)

① 정사면체 ② 정육면체 ③ 정팔면체
④ 정십이면체 ⑤ 정이십면체

03 회전체

교과서 속 심화
17 오른쪽 그림과 같은 평면도형을 직선 l을 회전축으로 하여 1회전 시킬 때 생기는 입체도형은?

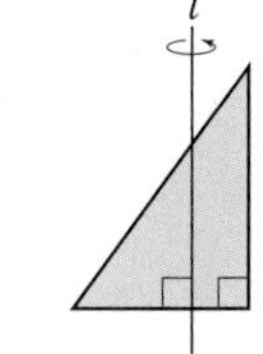

① 

② 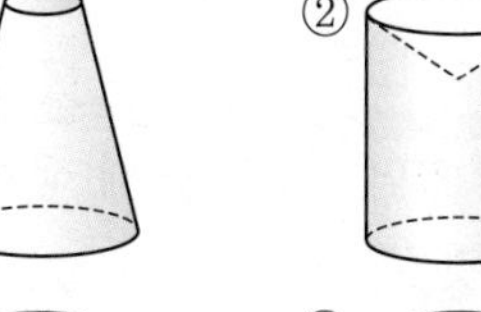

③ 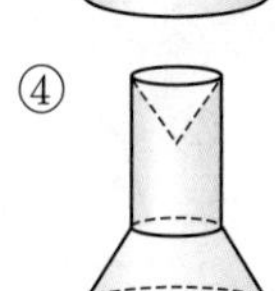

④ 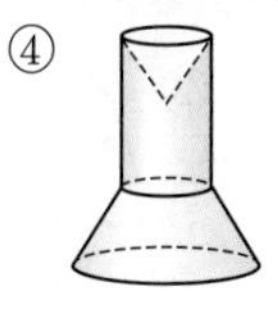

⑤ 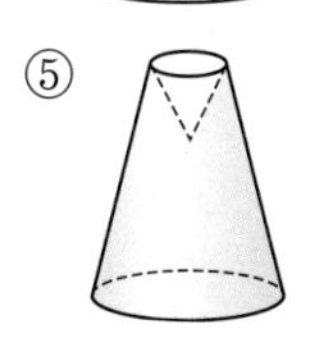

18 다음 보기 중 직선 l을 회전축으로 하여 1회전 시킬 때 오른쪽 그림과 같은 회전체가 생기는 것을 모두 고르시오.

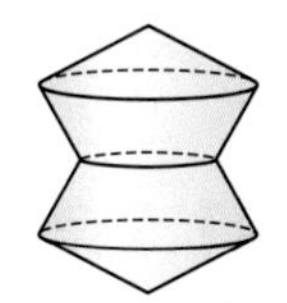

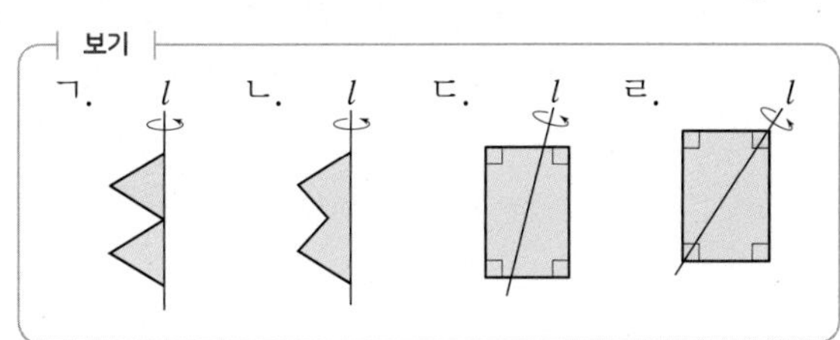

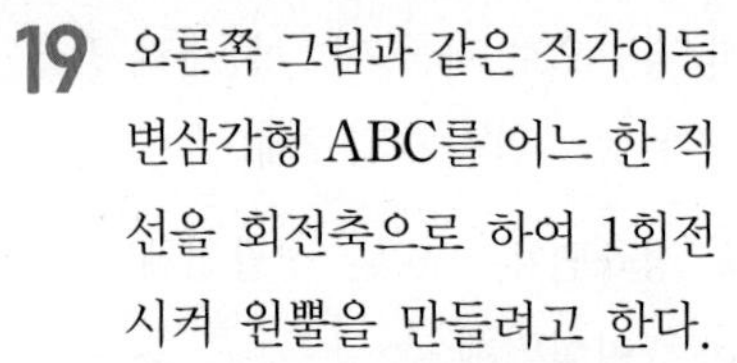

19 오른쪽 그림과 같은 직각이등변삼각형 ABC를 어느 한 직선을 회전축으로 하여 1회전 시켜 원뿔을 만들려고 한다. 다음 중 회전축이 될 수 <u>없는</u> 것을 모두 고르면? (정답 2개)

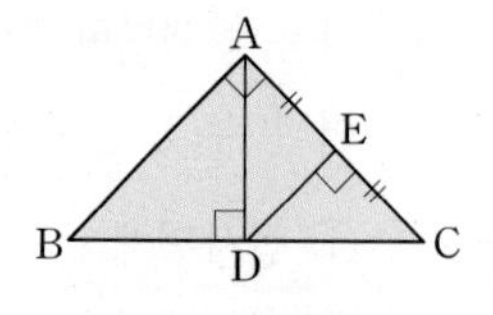

① $\overleftrightarrow{AB}$ ② $\overleftrightarrow{BC}$ ③ $\overleftrightarrow{AC}$
④ $\overleftrightarrow{DE}$ ⑤ $\overleftrightarrow{AD}$

20 다음 중 원뿔을 한 평면으로 자를 때 생기는 단면의 모양이 될 수 <u>없는</u> 것은?

① 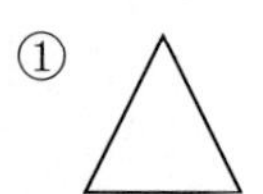 ② 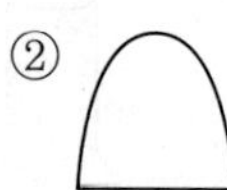 ③ 
④ ⑤

21 두 밑면의 반지름의 길이가 각각 4 cm, 7 cm이고 높이가 5 cm인 원뿔대를 밑면에 수직인 평면으로 자를 때 생기는 단면 중 가장 큰 단면의 넓이를 구하시오.

22 (중요) 오른쪽 그림과 같이 반지름의 길이가 2 cm인 원 O를 직선 l을 회전축으로 하여 1회전 시켰다. 이때 생기는 회전체를 원의 중심 O를 지나면서 회전축에 수직인 평면으로 자른 단면의 넓이를 구하시오.

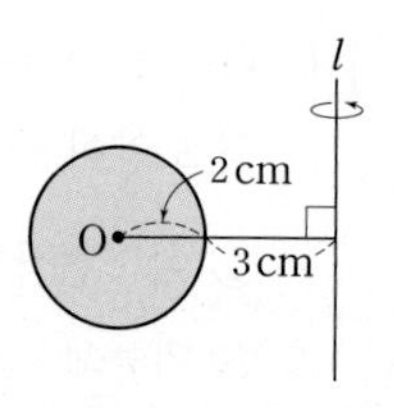

23 오른쪽 그림과 같이 원기둥 위의 한 점 A에서 점 B까지 실로 이 원기둥을 팽팽하게 감을 때, 실이 지나가는 경로를 전개도 위에 바르게 나타낸 것은?

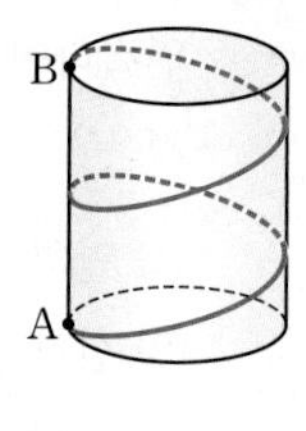

① ② 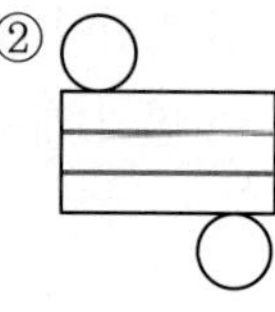 ③ 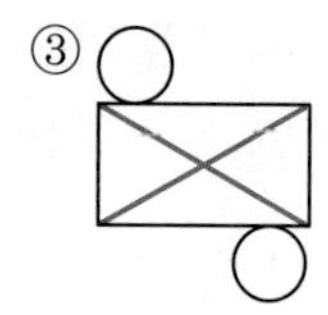
④ 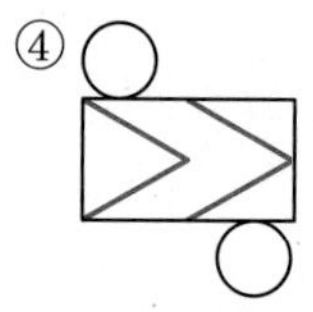 ⑤ 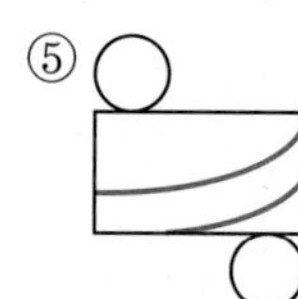

24 오른쪽 그림과 같은 원뿔대의 전개도에서 $R-r$의 값을 구하시오.

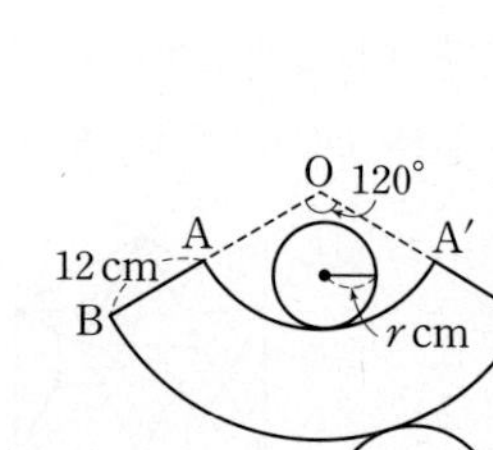

● 정답과 해설 32쪽

01 m각뿔대의 모서리의 개수와 n각기둥의 꼭짓점의 개수의 합이 30일 때, $m+n$의 최댓값과 최솟값을 각각 구하시오.

02 다음 보기 중 오른쪽 그림과 같은 전개도로 만들 수 있는 정육면체를 모두 고르시오.

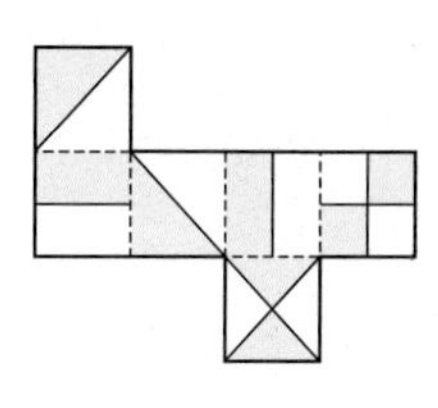

보기

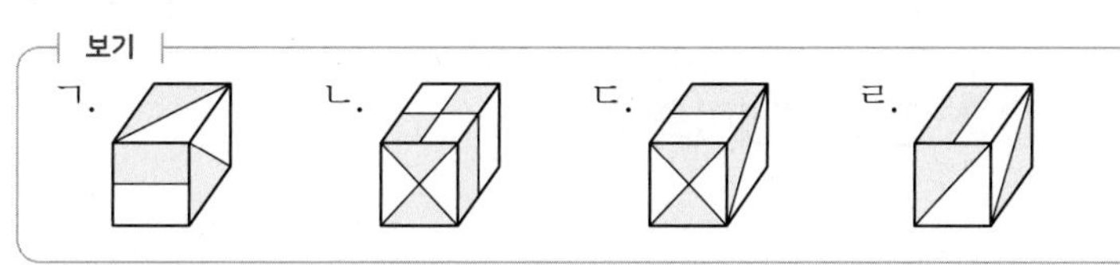

TOP **03** 오른쪽 그림과 같이 정삼각형의 한 변의 중점을 지나고 다른 한 변에 수직인 직선 l을 회전축으로 하여 정삼각형을 1회전 시킬 때 생기는 회전체를 한 평면으로 자르려고 한다. 다음 보기 중 이 회전체를 자른 단면의 모양이 될 수 있는 것을 모두 고르시오.

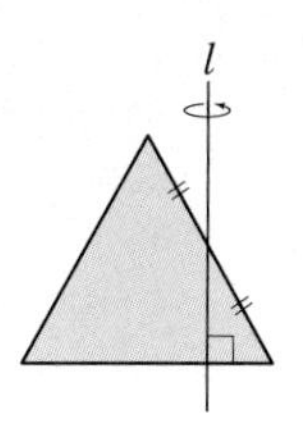

보기

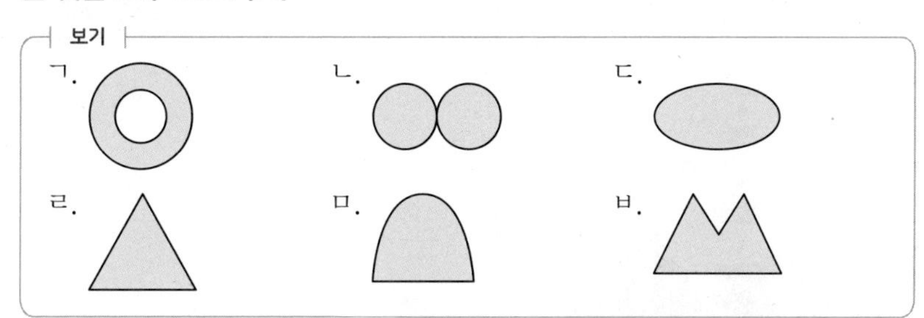

04 오른쪽 그림과 같이 좌표평면 위에 5개의 점 $\mathrm{A}(-2,\ 0)$, $\mathrm{B}(-2,\ -2)$, $\mathrm{C}(6,\ -2)$, $\mathrm{D}(6,\ 5)$, $\mathrm{E}(3,\ 5)$를 꼭짓점으로 하는 오각형 ABCDE가 있다. 오각형 ABCDE를 x축을 회전축으로 하여 1회전 시킨 후, x축을 포함하는 평면으로 자를 때 생기는 단면의 넓이를 구하시오.

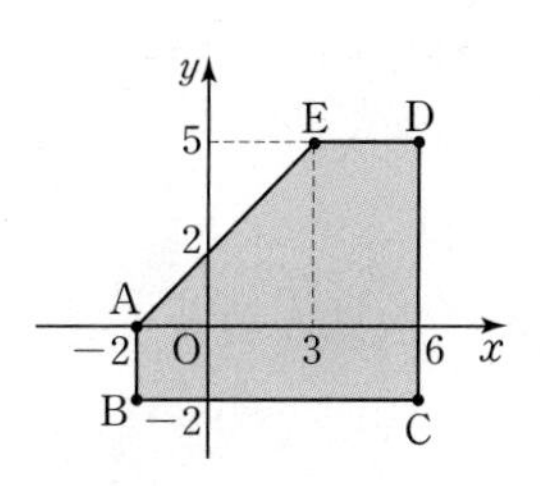

6 입체도형의 겉넓이와 부피

01 기둥의 겉넓이와 부피

02 뿔의 겉넓이와 부피

03 구의 겉넓이와 부피

● 정답과 해설 33쪽

01 기둥의 겉넓이와 부피

1 기둥의 겉넓이

(기둥의 겉넓이)=(밑넓이)×2+(옆넓이)

참고 밑면인 원의 반지름의 길이가 r, 높이가 h인 원기둥의 겉넓이 S는

$$S=\pi r^2\times 2+2\pi r\times h=2\pi r^2+2\pi rh$$

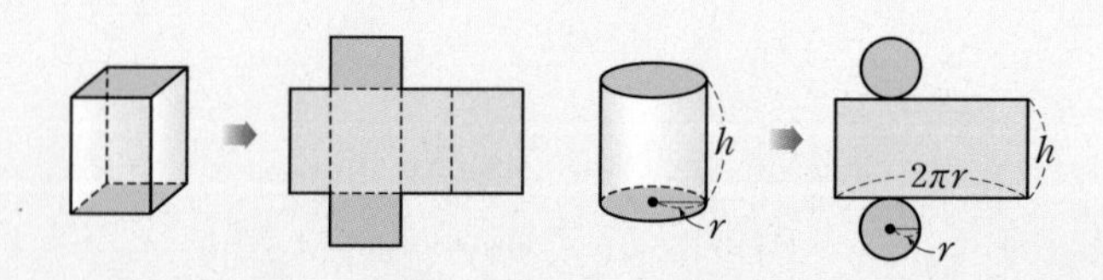

2 기둥의 부피

밑넓이가 S, 높이가 h인 기둥의 부피 V는

$$V=(\text{밑넓이})\times(\text{높이})=Sh$$

참고 밑면인 원의 반지름의 길이가 r, 높이가 h인 원기둥의 부피 V는

$$V=\pi r^2\times h=\pi r^2 h$$

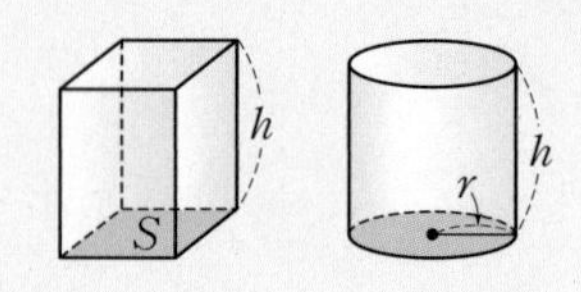

대표 문제

1 오른쪽 그림과 같은 삼각기둥의 겉넓이가 300 cm^2일 때, h의 값을 구하시오.

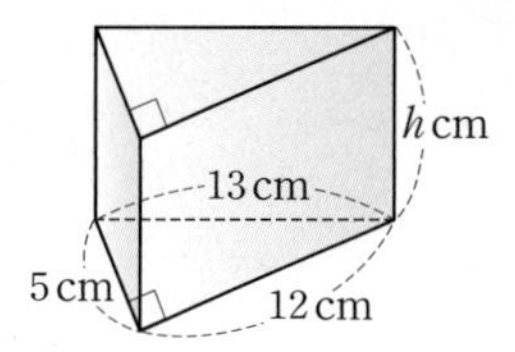

2 오른쪽 그림과 같이 구멍이 뚫린 입체도형의 겉넓이를 구하시오.

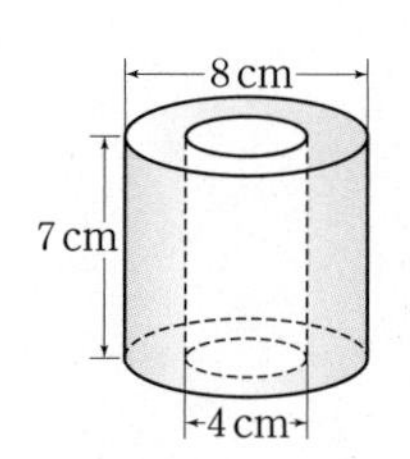

3 오른쪽 그림은 한 모서리의 길이가 2 cm인 정육면체 6개를 쌓아서 만든 입체도형이다. 이 입체도형의 겉넓이를 구하시오.

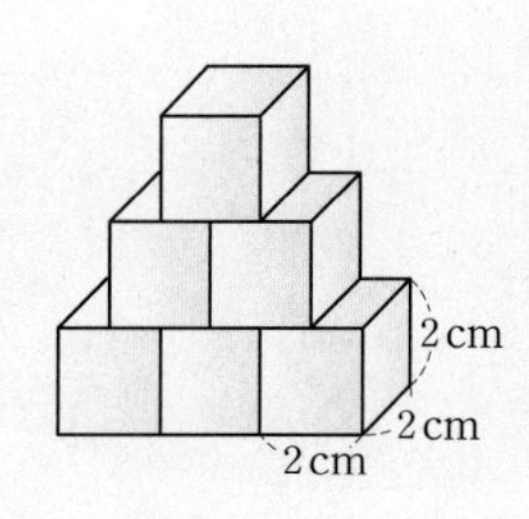

4 오른쪽 그림과 같은 사각기둥의 부피를 구하시오.

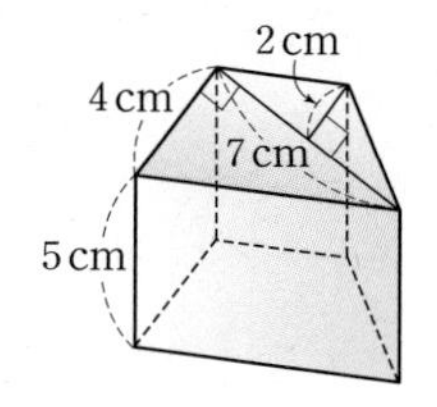

5 오른쪽 그림과 같은 평면도형을 직선 l을 회전축으로 하여 1회전 시킬 때 생기는 입체도형의 부피를 구하시오.

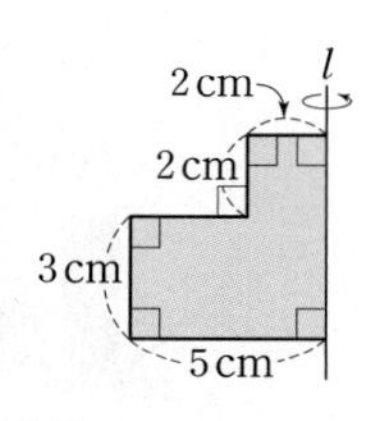

6 오른쪽 그림과 같이 가로, 세로의 길이가 각각 8 cm, 6 cm인 직육면체에서 부피가 86 cm^3인 작은 직육면체를 잘라 내었더니 남은 입체도형의 겉넓이가 236 cm^2가 되었다. 이 입체도형의 부피를 구하시오.

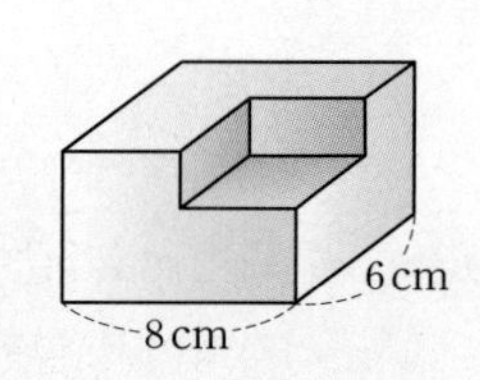

02 뿔의 겉넓이와 부피

1 뿔의 겉넓이

(뿔의 겉넓이)=(밑넓이)+(옆넓이)

참고 밑면인 원의 반지름의 길이가 r, 모선의 길이가 l인 원뿔의 겉넓이 S는

$$S=\pi r^2+\frac{1}{2}\times l\times 2\pi r=\pi r^2+\pi rl$$

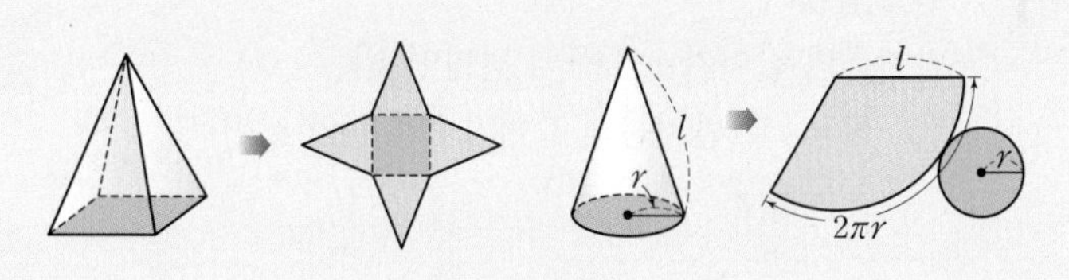

2 뿔의 부피 → 뿔의 부피는 밑면이 합동이고 높이가 같은 기둥의 부피의 $\frac{1}{3}$이다.

밑넓이가 S, 높이가 h인 뿔의 부피 V는

$$V=\frac{1}{3}\times(\text{밑넓이})\times(\text{높이})=\frac{1}{3}Sh$$

참고 밑면인 원의 반지름의 길이가 r, 높이가 h인 원뿔의 부피 V는

$$V=\frac{1}{3}\times\pi r^2\times h=\frac{1}{3}\pi r^2 h$$

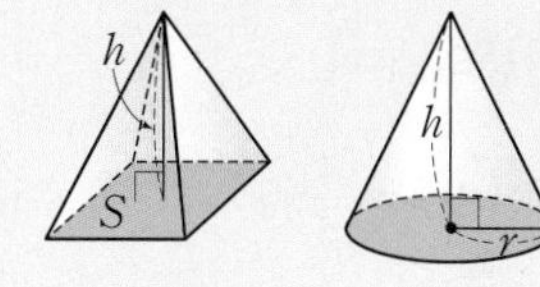

3 뿔대의 겉넓이와 부피

(1) (뿔대의 겉넓이)=(두 밑면의 넓이의 합)+(옆넓이)

(2) (뿔대의 부피)=(큰 뿔의 부피)−(잘라 낸 작은 뿔의 부피)

$$=\frac{1}{3}(S_2h_2-S_1h_1)$$

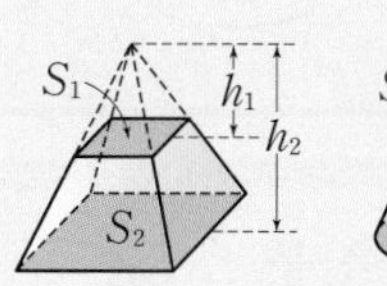

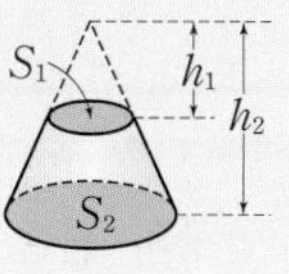

대표 문제

7 오른쪽 그림과 같이 옆면이 모두 합동인 정사각뿔의 겉넓이가 $208\,\text{cm}^2$일 때, x의 값을 구하시오.

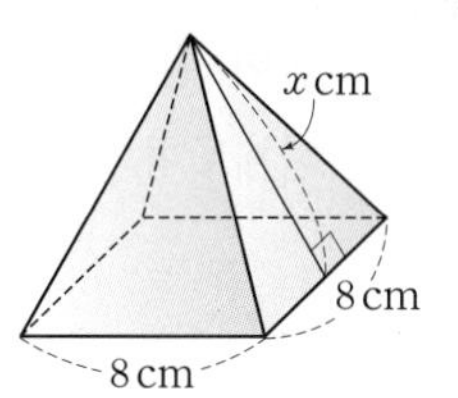

8 밑면의 반지름의 길이가 4 cm인 원뿔의 전개도에서 부채꼴의 넓이가 $24\pi\,\text{cm}^2$일 때, 부채꼴의 중심각의 크기를 구하시오.

9 오른쪽 그림과 같이 두 밑면이 정사각형이고 옆면이 모두 합동인 사각뿔대의 겉넓이를 구하시오.

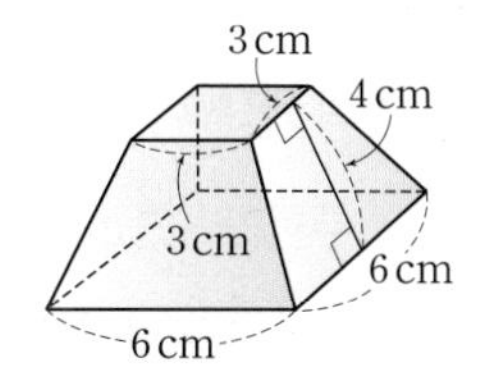

10 오른쪽 그림과 같이 직육면체 모양의 그릇에 물을 가득 넣은 후 그릇을 기울여 물을 흘려 보냈다. 남아 있는 물의 부피가 $64\,\text{cm}^3$일 때, x의 값을 구하시오. (단, 그릇의 두께는 생각하지 않는다.)

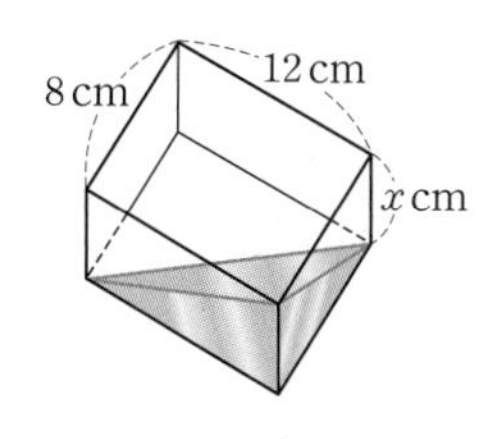

11 오른쪽 그림과 같은 직육면체에서 모서리 CG 위의 한 점을 P라 하자. 두 꼭짓점 B, D와 점 P를 지나는 평면으로 직육면체를 잘라서 생긴 삼각뿔 P−BCD의 부피가 처음 직육면체의 부피의 $\frac{3}{20}$일 때, $\overline{\text{CP}}$의 길이를 구하시오.

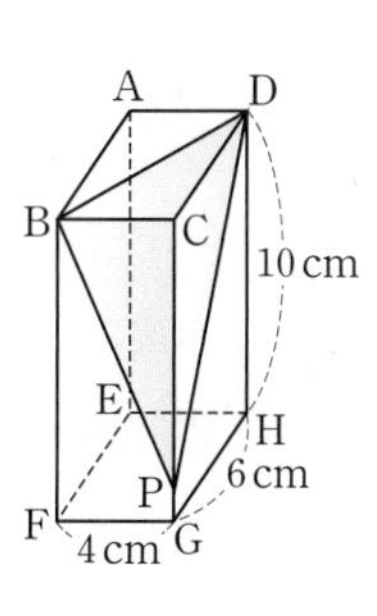

03 구의 겉넓이와 부피

1 구의 겉넓이

반지름의 길이가 r인 구의 겉넓이 S는

$S=4\times$(반지름의 길이가 r인 원의 넓이)

$=4\pi r^2$

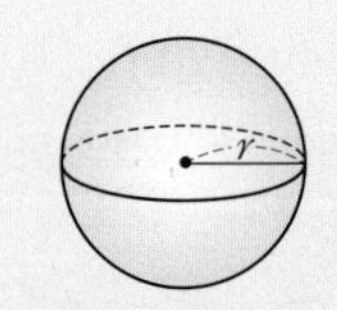

2 구의 부피

반지름의 길이가 r인 구의 부피 V는

$V=\dfrac{2}{3}\times$(원기둥의 부피)

$=\dfrac{2}{3}\times(\pi r^2\times 2r)=\dfrac{4}{3}\pi r^3$

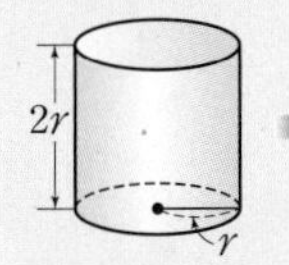

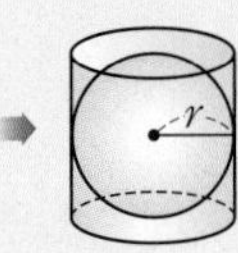

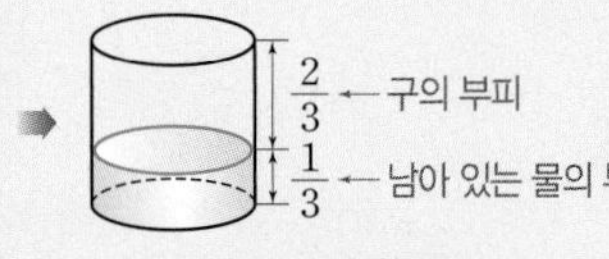

개념 활용하기

■ **입체도형의 부피 사이의 관계**

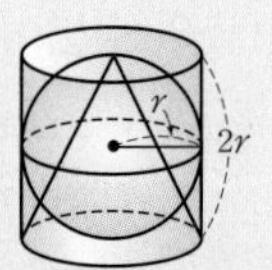

위의 그림과 같이 원기둥 안에 원뿔과 구가 꼭 맞게 들어갈 때

(원뿔의 부피)$=\dfrac{1}{3}\times\pi r^2\times 2r$

$=\dfrac{2}{3}\pi r^3$

(구의 부피)$=\dfrac{4}{3}\pi r^3$

(원기둥의 부피)$=\pi r^2\times 2r$

$=2\pi r^3$

➡ (원뿔) : (구) : (원기둥)

$=\dfrac{2}{3}\pi r^3 : \dfrac{4}{3}\pi r^3 : 2\pi r^3$

$=1 : 2 : 3$

대표 문제

12 오른쪽 그림은 반구와 원뿔을 붙여서 만든 입체도형이다. 이 입체도형의 겉넓이를 구하시오.

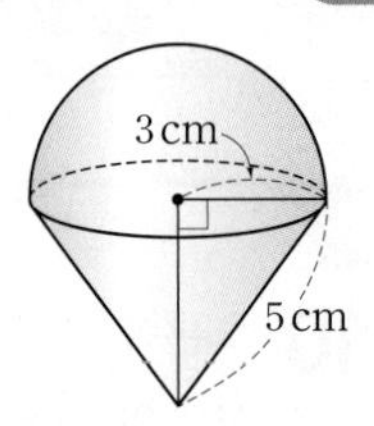

13 오른쪽 그림은 반지름의 길이가 4 cm인 구에서 구의 $\dfrac{1}{4}$을 잘라 내고 남은 입체도형이다. 이 입체도형의 겉넓이를 구하시오.

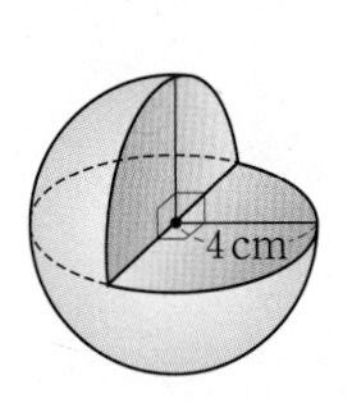

14 오른쪽 그림과 같은 입체도형의 겉넓이를 구하시오.

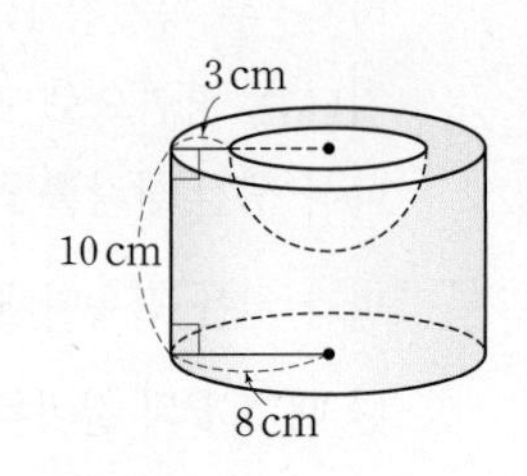

15 오른쪽 그림과 같이 반지름의 길이가 3 cm인 반구 위에 반지름의 길이가 1 cm인 반구를 중심이 일치하도록 포개어 놓은 입체도형의 부피를 구하시오.

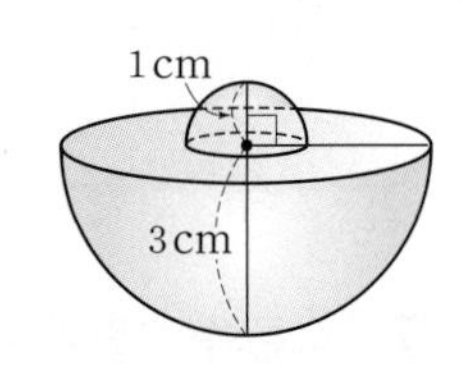

16 반지름의 길이가 9 cm인 구 모양의 쇠구슬을 녹여 반지름의 길이가 3 cm인 구 모양의 쇠구슬을 몇 개까지 만들 수 있는지 구하시오.

17 오른쪽 그림과 같이 원기둥 안에 구와 원뿔이 꼭 맞게 들어 있다. 구의 부피가 $\dfrac{32}{3}\pi\ \text{cm}^3$일 때, 원뿔과 원기둥의 부피를 차례로 구하시오.

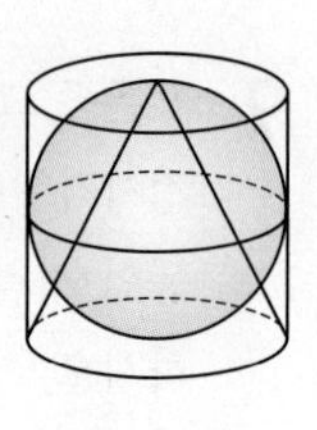

01 기둥의 겉넓이와 부피

1 다음 그림은 직사각형과 반원을 붙여 놓은 평면도형을 밑면으로 하는 입체도형의 전개도이다. 이 입체도형의 겉넓이를 구하시오.

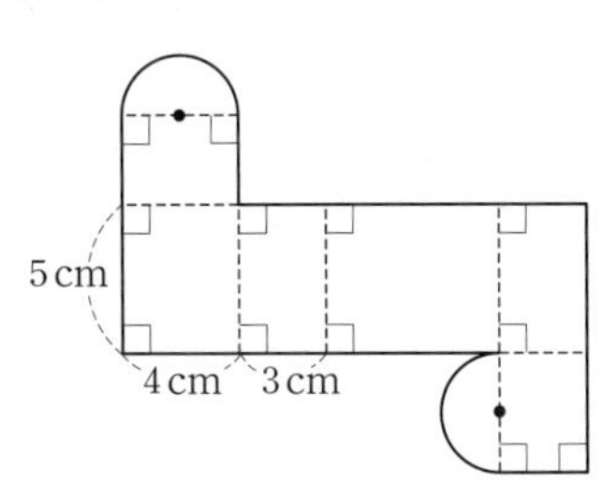

2 다음 그림과 같이 오각기둥 모양의 비닐하우스를 만들기 위해 철근을 고정시킨 후 비닐을 씌우려고 한다. 비닐 한 롤의 가격은 7000원이고 한 롤당 $13\,m^2$를 덮을 수 있다고 한다. 바닥을 제외한 모든 겉면에 비닐을 씌우려고 할 때, 필요한 비닐의 최소 비용을 구하시오. (단, 철근의 두께와 비닐이 겹쳐지는 부분의 넓이는 생각하지 않는다.)

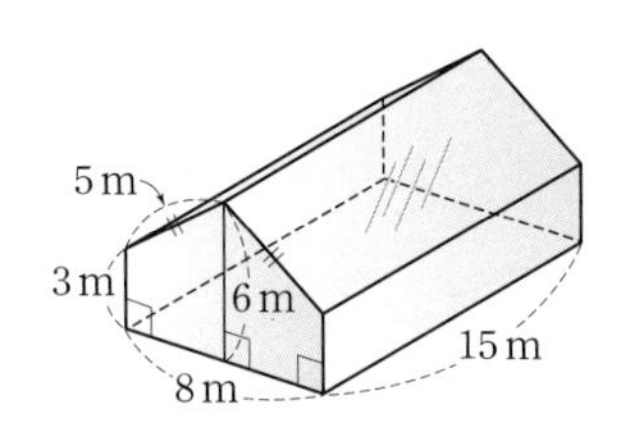

3 오른쪽 그림과 같이 한 모서리의 길이가 7 cm인 정육면체에서 한 변의 길이가 2 cm인 정사각형 모양의 구멍이 각 면의 중앙을 관통할 때, 이 입체도형의 부피를 구하시오.

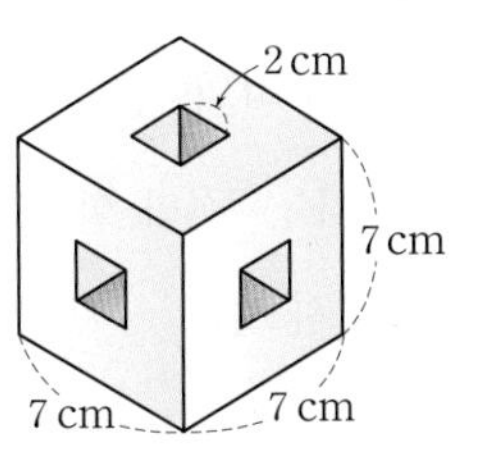

교과서 속 심화

4 오른쪽 그림과 같은 모양의 우유갑에 우유를 11 cm의 높이까지 채워서 거꾸로 세웠더니 우유가 들어 있지 않은 부분의 높이가 4 cm가 되었다. 이 우유갑 전체의 부피를 구하시오.
(단, 우유갑의 두께는 생각하지 않는다.)

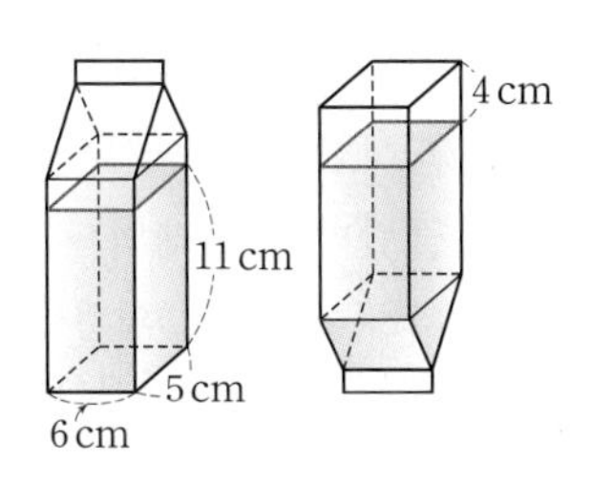

5 다음 그림과 같이 밑면의 반지름의 길이가 4 cm이고 높이가 10 cm인 원기둥을 반으로 자른 모양의 그릇에 물을 가득 담은 후 그릇을 45°만큼 기울여 물을 흘려보냈다. 이때 버려진 물의 부피를 구하시오.
(단, 그릇의 두께는 생각하지 않는다.)

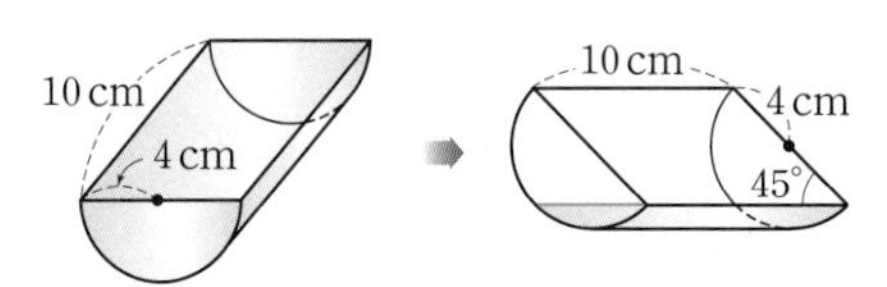

02 뿔의 겉넓이와 부피

중요

6 오른쪽 그림과 같은 직각삼각형을 직선 l을 회전축으로 하여 1회전 시킬 때 생기는 입체도형의 겉넓이는?

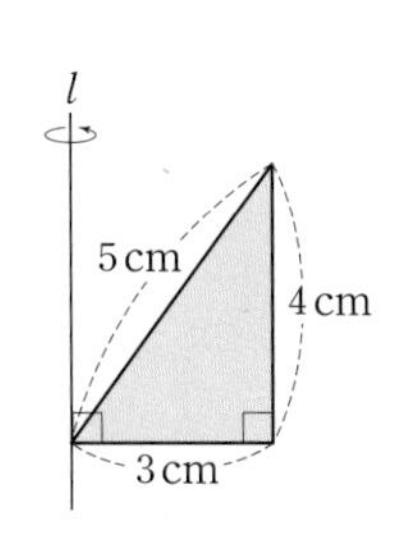

① $15\pi\ cm^2$ ② $24\pi\ cm^2$
③ $39\pi\ cm^2$ ④ $48\pi\ cm^2$
⑤ $57\pi\ cm^2$

교과서 속 심화

7 오른쪽 그림과 같이 밑면의 반지름의 길이가 3 cm인 원뿔을 꼭짓점 O를 중심으로 4바퀴를 굴렸더니 원래의 자리로 돌아왔다. 이때 이 원뿔의 겉넓이를 구하시오.

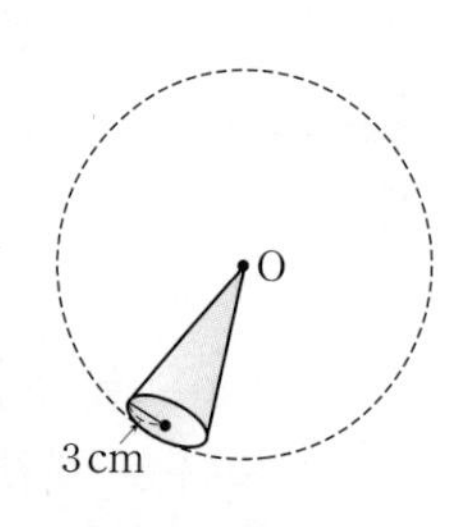

8 오른쪽 그림과 같이 원뿔의 밑면인 원 위의 한 점 A에서 출발하여 옆면을 한 바퀴 돌아 다시 점 A로 돌아오는 가장 짧은 선을 그렸다. 이때 옆면에서 색칠한 부분의 넓이를 구하시오.

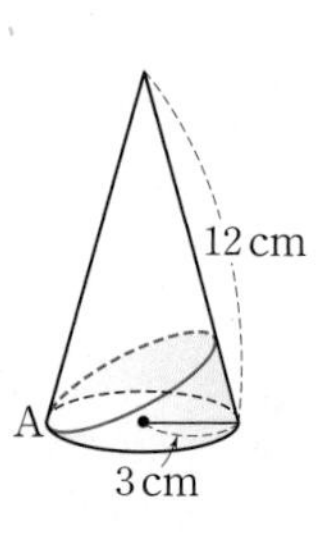

9 의태는 오른쪽 그림과 같은 원뿔 모양의 컵에 음료수를 가득 담은 후 높이를 삼등분하여 승현, 은수와 함께 나누어 마시려고 한다. 의태, 승현, 은수가 마시는 음료수의 부피의 비는?
(단, 컵의 두께는 생각하지 않는다.)

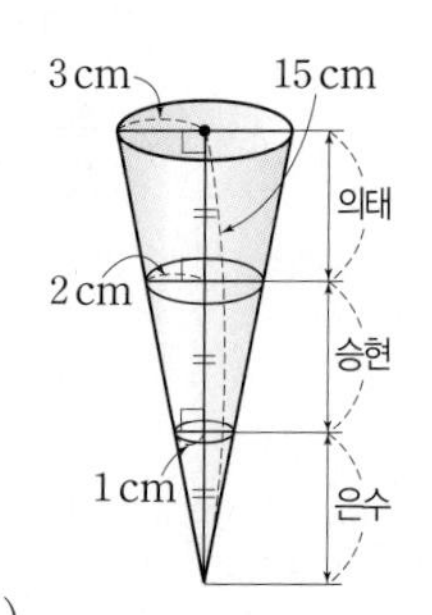

① 19 : 7 : 1 ② 19 : 8 : 1 ③ 19 : 8 : 2
④ 27 : 7 : 1 ⑤ 27 : 8 : 1

10 오른쪽 그림은 밑면인 원의 반지름의 길이가 4 cm이고 높이가 9 cm인 원뿔을 밑면의 둘레 위의 두 점 A, B와 꼭짓점 C를 지나는 평면으로 잘라서 만든 입체도형이다. 밑면인 원의 중심이 O이고 $\angle AOB = 90°$일 때, 이 입체도형의 부피를 구하시오.

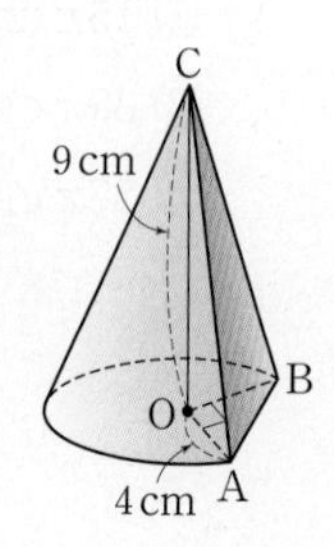

중요

11 오른쪽 그림과 같이 한 모서리의 길이가 10 cm인 정육면체에서 한 밑면의 대각선의 교점을 O, 다른 밑면의 네 변의 중점을 각각 A, B, C, D라 할 때, 사각뿔 O−ABCD의 부피를 구하시오.

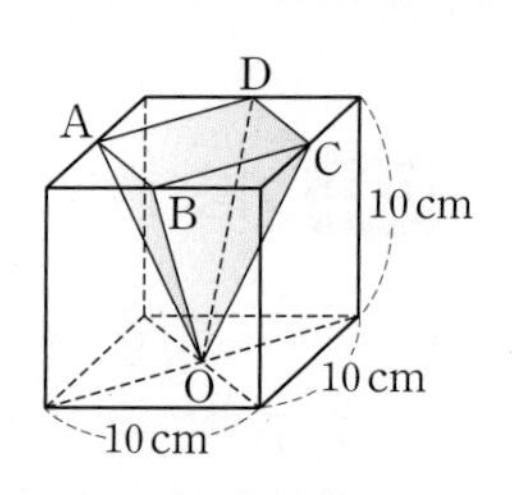

12 오른쪽 그림과 같이 밑면의 한 변의 길이가 6 cm이고 높이가 12 cm인 정사각뿔 모양의 그릇이 있다. 이 그릇에 6 cm의 높이까지 일정한 속도로 물을 채우는데 3초가 걸렸을 때, 이 그릇에 물을 가득 채우려면 앞으로 몇 초 동안 물을 더 넣어야 하는지 구하시오.
(단, 그릇의 두께는 생각하지 않는다.)

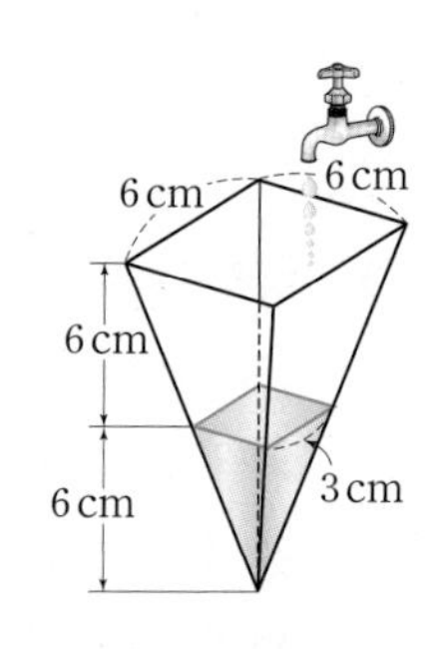

13 오른쪽 그림은 정육면체의 각 면의 한가운데에 있는 점을 연결하여 정팔면체를 만든 것이다. 정육면체의 부피와 정팔면체의 부피를 각각 V_1, V_2라 할 때, $\frac{V_1}{V_2}$의 값을 구하시오.

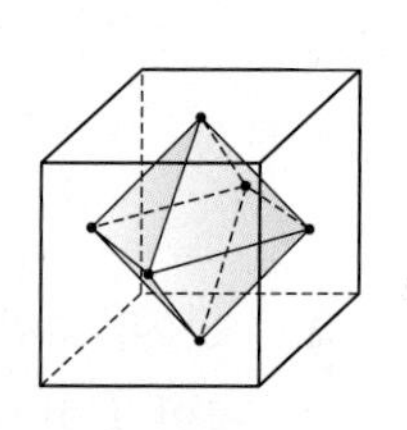

03 구의 겉넓이와 부피

14 다음 그림과 같이 원뿔대 모양의 조각품 A와 반구 모양의 조각품 B가 있다. 조각품 A의 옆면을 칠한 페인트의 양과 조각품 B의 모든 겉면을 칠한 페인트의 양이 같을 때, x의 값을 구하시오.

(단, 페인트를 겹쳐서 칠한 곳은 없다.)

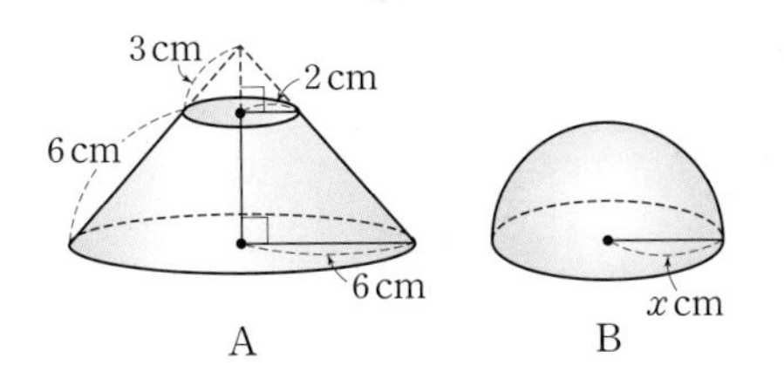

15 오른쪽 그림과 같이 구의 내부에 부피가 288 cm^3인 정팔면체가 꼭 맞게 들어 있다. 이때 구의 겉넓이를 구하시오.

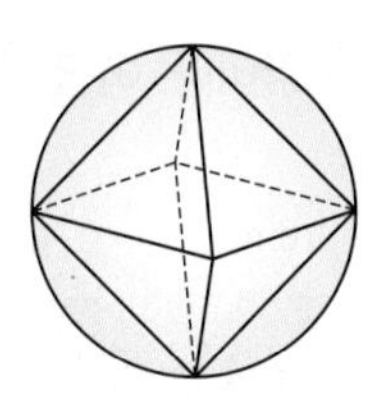

16 오른쪽 그림과 같은 평면도형을 직선 l을 회전축으로 하여 $120°$ 만큼 회전시킬 때 생기는 회전체의 부피를 구하시오.

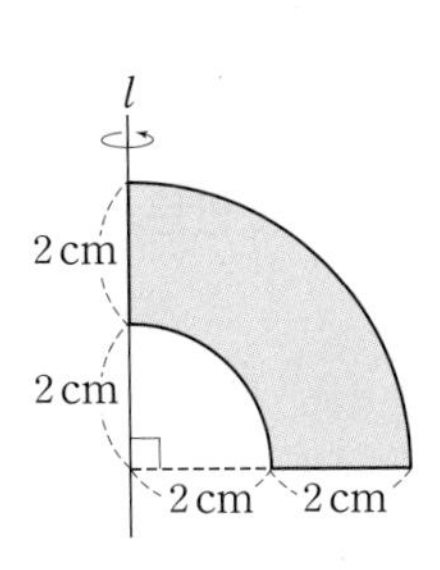

교과서 속 심화

17 부피가 162π cm^3인 원기둥 모양의 통 안에 물을 가득 채운 후 이 물통에 공 3개를 넣었더니 오른쪽 그림과 같이 꼭 맞았다. 이 공 3개를 뺐을 때 통에 남아 있는 물의 부피를 구하시오.

(단, 통의 두께는 생각하지 않는다.)

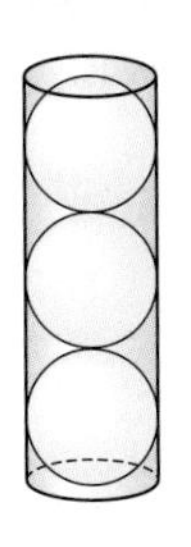

중요

18 다음 그림과 같이 10 cm의 높이까지 물이 들어 있는 원기둥 모양의 물병과 컵이 있다. 이 컵에 반지름의 길이가 2 cm인 구 모양의 구슬 3개를 넣고 물병에 담겨 있는 물의 양의 $\frac{1}{5}$을 부었을 때, 컵에 채워진 물의 높이를 구하시오.

(단, 컵과 물병의 두께는 생각하지 않는다.)

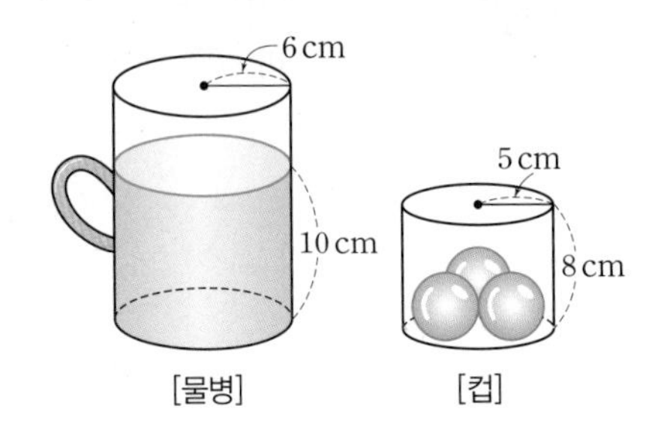

19 오른쪽 그림과 같이 정육면체 안에 구와 사각뿔이 꼭 맞게 들어 있을 때, 정육면체, 구, 사각뿔의 부피의 비는?

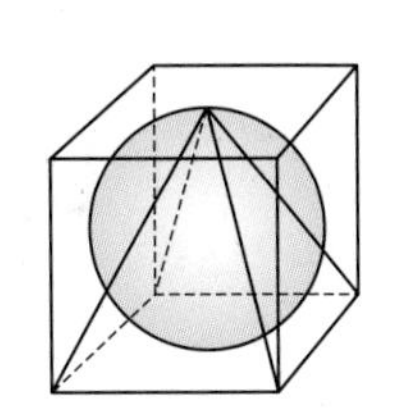

① $3:2:1$ ② $3:\pi:1$ ③ $6:\pi:2$
④ $6:1:2$ ⑤ $19:3\pi:2$

01

다음 그림은 한 변의 길이가 $3\,\text{cm}$인 정사각형을 밑면으로 하고 높이가 $10\,\text{cm}$인 사각기둥을 밑면에 평행한 평면으로 잘라 크기가 같은 사각기둥을 만든 것이다. n번 자른 경우에 만들어지는 사각기둥의 겉넓이의 합을 n을 사용한 식으로 나타내시오.

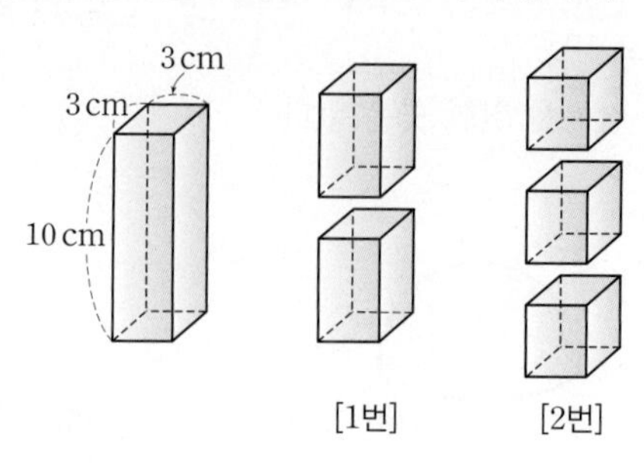

02

다음 그림은 직육면체 모양의 나무토막의 윗면의 일부를 직각삼각형 모양의 조각칼을 이용하여 잘라 낸 후 위, 앞, 옆에서 각각 본 모양이다. 이 입체도형의 부피를 구하시오.

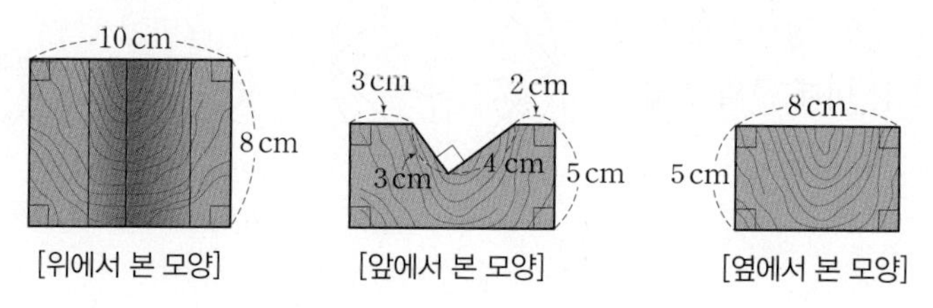

[위에서 본 모양] [앞에서 본 모양] [옆에서 본 모양]

03

오른쪽 그림은 원기둥 모양의 나무를 잘라서 만든 입체도형이다. 이 입체도형의 부피를 구하시오.

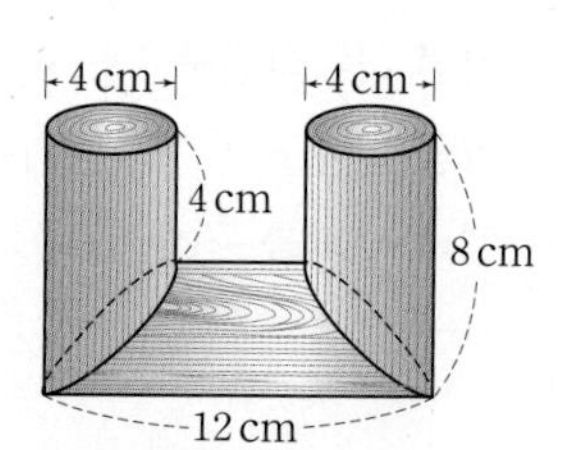

04

오른쪽 그림과 같이 평행사변형 ABCD를 직선 l을 회전축으로 하여 1회전 시킬 때 생기는 회전체의 겉넓이가 $296\pi\ \mathrm{cm}^2$일 때, $\overline{\mathrm{AB}}$의 길이를 구하시오.

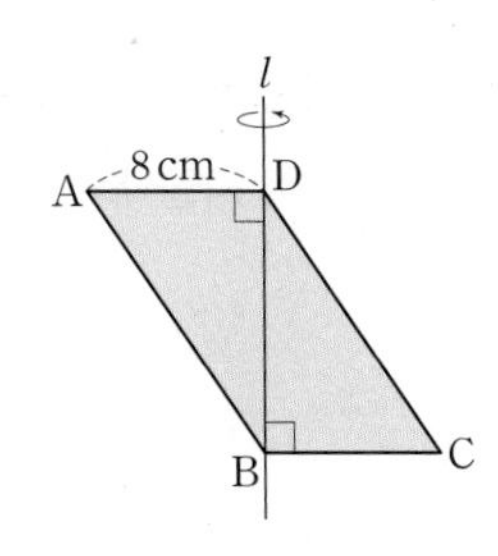

05

오른쪽 그림과 같이 정비례 관계 $y=3x$의 그래프와 x축 위의 두 점 $(6,\ 0)$, $(-3,\ 0)$을 각각 지나고 y축에 평행한 두 직선과 x축으로 둘러싸인 도형을 x축을 회전축으로 하여 1회전 시킬 때 생기는 회전체의 부피를 V_1, y축을 회전축으로 하여 1회전 시킬 때 생기는 회전체의 부피를 V_2라 하자. 이때 $V_1 : V_2$를 가장 간단한 자연수의 비로 나타내시오.

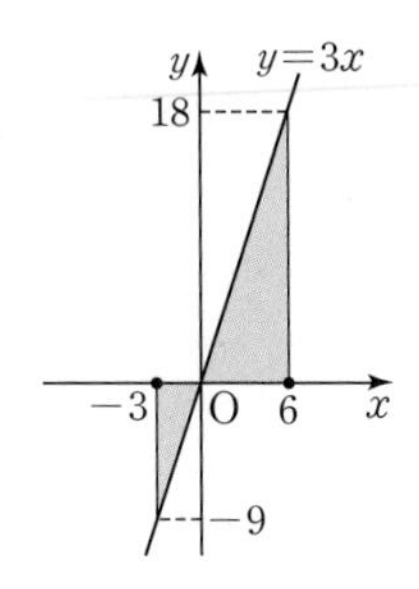

TOP
06

오른쪽 그림과 같이 한 모서리의 길이가 10 cm인 정육면체 모양의 상자의 한 꼭짓점에 벌 한 마리를 줄로 매달아 놓았다. 줄의 길이가 9 cm일 때, 벌이 상자 밖에서 최대한 움직일 수 있는 공간의 부피를 구하시오.

(단, 벌의 크기와 줄의 굵기는 생각하지 않는다.)

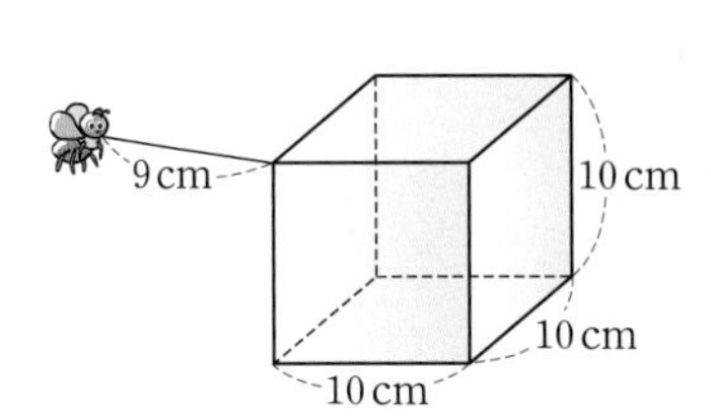

5~6 서술형 완성하기

모든 문제는 풀이 과정을 자세히 서술한 후 답을 쓰세요.

1 어떤 각뿔대의 모서리의 개수와 면의 개수의 합이 26개일 때, 이 각뿔대의 밑면의 모양은 몇 각형인지 구하시오.

2 다음 보기의 다면체에 대하여 물음에 답하시오.

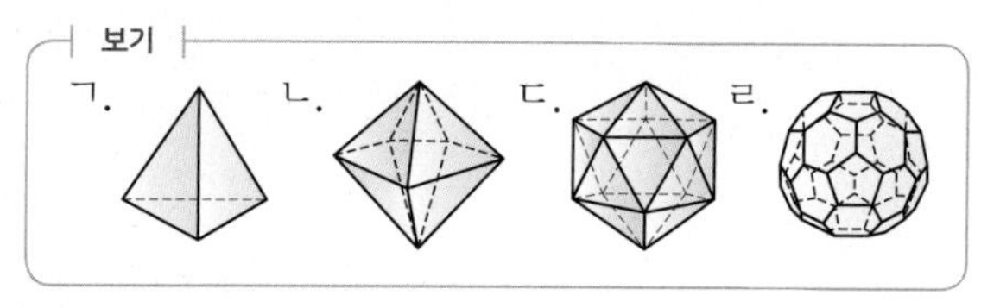

(1) 정다면체가 되기 위한 조건 두 가지를 말하시오.

(2) 보기에서 정다면체가 아닌 것을 찾고, 그 이유를 설명하시오.

3 오른쪽 그림과 같이 직각삼각형 ABC를 $\overline{AC}$를 회전축으로 하여 1회전 시킬 때 생기는 회전체를 회전축에 수직인 평면으로 잘랐다. 이때 생기는 가장 큰 단면의 넓이를 구하시오.

(단, 풀이 과정에 회전체의 겨냥도를 그리시오.)

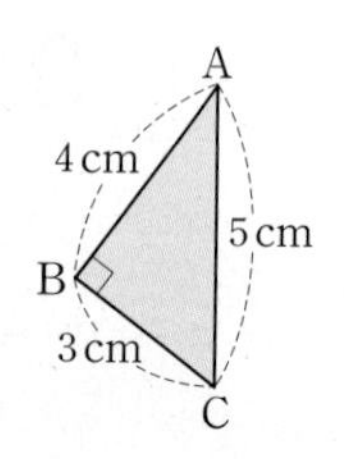

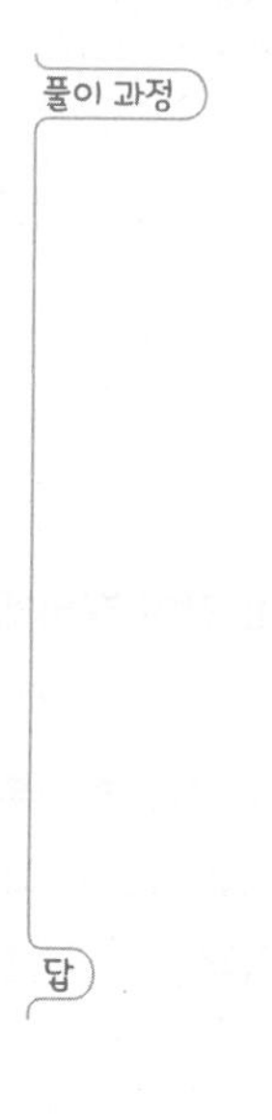

4 오른쪽 그림과 같은 평면도형을 직선 l을 회전축으로 하여 1회전 시킬 때 생기는 입체도형에 대하여 다음 물음에 답하시오.

(1) 이 입체도형의 겨냥도를 그리시오.

(2) 이 입체도형의 겉넓이를 구하시오.

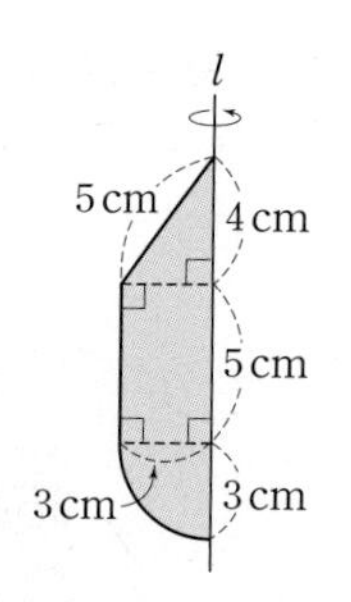

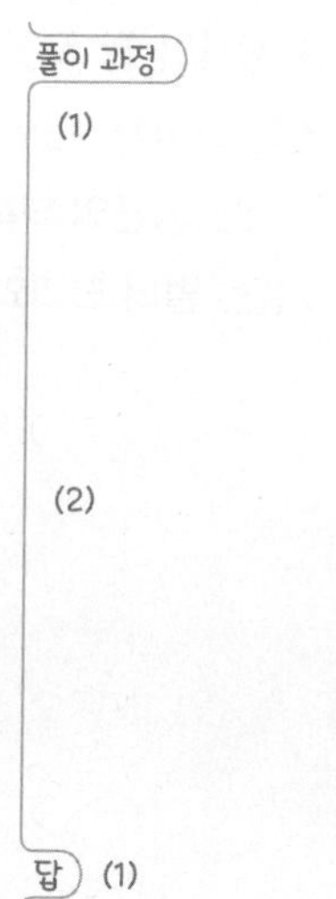

5 오른쪽 그림은 한 모서리의 길이가 10 cm인 정육면체의 일부분을 잘라 낸 입체도형이다. 이 입체도형의 부피를 구하시오.

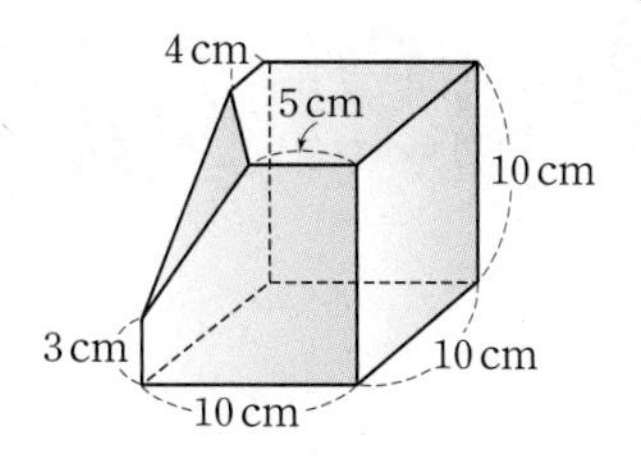

풀이 과정

답

6 다음 그림과 같이 원뿔대 모양의 그릇에 가득 채운 물을 같은 크기의 원기둥 모양의 컵 3개에 똑같이 나누어 담으려고 한다. 이때 컵 1개에 들어가는 물의 높이를 구하시오. (단, 컵과 그릇의 두께는 생각하지 않는다.)

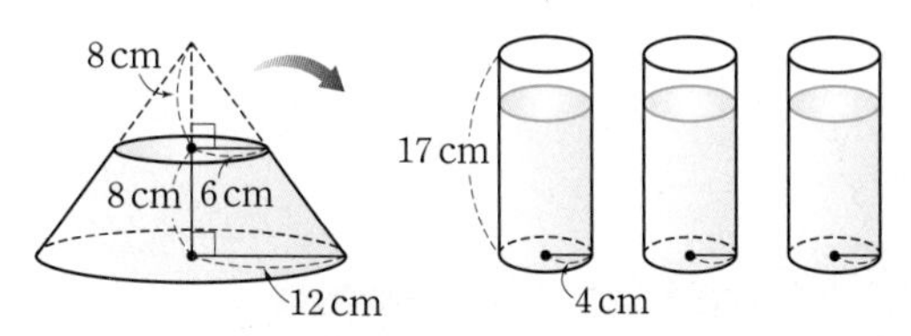

풀이 과정

답

7 오른쪽 그림과 같이 한 모서리의 길이가 30 cm인 정팔면체에서 모서리 AD, EF의 중점을 각각 M, N이라 할 때, 점 M에서 세 모서리 AC, BC, BF를 지나 점 N까지 선을 그으려고 한다. 이때 그을 수 있는 선의 최소 길이를 구하시오.

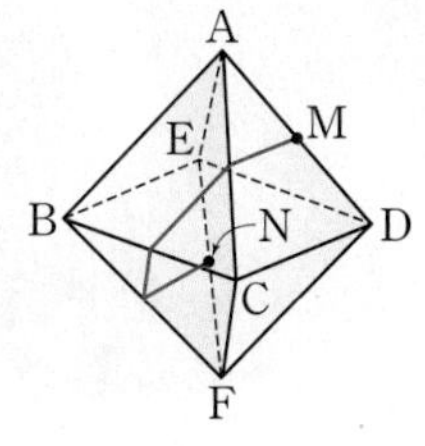

풀이 과정

답

8 오른쪽 그림과 같이 한 변의 길이가 8 cm인 정사각형 ABCD가 있다. $\overline{AB}$, $\overline{BC}$의 중점을 각각 E, F라 하고 $\overline{EF}$, $\overline{ED}$, $\overline{FD}$를 접는 선으로 하여 접어 △DEF를 밑면으로 하는 삼각뿔을 만들 때, 이 삼각뿔의 높이를 구하시오.

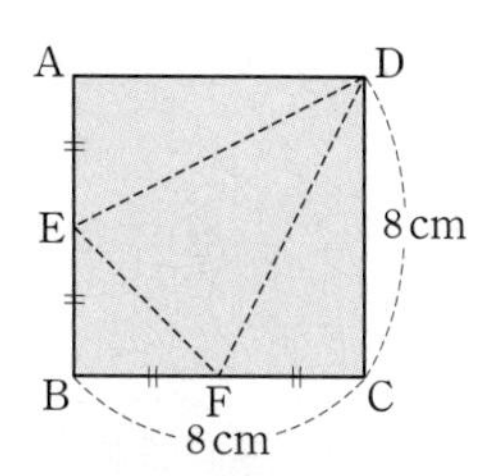

풀이 과정

답

자료의 정리와 해석

01 줄기와 잎 그림, 도수분포표

02 히스토그램과 도수분포다각형

03 상대도수와 그 그래프

개념+대표 문제 확인하기

● 정답과 해설 39쪽

01 줄기와 잎 그림, 도수분포표

1 줄기와 잎 그림

(1) **변량**: 나이, 키, 점수 등과 같이 자료를 수량으로 나타낸 것

(2) **줄기와 잎 그림**: 줄기와 잎을 이용하여 자료를 나타낸 그림

① **줄기**: 세로선의 왼쪽에 있는 수

② **잎**: 세로선의 오른쪽에 있는 수

주의 줄기는 중복되는 수를 한 번만 쓰고, 잎은 중복되는 수를 모두 쓴다.

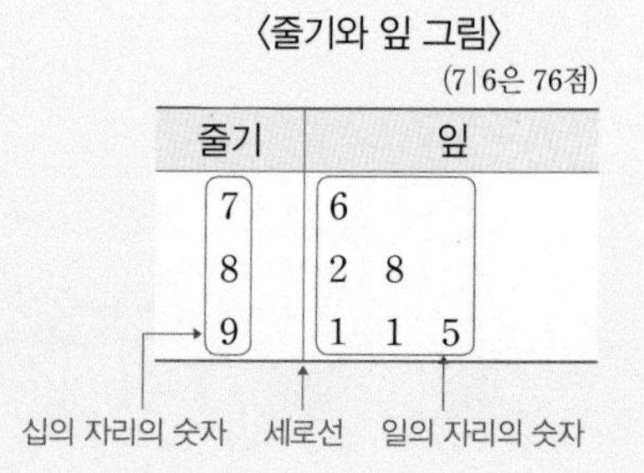

2 도수분포표

(1) **계급**: 변량을 일정한 간격으로 나눈 구간

① **계급의 크기**: 변량을 나눈 구간의 너비, 즉 계급의 양 끝 값의 차

② **계급의 개수**: 변량을 나눈 구간의 수

(2) **도수**: 각 계급에 속하는 자료의 수

(3) **도수분포표**: 주어진 자료를 몇 개의 계급으로 나누고, 각 계급의 도수를 조사하여 나타낸 표

참고 • 계급값: 도수분포표에서 각 계급의 가운데 값 ➡ $(\text{계급값})=\dfrac{(\text{계급의 양 끝 값의 합})}{2}$

• $(\text{각 계급의 백분율})=\dfrac{(\text{그 계급의 도수})}{(\text{도수의 총합})}\times 100(\%)$

주의 계급, 계급의 크기, 도수는 항상 단위를 포함하여 쓴다.

대표 문제

[1~2] 다음 줄기와 잎 그림은 어느 뮤지컬의 한 회 관람객의 나이를 조사하여 그린 것이다. 물음에 답하시오.

관람객의 나이

(1|2는 12세)

줄기	잎
1	2 3 7 8
2	1 6 8 9
3	1 6 6 8 8 9
4	3 7

1 다음 중 옳지 않은 것은?

① 전체 관람객은 16명이다.

② 줄기가 4인 잎은 3, 7이다.

③ 잎이 가장 많은 줄기는 3이다.

④ 38세 이상인 관람객은 4명이다.

⑤ 나이가 가장 많은 관람객은 47세이다.

2 나이가 30대인 관람객은 전체의 몇 %인지 구하시오.

[3~5] 다음 도수분포표는 성범이네 반 학생 30명이 하루 동안 보낸 문자 메시지 수를 조사하여 나타낸 것이다. 문자 메시지 수가 30개 미만인 학생이 전체의 20 %일 때, 물음에 답하시오.

문자 메시지 수(개)	도수(명)
10이상 ~ 20미만	
20 ~ 30	4
30 ~ 40	9
40 ~ 50	
50 ~ 60	4
합계	30

3 계급의 크기를 x개, 계급의 개수를 y개라 할 때, $x+y$의 값을 구하시오.

4 문자 메시지 수가 40개 이상인 학생 수를 구하시오.

5 문자 메시지 수가 7번째로 많은 학생이 속하는 계급을 구하시오.

02 히스토그램과 도수분포다각형

1 히스토그램

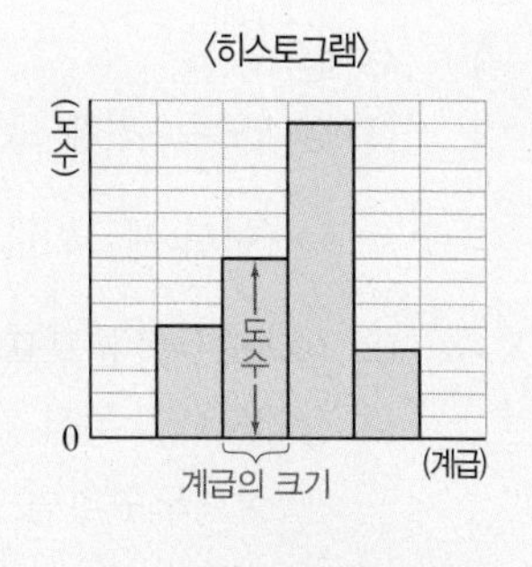

가로축에는 계급을, 세로축에는 도수를 표시하여 직사각형 모양으로 나타낸 그래프

• **히스토그램의 특징**

① 자료의 전체적인 분포 상태를 한눈에 쉽게 알아볼 수 있다.

② 각 직사각형의 넓이는 각 계급의 도수에 정비례한다.

③ (직사각형의 넓이의 합)={(각 계급의 크기)×(그 계급의 도수)의 총합}

=(계급의 크기)×(도수의 총합)

2 도수분포다각형

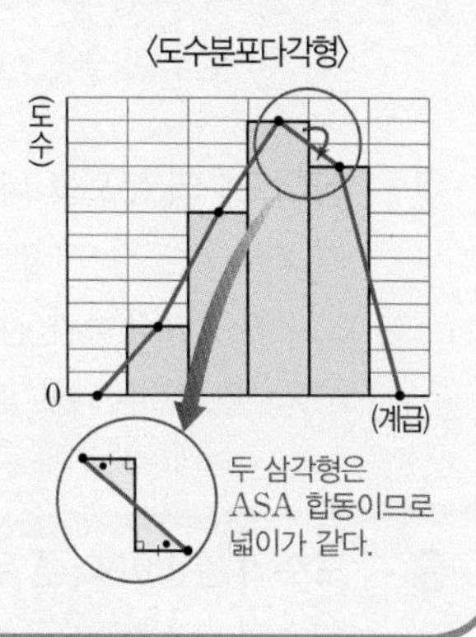

계급의 개수를 셀 때, 양 끝에 도수가 0인 계급은 세지 않는다.

히스토그램에서 각 직사각형의 윗변의 중앙에 찍은 점과 양 끝에 도수가 0인 계급이 있는 것으로 생각하여 그 중앙에 찍은 점을 선분으로 연결하여 그린 그래프

• **도수분포다각형의 특징**

① 자료의 전체적인 분포 상태를 연속적으로 알아볼 수 있다.

② (도수분포다각형과 가로축으로 둘러싸인 부분의 넓이)

=(히스토그램의 각 직사각형의 넓이의 합) ← (계급의 크기)×(도수의 총합)

③ 두 개 이상의 자료의 분포 상태를 동시에 나타내어 비교하는 데 편리하다.

대표 문제

[6~7] 오른쪽 히스토그램은 수지네 반 학생들의 1년 동안 영화 관람 횟수를 조사하여 나타낸 것이다. 물음에 답하시오.

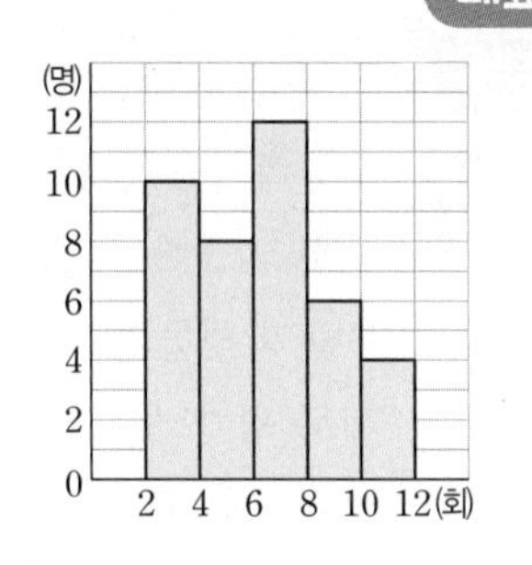

6 다음 중 옳은 것을 모두 고르면? (정답 2개)

① 전체 학생 수는 40명이다.

② 도수가 가장 작은 계급은 2회 이상 4회 미만이다.

③ 도수가 6명 이하인 계급의 개수는 1개이다.

④ 관람 횟수가 6회 미만인 학생은 18명이다.

⑤ 관람 횟수가 6번째로 많은 학생이 속하는 계급은 6회 이상 8회 미만이다.

7 영화를 2번째로 적게 본 학생이 속하는 계급의 직사각형의 넓이와 10번째로 많이 본 학생이 속하는 계급의 직사각형의 넓이의 비를 가장 간단한 자연수의 비로 나타내시오.

8 오른쪽 도수분포다각형은 어느 카페의 하루 중 저녁 시간의 손님 수를 조사하여 나타낸 것이다. 8시에서 9시 사이에 온 손님 수는 5시에서 6시 사이에 온 손님 수의 몇 배인지 구하시오.

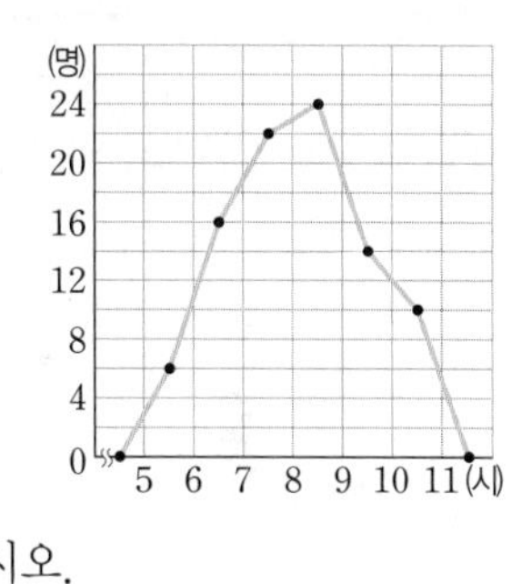

9 오른쪽 도수분포다각형은 채원이네 중학교 1학년 남학생과 여학생의 음악 성적을 조사하여 함께 나타낸 것이다. 다음 보기 중 옳은 것을 모두 고르시오.

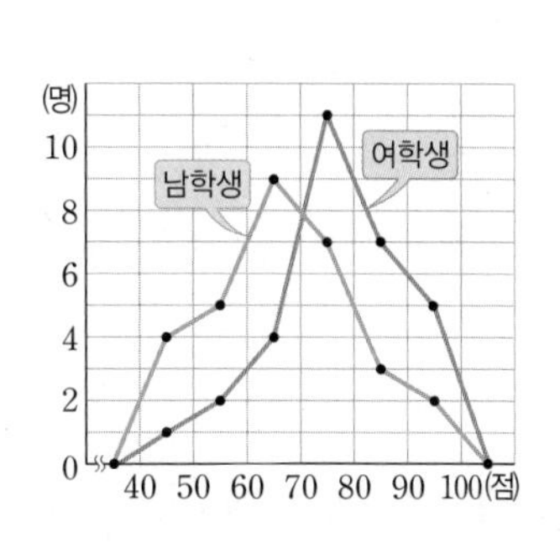

보기

ㄱ. 남학생 수와 여학생 수는 같다.

ㄴ. 음악 성적이 가장 좋은 학생은 여학생이다.

ㄷ. 각각의 도수분포다각형과 가로축으로 둘러싸인 부분의 넓이는 서로 같다.

03 상대도수와 그 그래프

1 상대도수

(1) **상대도수**: 전체 도수에 대한 각 계급의 도수의 비율

➡ (어떤 계급의 상대도수)$=\dfrac{\text{(그 계급의 도수)}}{\text{(도수의 총합)}}$ → (도수)=(상대도수)×(도수의 총합), (도수의 총합)$=\dfrac{\text{(도수)}}{\text{(상대도수)}}$

(2) **상대도수의 분포표**: 각 계급의 상대도수를 나타낸 표

(3) **상대도수의 특징**

① 상대도수의 총합은 항상 1이고, 상대도수는 0 이상이고 1 이하인 수이다.

② 각 계급의 상대도수는 그 계급의 도수에 정비례한다.

③ 도수의 총합이 다른 두 집단의 분포 상태를 비교할 때 편리하다.

2 상대도수의 분포를 나타낸 그래프

가로축에는 각 계급의 양 끝 값을, 세로축에는 상대도수를 표시하여 히스토그램이나 도수분포다각형과 같은 모양으로 나타낸 그래프

〈상대도수의 분포를 나타낸 그래프〉

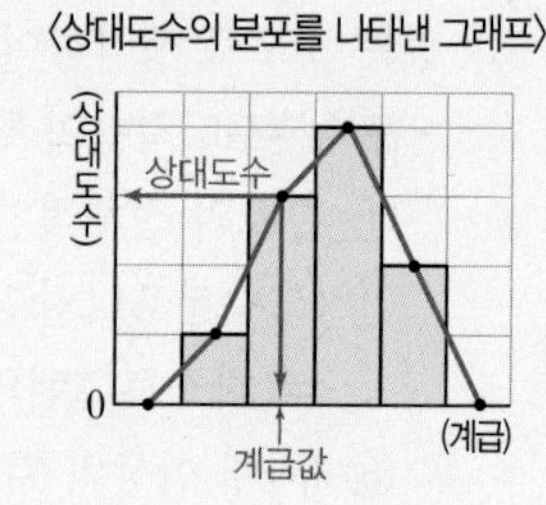

참고 (상대도수의 분포를 나타낸 그래프와 가로축으로 둘러싸인 부분의 넓이)
=(계급의 크기)×(상대도수의 총합)=(계급의 크기)×1=(계급의 크기)

3 도수의 총합이 다른 두 집단의 분포 비교

도수의 총합이 다른 두 자료를 그래프로 함께 나타내면 두 자료의 분포 상태를 한눈에 쉽게 비교할 수 있다.

대표 문제

10 오른쪽 상대도수의 분포표는 슬이네 반 학생들의 한문 성적을 조사하여 나타낸 것이다. 다음 물음에 답하시오.

한문 성적(점)	도수(명)	상대도수
50이상 ~ 60미만	3	0.12
60 ~ 70	A	0.32
70 ~ 80	9	0.36
80 ~ 90	B	C
90 ~ 100	1	0.04
합계	D	1

(1) A, B, C, D의 값을 각각 구하시오.

(2) 성적이 80점 이상인 학생은 전체의 몇 %인지 구하시오.

11 오른쪽 그래프는 국토 대장정에 참여한 40명의 나이에 대한 상대도수의 분포를 나타낸 것이다. 나이가 8번째로 많은 사람이 속하는 계급을 구하시오.

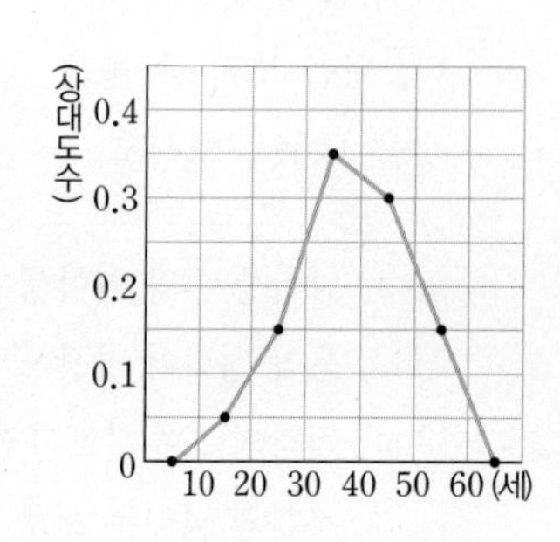

12 오른쪽 그래프는 어느 중학교 1학년 A반과 B반 학생들의 학업 성취도 평가 성적에 대한 상대도수의 분포를 함께 나타낸 것이다. 다음 보기 중 옳은 것을 모두 고르시오.

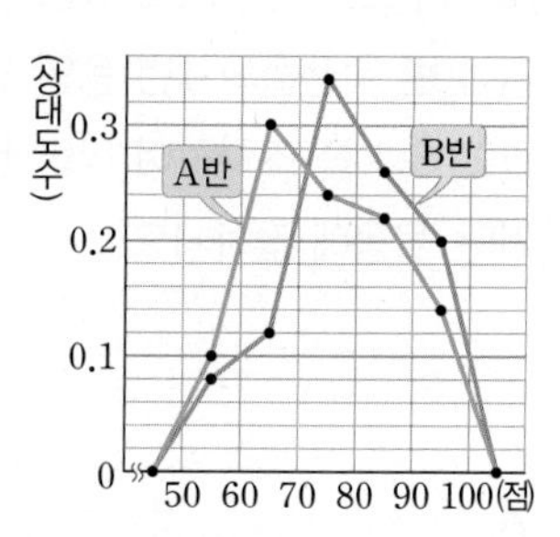

보기

ㄱ. A반에서 성적이 80점 이상인 학생은 A반 학생 전체의 36 %이다.

ㄴ. 성적이 70점 이상 80점 미만인 학생 수는 A반보다 B반이 더 많다.

ㄷ. 성적이 95점인 학생은 B반에서 상위 20 %에 속한다.

ㄹ. 각각의 그래프와 가로축으로 둘러싸인 부분의 넓이는 B반의 그래프가 더 크다.

ㅁ. 두 반 중에서 학생들의 성적이 대체적으로 더 좋은 반은 B반이다.

● 정답과 해설 40쪽

01 줄기와 잎 그림, 도수분포표

1 오른쪽 줄기와 잎 그림은 재준이가 찍은 사진 파일의 용량을 조사하여 그린 것이다. 재준이는 용량이 큰 쪽에서 40 %에 드는 사진들을 모아 전시회에 출품하려고 한다. 용량이 9.5MB 미만인 사진만 출품할 수 있을 때, 재준이가 출품할 수 있는 사진은 모두 몇 장인지 구하시오.

사진 파일의 용량

(6|3은 6.3MB)

줄기	잎
6	3 5 6 8
7	4 7
8	0 2 4 6
9	1 1 5 8 9

2 오른쪽 줄기와 잎 그림은 용지네 반 학생들이 장난감을 조립하는 데 걸린 시간을 조사하여 그린 것이다. 조립 시간이 40분 이하인 학생들의 조립 시간의 합이 145분이고 조립을 가장 오래 한 학생의 조립 시간이 가장 빨리 한 학생의 조립 시간의 2배일 때, $x+y$의 값을 구하시오.

장난감 조립 시간

(2|6은 26분)

줄기	잎
2	6 8 9
3	1 x
4	2 3 4 5 7 7
5	0 0 y

3 다음 줄기와 잎 그림은 세영이네 반 학생들의 오래 매달리기 기록을 조사하여 그린 것인데 일부가 찢어져 보이지 않는다. 줄기가 1인 잎의 개수가 잎의 총개수의 $\frac{3}{7}$일 때, 기록이 20초 이상인 학생 수를 구하시오.

오래 매달리기 기록

(0|4는 4초)

줄기	잎
0	4 5 8
1	0 2 3 4 5 7
2	

교과서 속 심화

4 아래 줄기와 잎 그림은 어느 날 오전 9시까지 지하철 여의도역의 급행열차 시간표의 일부를 나타낸 것이다. 다음 중 옳지 않은 것을 모두 고르면? (정답 2개)

여의도역 급행열차 시간표

(5|34는 오전 5시 34분)

잎(당산역 방면)	줄기	잎(노량진역 방면)
	5	34 46 58
59 47 35 23 11	6	9 21 33 46 58
59 47 35 23 11	7	11 23 35 47 59
48 36 24 12	8	11 23 35 47 59

(출처: 서울시메트로9호선, 2018)

① 오전 6시와 7시 사이에는 급행열차가 여의도역을 총 10번 지나간다.

② 여의도역에서 급행열차 2대가 동시에 출발하는 것은 총 4번이다.

③ 오전 8시대에는 당산역보다 노량진역 방면으로 급행열차가 더 많이 출발한다.

④ 오전 6시 58분에 노량진역 방면 급행열차를 타려다가 놓치면 다음 급행열차를 최소 13분 기다려야 한다.

⑤ 진아가 오전 8시 51분에 여의도역에 도착하면 오전 9시 전에 당산역 방면 급행열차를 탈 수 있다.

5 다음 도수분포표는 은지네 반 학생들의 1분 동안 윗몸일으키기 횟수를 조사하여 나타낸 것이다. $A>B$일 때, A, B의 값을 각각 구하시오.

(단위: 회)

54	20	36
x	33	27
42	y	12
40	31	35

⇨

횟수(회)	도수(명)
10이상 ~ 20미만	1
20 ~ 30	A
30 ~ 40	4
40 ~ 50	B
50 ~ 60	2
합계	12

중요

6 오른쪽 도수분포표는 어느 반 학생들의 몸무게를 조사하여 나타낸 것이다. $A : B = 1 : 5$일 때, 도수가 두 번째로 큰 계급을 구하시오.

몸무게(kg)	도수(명)
35이상~40미만	A
40 ~45	7
45 ~50	8
50 ~55	B
55 ~60	3
합계	30

7 아래 도수분포표는 어느 학교 1학년 학생들이 일주일 동안 받은 용돈을 조사하여 나타낸 것이다. 용돈을 8000원 이상 받은 학생이 전체의 60 %일 때, 다음 중 옳은 것을 모두 고르면? (정답 2개)

받은 용돈(원)	도수(명)
5000이상~ 6000미만	x
6000 ~ 7000	$2x+4$
7000 ~ 8000	34
8000 ~ 9000	30
9000 ~10000	$3x-8$
10000 ~11000	50
합계	

① x의 값은 5이다.
② 전체 학생 수는 200명이다.
③ 용돈이 10000원 이상 11000원 미만인 학생이 가장 많다.
④ 용돈이 7000원 미만인 학생은 전체의 20 %이다.
⑤ 절반 이상의 학생이 일주일 동안 9000원 이상의 용돈을 받았다.

8 오른쪽 도수분포표는 일권이네 반 학생들의 주말 TV 시청 시간을 조사하여 나타낸 것이다. TV 시청 시간이 60분 미만인 학생이 전체의 10 %일 때, 100분 이상 TV를 시청한 학생은 최대 몇 명인지 구하시오.

시청 시간(분)	도수(명)
0이상~ 30미만	1
30 ~ 60	
60 ~ 90	5
90 ~120	6
120 ~150	
150 ~180	10
합계	40

교과서 속 심화

9 다음 도수분포표는 승연이와 은지가 어느 학교 1학년 1반 학생들의 점심 식사 시간을 조사하여 계급의 크기가 다른 두 개의 표로 각각 나타낸 것이다. 보기 중 옳은 것을 모두 고르시오.

[승연]

시간(분)	도수(명)
5이상~ 7미만	2
7 ~ 9	6
9 ~11	7
11 ~13	9
13 ~15	A
15 ~17	5
합계	40

[은지]

시간(분)	도수(명)
5이상~ 8미만	3
8 ~11	B
11 ~14	C
14 ~17	8
합계	40

보기

ㄱ. 두 개의 도수분포표의 계급의 크기는 같다.
ㄴ. $A=11$, $B=12$, $C=17$이다.
ㄷ. 점심 식사 시간이 14분 이상 15분 미만인 학생 수는 3명이다.

02 히스토그램과 도수분포다각형

교과서 속 심화

10 오른쪽 히스토그램은 의섭이가 입단하고 싶어 하는 배드민턴팀 선수들의 키를 조사하여 나타낸 것이다. 키가 180 cm인 의섭이가 이 배드민턴팀에 입단한다면 의섭이의 키는 상위 몇 %에 속하는지 구하시오.

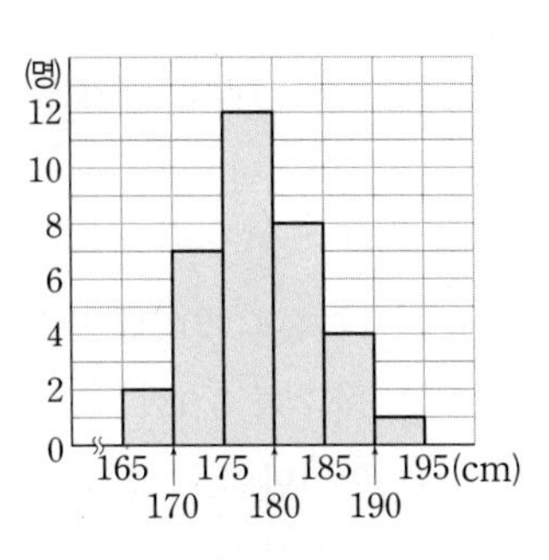

11 오른쪽 히스토그램은 영은이네 반 학생들이 가지고 있는 필기도구의 개수를 조사하여 나타낸 것인데 일부가 찢어져 보이지 않는다. 두 직사각형 A, B의 넓이의 비가 4 : 3일 때, 전체 학생 수를 구하시오.

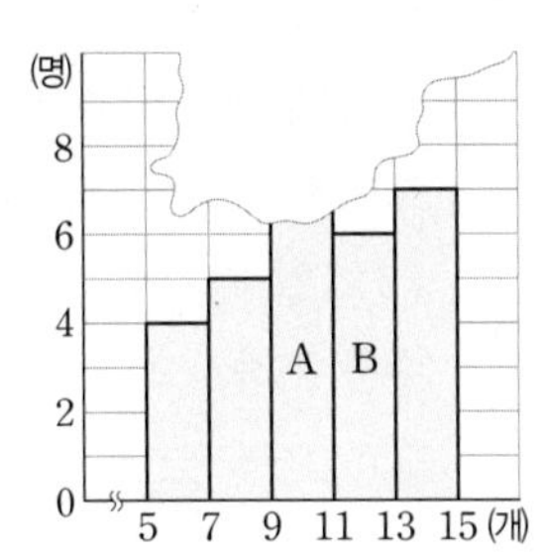

12 오른쪽 도수분포다각형은 어느 아파트의 한 달 동안 가구별 수돗물 사용량을 조사하여 나타낸 것이다. 색칠한 5개의 삼각형의 넓이를 각각 A, B, C, D, E라 할 때, 다음 중 옳은 것은?

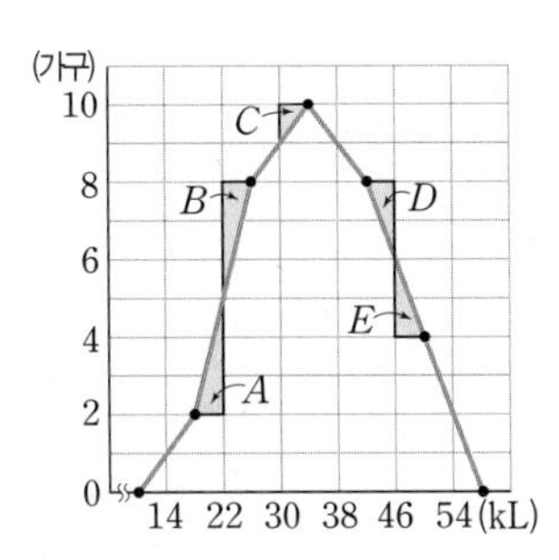

① $A+B=24$　② $A=6C$　③ $B=4D$
④ $D-C=2$　⑤ $C=E$

13 다음 도수분포다각형은 슬기네 반 학생들이 지난 학기 동안 선생님과 상담한 횟수를 조사하여 나타낸 것인데 종이가 찢어져 세로축이 보이지 않는다. 삼각형 S의 넓이가 2일 때, 도수분포다각형과 가로축으로 둘러싸인 부분의 넓이는 삼각형 T의 넓이의 몇 배인지 구하시오.

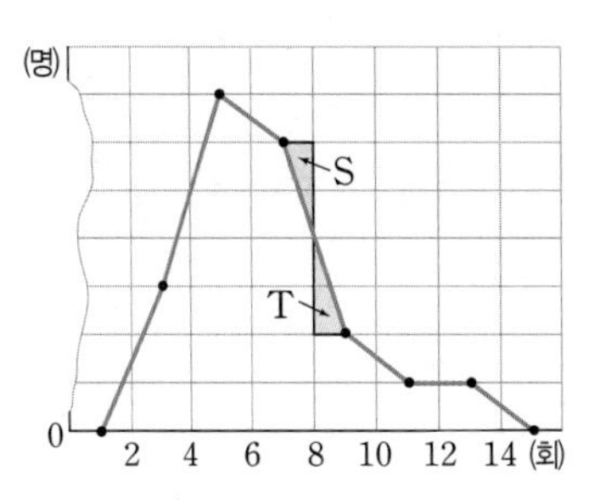

중요
14 오른쪽 도수분포다각형은 화연이네 반 학생들의 미술 실기 점수를 조사하여 나타낸 것인데 일부가 얼룩져 보이지 않는다. 점수가 8점 이상 12점 미만인 학생 수는 16점 이상 20점 미만인 학생 수의 2배이고, 16점 이상인 학생이 전체의 20 %일 때, 전체 학생 수를 구하시오.

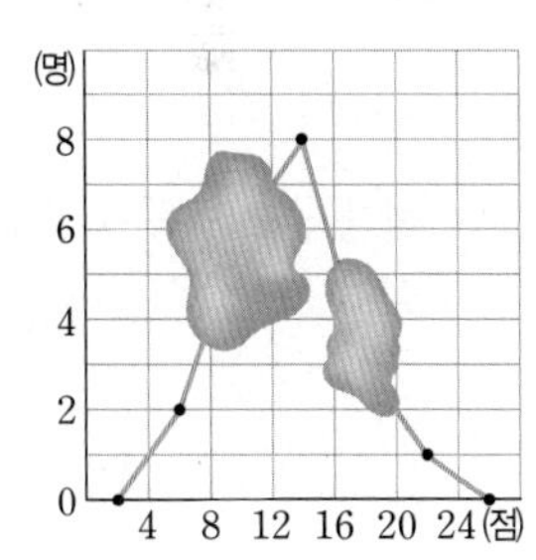

15 다음 도수분포다각형은 소영이네 반 학생들이 지난달에 아침 식사를 한 날수를 조사하여 나타낸 것인데 물을 엎질러 일부가 보이지 않는다. 도수분포다각형과 가로축으로 둘러싸인 부분의 넓이가 180일 때, 아침 식사를 한 날수가 20일 이상 25일 미만인 학생 수를 구하시오.

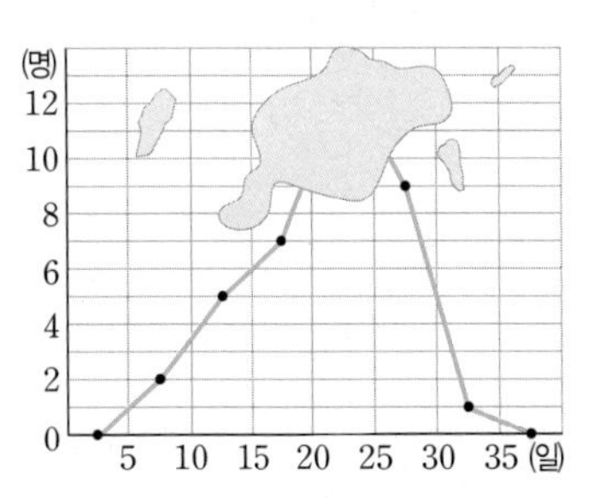

16 다음 도수분포다각형은 어느 중학교에서 3회에 걸쳐 실시한 수학 수행평가 점수를 조사하여 나타낸 것이다. 어려운 문제가 가장 많이 출제되었다고 할 수 있는 수행평가는 몇 회인지 보기에서 고르시오.

(단, 문제의 구성과 학생 수는 매회 각각 동일하다.)

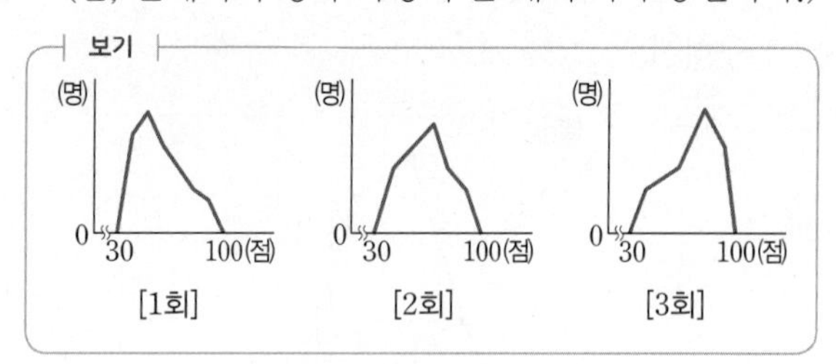

17 아래 도수분포다각형은 현종이네 동아리 남학생과 여학생의 2분 동안 줄넘기 횟수를 조사하여 함께 나타낸 것이다. 다음 중 옳은 것을 모두 고르면? (정답 2개)

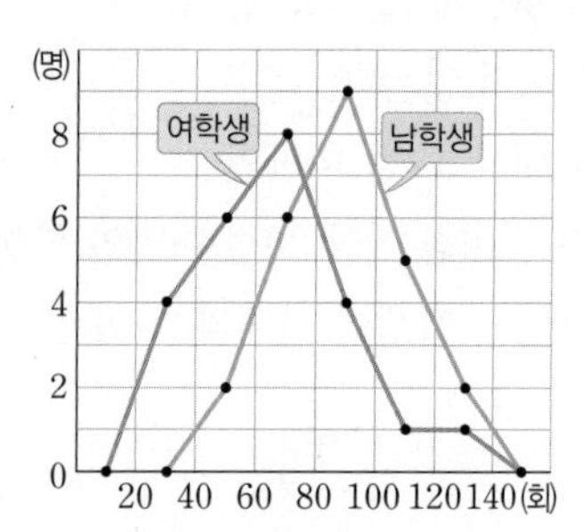

① 여학생 수가 남학생 수보다 많다.

② 줄넘기 횟수가 가장 적은 학생은 남학생이다.

③ 줄넘기 횟수가 100회 이상 120회 미만인 학생은 동아리 전체의 12.5 %이다.

④ 남학생 중 줄넘기 횟수가 8번째로 많은 학생이 속하는 계급의 도수는 9명이다.

⑤ 계급값이 70회인 계급에 속하는 학생은 남학생이 여학생보다 2명 더 많다.

03 상대도수와 그 그래프

18 오른쪽 상대도수의 분포표는 태구네 반 학생 40명의 1년 동안 도서관 방문 횟수를 조사하여 나타낸 것이다. 방문 횟수가 10회 이상 15회 미만인 학생 수와 15회 이상 20회 미만인 학생 수의 비가 2 : 1일 때, 방문 횟수가 17회인 학생이 속하는 계급의 도수를 구하시오.

방문 횟수(회)	상대도수
0이상 ~ 5미만	0.075
5 ~ 10	0.3
10 ~ 15	
15 ~ 20	
20 ~ 25	0.1
합계	1

19 다음 상대도수의 분포표는 어느 중학교 1학년 학생들의 몸무게를 조사하여 나타낸 것인데 일부가 찢어져 보이지 않는다. 몸무게가 50 kg 이상인 학생이 전체의 72 %일 때, 몸무게가 45 kg 이상 50 kg 미만인 학생 수를 구하시오.

몸무게(kg)	도수(명)	상대도수
40이상 ~ 45미만	40	0.16
45 ~ 50		
50 ~ 55		
55		

20 중요 오른쪽 그래프는 비상 중학교 1학년 학생들의 사회 성적에 대한 상대도수의 분포를 나타낸 것인데 일부가 훼손되어 보이지 않는다. 사회 성적이 90점 이상 100점 미만인 학생 수가 5명일 때, 60점 이상 70점 미만인 학생 수를 구하시오.

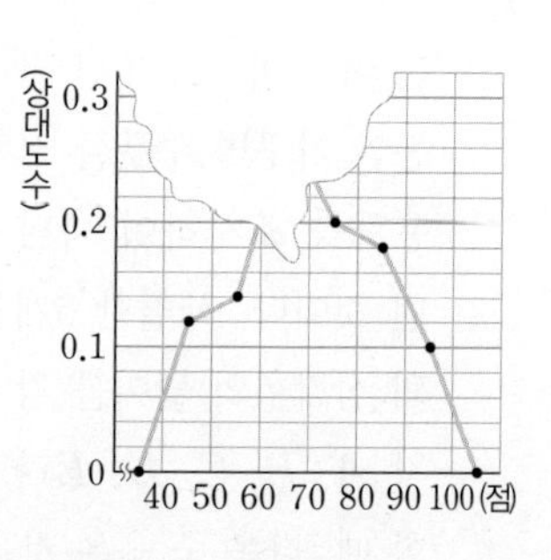

중요

21 다음 그래프는 중수네 학교 1학년 학생들이 글짓기 대회에서 받은 점수에 대한 상대도수의 분포를 나타낸 것인데 일부가 얼룩져 보이지 않는다. 점수가 12점인 학생이 속하는 계급의 도수가 15점인 학생이 속하는 계급의 도수보다 7명이 적다고 할 때, 전체 학생 수를 구하시오.

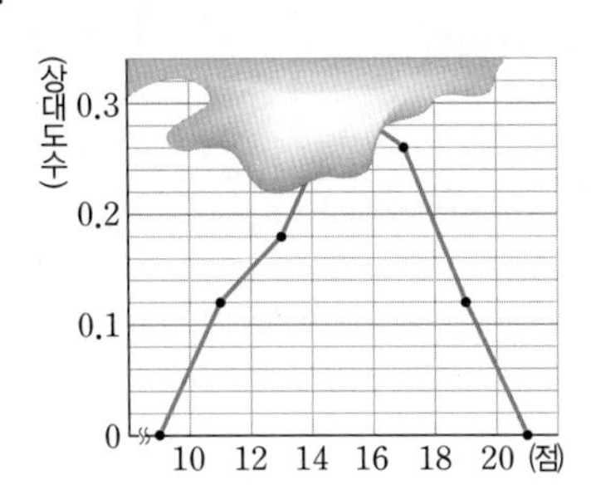

22 다음 상대도수의 분포표는 어느 중학교 1학년 1반 학생 40명과 1학년 전체 학생 400명의 영어 회화 성적을 조사하여 함께 나타낸 것이다. 1반에서 10등인 학생은 1학년 전체에서 적어도 몇 등 안에 드는지 구하시오.

영어 회화 성적(점)	상대도수	
	1학년 1반	1학년 전체
40이상 ~ 50미만	0.05	0.08
50 ~ 60	0.15	0.12
60 ~ 70	0.25	0.28
70 ~ 80	0.3	0.32
80 ~ 90	0.2	0.16
90 ~ 100	0.05	0.04
합계	1	1

23 오른쪽 도수분포표는 A, B 두 학교 1학년 학생들이 한 학기 동안 읽은 책의 수를 조사하여 함께 나타낸 것이다. A학교보다 B학교의 상대도수가 더 큰 계급을 구하시오.

책의 수(권)	도수(명)	
	A학교	B학교
0이상 ~ 2미만	15	10
2 ~ 4	12	8
4 ~ 6	15	13
6 ~ 8	18	9
합계	60	40

24 어느 중학교의 남학생과 여학생의 전체 학생 수의 비는 4 : 3이고, 시력이 0.7 이상 0.9 미만인 계급의 상대도수의 비는 1 : 2일 때, 이 계급의 남학생 수와 여학생 수의 비를 가장 간단한 자연수의 비로 나타내시오.

교과서 속 심화

25 다음 그래프는 A, B 두 동아리 학생들의 일주일 동안의 취미 활동 시간에 대한 상대도수의 분포를 함께 나타낸 것이다. A, B 두 동아리에서 취미 활동 시간이 10시간 이상인 학생이 4명으로 같을 때, 취미 활동 시간이 6시간 미만인 학생은 각각 몇 명인지 구하시오.

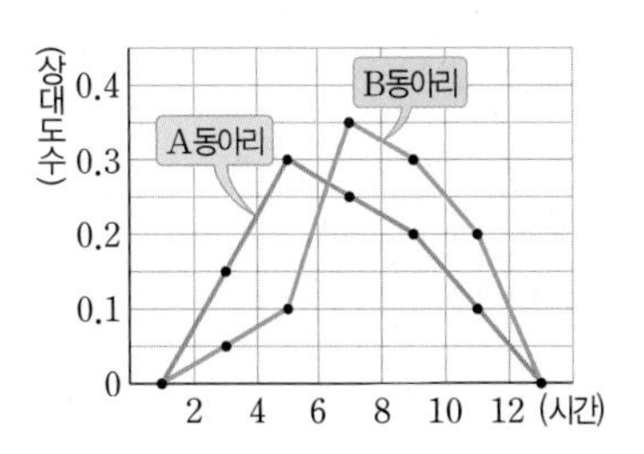

step 3 내신 1% 뛰어넘기

● 정답과 해설 43쪽

01

오른쪽 줄기와 잎 그림은 은수네 반 학생들이 어느 일요일 오후 동안 스마트폰 게임을 한 시간을 조사하여 그린 것이다. 은수가 오전에 게임을 한 시간은 16분이고, 오후에 게임을 한 시간은 반에서 11번째로 많다. 오후에 게임을 30분 미만 한 학생이 전체의 $\frac{2}{5}$일 때, 은수가 하루 동안 게임을 한 시간은 몇 분인지 구하시오.

오후에 게임을 한 시간

(1|0은 10분)

줄기	잎
1	0 7 8
2	3 6 7 8 9 9 9
3	0 2 4 4 5
4	
5	2 4 5 6

TOP

02

오른쪽 도수분포표는 어느 반 학생들의 주말 동안 컴퓨터 사용 시간을 조사하여 나타낸 것이다. 컴퓨터 사용 시간이 90분 이상인 학생이 전체의 20 %이고 70분 미만인 학생 수가 최대일 때, $x-y$의 값을 구하시오.

사용 시간(분)	도수(명)
0이상 ~ 20미만	4
20 ~ 40	6
40 ~ 60	x
60 ~ 80	9
80 ~ 100	y
100 ~ 120	4
합계	40

03

오른쪽 도수분포다각형은 가은이네 반 학생 30명의 등교 시각을 조사하여 나타낸 것인데 일부가 훼손되어 보이지 않는다. 등교 시각이 8시 미만인 학생이 전체의 10 %이고, 훼손되기 전의 도수분포다각형과 가로축으로 둘러싸인 도형을 도수분포다각형의 가장 높은 점에서 가로축에 수선을 내려 두 부분으로 나눌 때, 오른쪽 부분의 넓이를 구하시오. (단, 계급의 크기는 10분이다.)

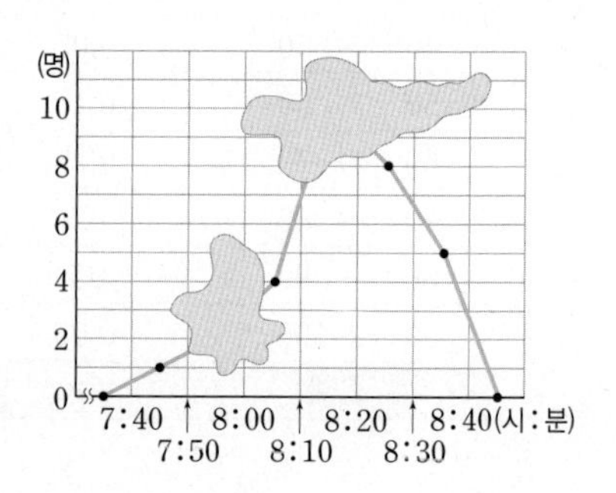

04

오른쪽 도수분포다각형은 A, B 두 동아리 학생들의 퀴즈 대회 성적을 조사하여 함께 나타낸 것이다. A동아리에서 상위 10 %에 속하는 학생 중 1명이 B동아리로 옮기면 B동아리에서 적어도 상위 몇 %에 속하는지 소수점 아래 둘째 자리에서 반올림하여 구하시오.

(단, 동아리를 옮길 때 퀴즈 대회 성적은 변하지 않는다.)

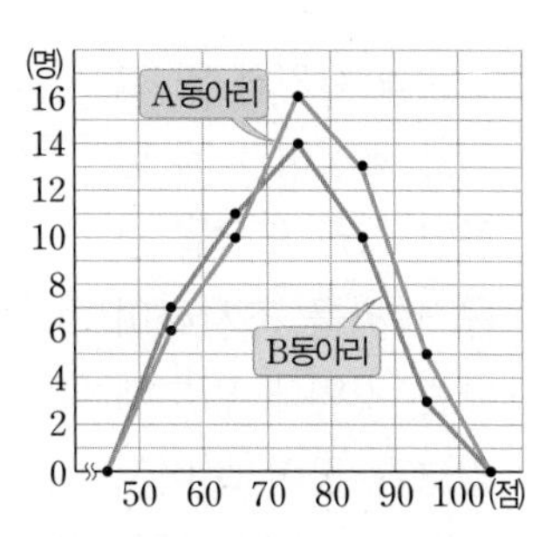

05

오른쪽 상대도수의 분포표는 하늘이네 중학교 1학년 학생들의 중국어 성적을 조사하여 나타낸 것이다. 전체 학생 수가 40명 이상 50명 이하일 때, 1학년 전체 학생 수를 구하시오.

중국어 성적(점)	상대도수
50이상 ~ 60미만	$\frac{1}{16}$
60 ~ 70	$\frac{1}{8}$
70 ~ 80	
80 ~ 90	$\frac{1}{2}$
90 ~ 100	$\frac{1}{4}$
합계	

06

오른쪽 그래프는 어느 중학교 1학년과 2학년 학생들의 100 m 달리기 기록에 대한 상대도수의 분포를 함께 나타낸 것인데 일부가 찢어져 보이지 않는다. 기록이 16초 미만인 학생 수가 1학년은 80명, 2학년은 28명일 때, 20초 이상인 학생 수는 어느 학년이 몇 명 더 많은지 구하시오.

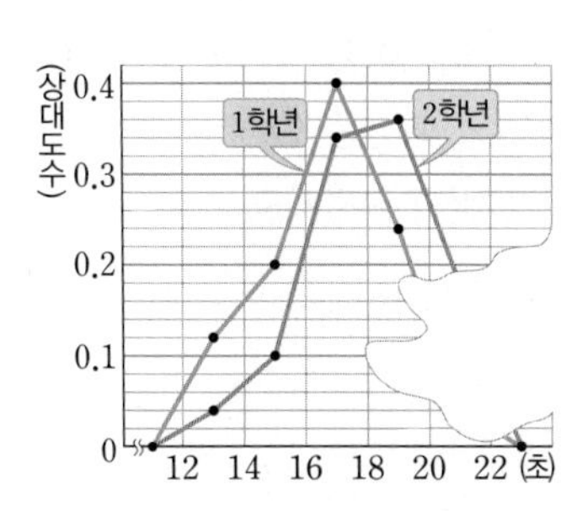

7 서술형 완성하기

모든 문제는 풀이 과정을 자세히 서술한 후 답을 쓰세요.

1 오른쪽 줄기와 잎 그림은 효상이가 네 달 동안 칭찬 도장을 받은 날짜를 조사하여 그린 것인데 일부에 잉크가 묻어 보이지 않는다. 10월과 11월에 받은 칭찬 도장의 수의 합이 전체의 30 %일 때, 네 달 동안 받은 칭찬 도장은 모두 몇 개인지 구하시오.

칭찬 도장을 받은 날짜

(9|3은 9월 3일)

줄기	잎
9	3 5 12
10	
11	
12	2 11 18 20

풀이 과정

답

2 오른쪽 도수분포표는 기영이네 반 학생들의 몸무게를 조사하여 나타낸 것이다. 몸무게가 45 kg 미만인 학생이 전체의 25 %일 때, 55 kg 이상 60 kg 미만인 학생은 전체의 몇 %인지 구하시오.

몸무게(kg)	도수(명)
35이상 ~ 40미만	2
40 ~ 45	
45 ~ 50	10
50 ~ 55	13
55 ~ 60	
60 ~ 65	2
합계	40

풀이 과정

답

3 오른쪽 히스토그램은 지현이네 반 학생들의 하루 수면 시간을 조사하여 나타낸 것인데 일부가 찢어져 보이지 않는다. 수면 시간이 6시간 미만인 학생이 전체의 25 %이고, 6시간 이상 7시간 미만인 학생 수와 7시간 이상 8시간 미만인 학생 수의 비가 2 : 3일 때, 수면 시간이 7시간 이상 8시간 미만인 학생 수를 구하시오.

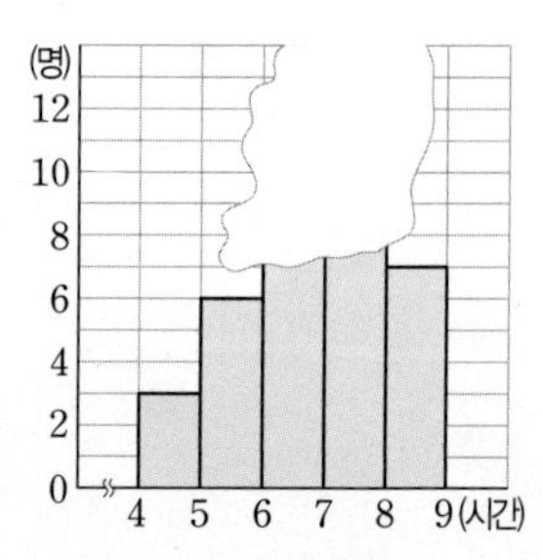

풀이 과정

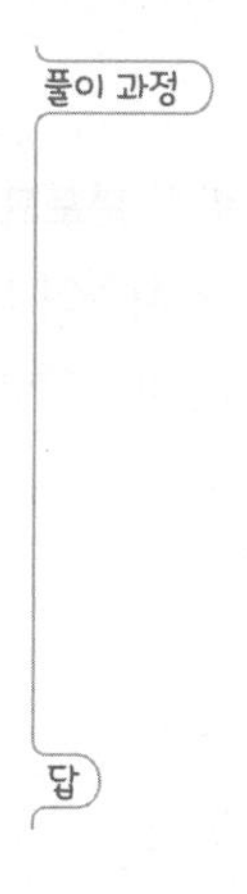

답

4 오른쪽 상대도수의 분포표는 어느 중학교 1학년 학생들의 공 던지기 기록을 조사하여 나타낸 것이다. 기록이 좋은 쪽에서 13번째인 학생이 속하는 계급의 상대도수를 구하시오.

기록(m)	도수(명)	상대도수
15이상 ~ 20미만	7	0.14
20 ~ 25		0.18
25 ~ 30	18	
30 ~ 35		
35 ~ 40	5	
합계		

풀이 과정

답

5 오른쪽 그래프는 지훈이네 학교 학생들이 하루 동안 마신 물의 양에 대한 상대도수의 분포를 나타낸 것인데 일부가 얼룩져 보이지 않는다. 마신 물의 양이 1.6 L 이상 2.0 L 미만인 학생 수가 10명이고, 0.8 L 이상 1.2 L 미만인 학생 수와 1.2 L 이상 1.6 L 미만인 학생 수의 비가 1 : 2일 때, 마신 물의 양이 0.8 L 이상 1.2 L 미만인 학생 수를 구하시오.

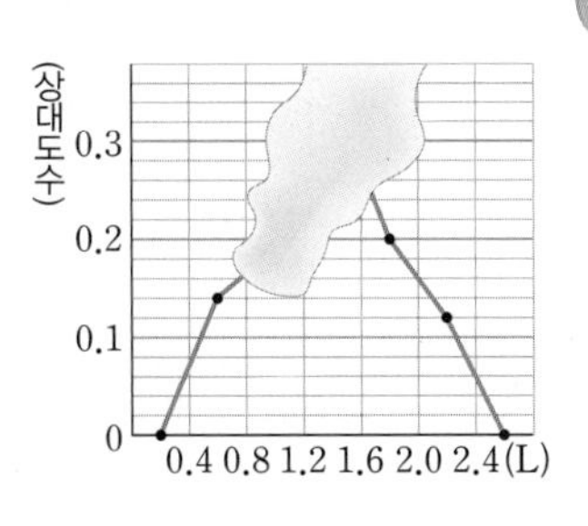

풀이 과정

답

6 오른쪽 그래프는 A, B 두 학교 학생들의 일주일 동안의 운동 시간에 대한 상대도수의 분포를 함께 나타낸 것이다. A학교의 전체 학생 수가 400명이고, B학교의 전체 학생 수가 150명일 때, 운동 시간이 7시간 이상인 학생은 어느 학교가 몇 명 더 많은지 구하시오.

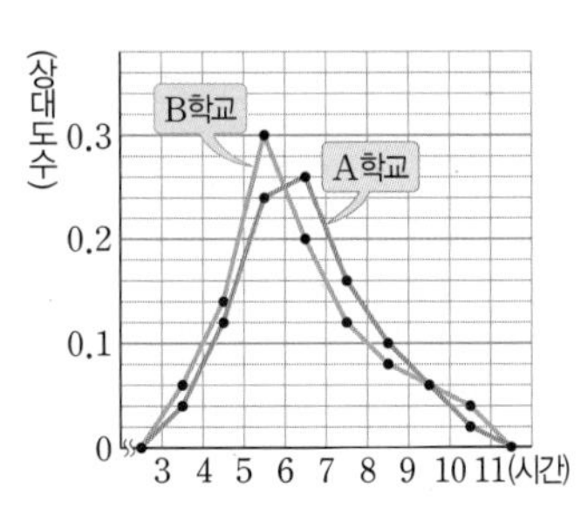

풀이 과정

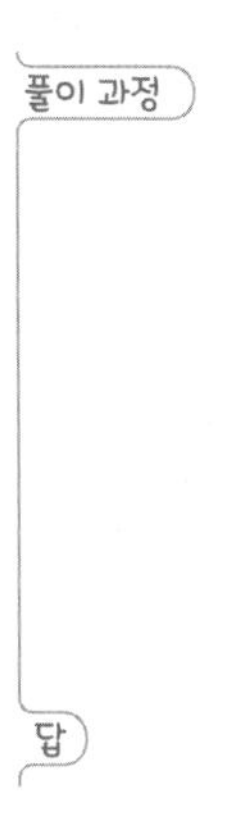

답

7 오른쪽 도수분포다각형은 혜진이네 반 학생들의 국어 성적을 조사하여 나타낸 것이다. 혜진이가 상위 75 %에 속한다면 국어 점수가 적어도 몇 점 이상인지 구하시오.

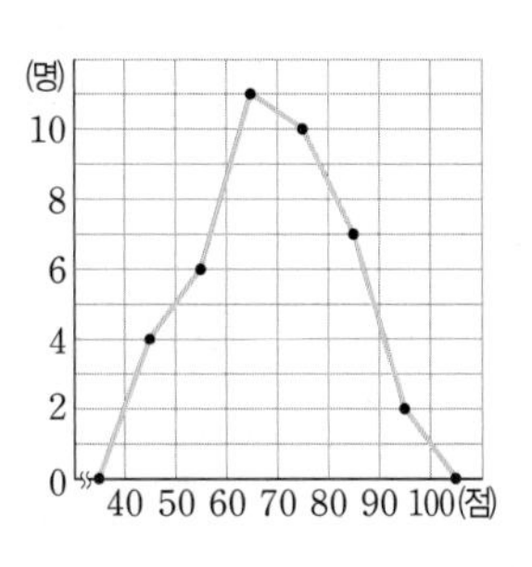

풀이 과정

답

8 다음 상대도수의 분포표는 은석이네 반 학생들의 과학 성적을 조사하여 나타낸 것이다. 지난 학기보다 이번 학기의 성적이 향상되어 한 계급이 올라간 학생 수가 4명일 때, A, B의 값을 각각 구하시오. (단, 전체 학생 수는 변화가 없고, 계급이 떨어지거나 두 계급 이상 올라간 학생은 없다.)

과학 성적(점)	지난 학기 도수(명)	이번 학기 상대도수
40이상 ~ 50미만	3	0.04
50 ~ 60	4	0.2
60 ~ 70	12	A
70 ~ 80	1	0
80 ~ 90	3	B
90 ~ 100	2	0.08
합계	25	

풀이 과정

답

MEMO

15개정 교육과정

| 중등 수학 |

1·2

visang

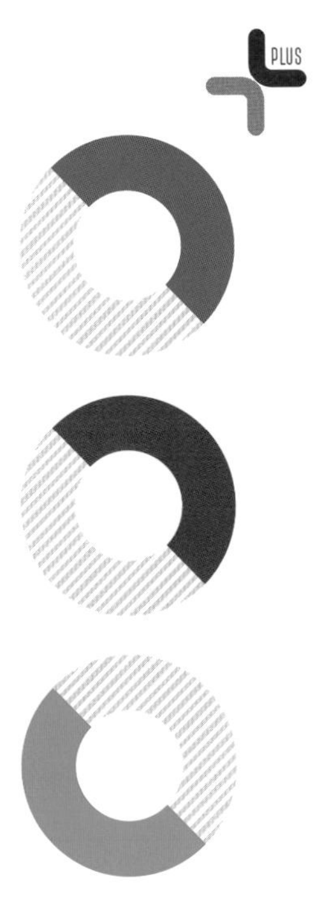
PLUS

정답과 해설

1. 기본 도형

P. 8~11 개념+대표 문제 확인하기

1 25	2 ①, ③	3 30	4 9cm	5 75°
6 30°	7 6쌍	8 126	9 ④	10 ㄴ, ㄷ
11 ③	12 ④	13 5개	14 ②	15 240°
16 65°	17 31°	18 $l /\!/ m$, $p /\!/ r$		

1 a=(교점의 개수)=(꼭짓점의 개수)=9
b=(교선의 개수)=(모서리의 개수)=16
$\therefore a+b=9+16=25$

2 ① $\overrightarrow{AB}$와 $\overrightarrow{BA}$는 시작점과 뻗어 나가는 방향이 모두 다르므로 $\overrightarrow{AB} \neq \overrightarrow{BA}$
③ $\overrightarrow{CA}$와 $\overrightarrow{BA}$는 시작점이 다르므로 $\overrightarrow{CA} \neq \overrightarrow{BA}$
참고 시작점과 뻗어 나가는 방향이 모두 같아야 같은 반직선이다.

3 직선은 $\overleftrightarrow{AB}$, $\overleftrightarrow{AC}$, $\overleftrightarrow{AD}$, $\overleftrightarrow{AE}$, $\overleftrightarrow{BC}$, $\overleftrightarrow{BD}$, $\overleftrightarrow{BE}$, $\overleftrightarrow{CD}$, $\overleftrightarrow{CE}$, $\overleftrightarrow{DE}$의 10개이므로 $a=10$
반직선은 $\overrightarrow{AB}$, $\overrightarrow{BA}$, $\overrightarrow{AC}$, $\overrightarrow{CA}$, $\overrightarrow{AD}$, $\overrightarrow{DA}$, $\overrightarrow{AE}$, $\overrightarrow{EA}$, $\overrightarrow{BC}$, $\overrightarrow{CB}$, $\overrightarrow{BD}$, $\overrightarrow{DB}$, $\overrightarrow{BE}$, $\overrightarrow{EB}$, $\overrightarrow{CD}$, $\overrightarrow{DC}$, $\overrightarrow{CE}$, $\overrightarrow{EC}$, $\overrightarrow{DE}$, $\overrightarrow{ED}$의 20개이므로 $b=20$
$\therefore a+b=10+20=30$
다른 풀이 반직선의 개수 구하기
$\overrightarrow{AB} \neq \overrightarrow{BA}$이므로 반직선의 개수는 직선의 개수의 2배이다.
즉, 반직선의 개수는 $10 \times 2=20$(개)이다.
참고 어느 세 점도 한 직선 위에 있지 않을 때 두 점을 이어서 만들 수 있는 직선, 반직선, 선분의 개수
⇨ • (직선의 개수)=(선분의 개수)
• (반직선의 개수)=(직선의 개수)×2

4 $\overline{AM}=\overline{MB}=\frac{1}{2}\overline{AB}=\frac{1}{2} \times 12=6$(cm)
$\overline{MN}=\frac{1}{2}\overline{MB}=\frac{1}{2} \times 6=3$(cm)
$\therefore \overline{AN}=\overline{AM}+\overline{MN}=6+3=9$(cm)

5 $\angle c=180° \times \frac{5}{3+4+5}=180° \times \frac{5}{12}=75°$

6 $\angle COE=\angle COD+90°$에서 $6\angle COD=\angle COD+90°$
$5\angle COD=90° \qquad \therefore \angle COD=18°$
$\angle AOB+\angle BOC+\angle COD=90°$에서
$\angle AOB+\angle BOC+18°=90°$
$5\angle BOC+\angle BOC=72°$
$6\angle BOC=72° \qquad \therefore \angle BOC=12°$
$\therefore \angle BOD=\angle BOC+\angle COD=12°+18°=30°$

7 $\angle AOC$와 $\angle BOD$, $\angle AOF$와 $\angle BOE$, $\angle DOF$와 $\angle COE$, $\angle AOD$와 $\angle BOC$, $\angle COF$와 $\angle DOE$, $\angle FOB$와 $\angle EOA$의 6쌍이다.
다른 풀이 세 직선이 한 점에서 만날 때 생기는 맞꼭지각의 쌍의 수는
$3 \times (3-1)=3 \times 2=6$(쌍)
참고 n개의 서로 다른 직선이 한 점에서 만날 때 생기는 맞꼭지각의 쌍의 수 ⇨ $n(n-1)$쌍

8 $3x+90+2x=180$이므로
$5x=90 \qquad \therefore x=18$
또 $y=3x+90$(맞꼭지각)이므로
$y=3 \times 18+90=144$
$\therefore y-x=144-18=126$

9 ④ 점 B와 직선 CD 사이의 거리는 $\overline{BH}$의 길이이다.

10 ㄴ. $l /\!/ m$, $m \perp n$이면 다음 그림과 같이 $l \perp n$이다.

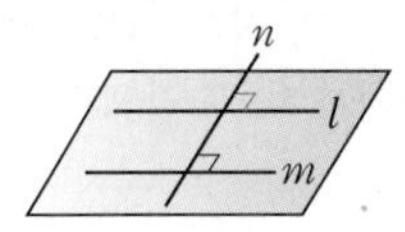

ㄷ. $l \perp m$, $m /\!/ n$이면 다음 그림과 같이 $l \perp n$이다.

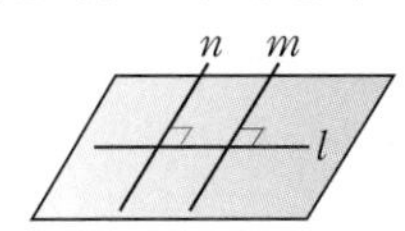

11 ① 만나지 않는 두 직선은 서로 평행하거나 꼬인 위치에 있다.
② 한 직선에 수직인 두 직선은 서로 평행하거나 한 점에서 만나거나 꼬인 위치에 있다.
④ 꼬인 위치에 있는 두 직선은 한 평면 위에 있지 않다.
⑤ 한 평면 위에서 만나지 않는 두 직선은 서로 평행하다.
따라서 옳은 것은 ③이다.

12 ① 면 ABHG와 $\overline{DE}$는 서로 평행하다.
② $\overleftrightarrow{AB}$와 $\overleftrightarrow{CD}$는 한 점에서 만난다.
③ 면 CIJD와 수직인 면은 면 ABCDEF, 면 GHIJKL의 2개이다.
⑤ $\overline{BH}$와 평행한 면은 면 AGLF, 면 FLKE, 면 DJKE, 면 CIJD의 4개이다.
따라서 옳은 것은 ④이다.

13 모서리 AF와 꼬인 위치에 있는 모서리는 $\overline{EH}$, $\overline{CD}$, $\overline{GH}$, $\overline{CG}$, $\overline{DH}$의 5개이다.

14 ② $\angle a$의 엇각은 $\angle i$이다.

15 오른쪽 그림에서 $l /\!/ m$이고 삼각형의 세 각의 크기의 합은 180°이므로
$(180° - \angle a) + (180° - \angle b) + 60°$
$= 180°$
$\therefore\ \angle a + \angle b = 240°$

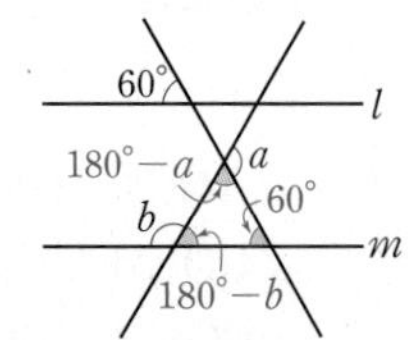

16 오른쪽 그림과 같이 $l /\!/ m /\!/ n$인 직선 n을 그으면
$\angle x + 35° + 80° = 180°$
$\therefore\ \angle x = 180° - 115° = 65°$

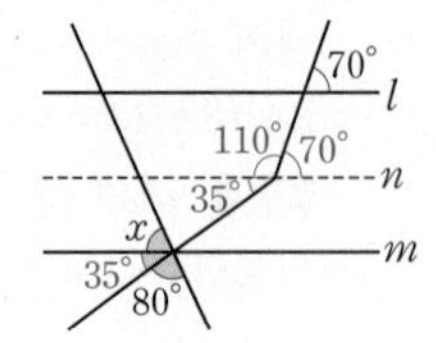

17 오른쪽 그림에서 $\overline{AD} /\!/ \overline{BC}$이므로
$\angle FEC = \angle GFE = \angle x$(엇각)
$\angle GEF = \angle FEC = \angle x$(접은 각)
$\angle GEC = \angle AGE$(엇각)이므로
$2\angle x = 62°$ $\quad\therefore\ \angle x = 31°$

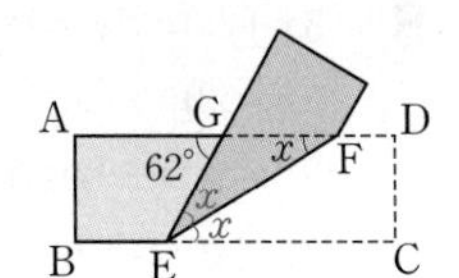

18 오른쪽 그림에서 두 직선 l, m이 직선 r와 만날 때, 동위각의 크기가 88°로 같으므로 $l /\!/ m$
또 두 직선 p, r가 직선 n과 만날 때, 동위각의 크기가 82°로 같으므로
$p /\!/ r$

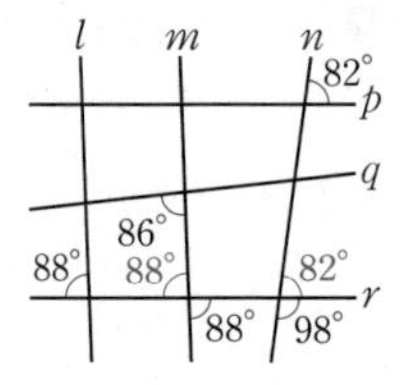

P. 12~15 내신 5% 따라잡기

1 18	**2** ③, ④	**3** 36	**4** 12 cm	**5** ③
6 풀이 참조		**7** 50°	**8** 72°	**9** 51°
10 ②	**11** 28	**12** 35	**13** 17개	**14** ④
15 ④	**16** ③	**17** ③	**18** ②, ④	**19** 125°
20 20°	**21** 44°	**22** 180°	**23** 25°	**24** 60°
25 18°	**26** 90°			

1 a=(교점의 개수)=(꼭짓점의 개수)=8
b=(교선의 개수)=(모서리의 개수)=13
c=(면의 개수)=7
d=(한 꼭짓점에서 만나는 교선의 개수의 최댓값)=4
$\therefore\ a+b-c+d = 8+13-7+4 = 18$

2 ③ 직선 l의 1개뿐이다.
④ 반직선은 $\overrightarrow{AB}$, $\overrightarrow{BA}$, $\overrightarrow{BC}$, $\overrightarrow{CB}$의 4개이다.
⑤ 선분은 $\overline{AB}$, $\overline{BC}$, $\overline{AC}$의 3개이다.
따라서 옳지 않은 것은 ③, ④이다.

3 5개의 점 A, B, C, D, E에서 두 점을 이어서 만들 수 있는 선분은 $\overline{AB}$, $\overline{AC}$, $\overline{AD}$, $\overline{AE}$, $\overline{BC}$, $\overline{BD}$, $\overline{BE}$, $\overline{CD}$, $\overline{CE}$, $\overline{DE}$의 10개이므로 $a=10$
직선은 $\overleftrightarrow{AB}$, $\overleftrightarrow{AC}$, $\overleftrightarrow{AD}$, $\overleftrightarrow{BC}$, $\overleftrightarrow{BD}$, $\overleftrightarrow{BE}$, $\overleftrightarrow{CD}$, $\overleftrightarrow{CE}$의 8개이므로 $b=8$
반직선은 $\overrightarrow{AB}$, $\overrightarrow{AC}$, $\overrightarrow{AD}$, $\overrightarrow{BA}$, $\overrightarrow{BC}$, $\overrightarrow{BD}$, $\overrightarrow{BE}$, $\overrightarrow{CA}$, $\overrightarrow{CB}$, $\overrightarrow{CD}$, $\overrightarrow{CE}$, $\overrightarrow{DA}$, $\overrightarrow{DB}$, $\overrightarrow{DC}$, $\overrightarrow{EA}$, $\overrightarrow{EB}$, $\overrightarrow{EC}$, $\overrightarrow{ED}$의 18개이므로 $c=18$
$\therefore\ a+b+c = 10+8+18 = 36$

4 $\overline{BC} = 2\overline{AB}$, $\overline{CD} = 2\overline{DE}$이므로
$\overline{AE} = \overline{AB} + \overline{BC} + \overline{CD} + \overline{DE}$
$= \overline{AB} + 2\overline{AB} + 2\overline{DE} + \overline{DE}$
$= 3\overline{AB} + 3\overline{DE}$
$= 3(\overline{AB} + \overline{DE}) = 18(\text{cm})$
$\therefore\ \overline{AB} + \overline{DE} = 6\,\text{cm}$
이때 $\overline{BD} = \overline{BC} + \overline{CD} = 2\overline{AB} + 2\overline{DE} = 2(\overline{AB} + \overline{DE})$이므로
$\overline{BD} = 2 \times 6 = 12(\text{cm})$
다른 풀이 $\overline{AB} + \overline{DE} = 6\,\text{cm}$이므로
$\overline{BD} = \overline{AE} - (\overline{AB} + \overline{DE}) = 18 - 6 = 12(\text{cm})$

5 $\overline{AP} = 2\overline{PB}$에서 $\overline{AP} : \overline{PB} = 2 : 1$
$2\overline{BQ} = \overline{AQ}$에서 $\overline{BQ} : \overline{AQ} = 1 : 2$
또 점 P는 $\overline{AB}$ 위의 점이고 점 Q는 $\overline{AB}$의 연장선 위의 점이므로 각 점의 위치를 나타내면 다음 그림과 같다.

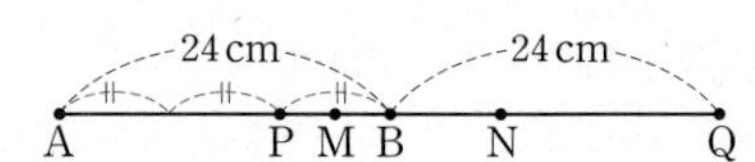

$\overline{PB} = \frac{1}{3}\overline{AB} = \frac{1}{3} \times 24 = 8(\text{cm})$
$\overline{BQ} = \overline{AB} = 24\,\text{cm}$
$\therefore\ \overline{PQ} = \overline{PB} + \overline{BQ} = 8 + 24 = 32(\text{cm})$
따라서 $\overline{PM} = \frac{1}{2}\overline{PB} = \frac{1}{2} \times 8 = 4(\text{cm})$이고
$\overline{PN} = \frac{1}{2}\overline{PQ} = \frac{1}{2} \times 32 = 16(\text{cm})$이므로
$\overline{MN} = \overline{PN} - \overline{PM} = 16 - 4 = 12(\text{cm})$

6 (가)에서 점 C와 E의 위치에 따라 다음 그림과 같은 두 가지 경우가 있다.

B D C E A … ㉠
B D E C A … ㉡

(나)에서 $\overline{AF} : \overline{DF} = 1 : 1$이므로 점 F는 $\overline{AD}$의 중점이다.
즉, 점 I와 F를 ㉠, ㉡에 각각 나타내면 다음 그림과 같다.

B D I C F E A … ㉢
B D I E F C A … ㉣

(다)에서 점 E는 $\overline{FH}$의 중점이므로 ㉣에는 점 H를 나타낼 수 없다.

따라서 점 H를 ㉢에 나타낸 후 남은 위치에 점 G를 나타내면 다음 그림과 같다.

B G D I C F E H A

7 $\angle AOC=\angle AOB+\angle BOC=90°$이므로
$\angle AOB=90°-\angle BOC$ ⋯ ㉠
$\angle BOD=\angle BOC+\angle COD=90°$이므로
$\angle COD=90°-\angle BOC$ ⋯ ㉡
이때 $\angle AOB+\angle COD=80°$이고
㉠, ㉡에서 $\angle AOB=\angle COD$이므로
$\angle AOB=\angle COD=\frac{1}{2}\times 80°=40°$
$\therefore \angle BOC=\angle AOC-\angle AOB$
$=90°-40°=50°$

8 $\angle AOC=\frac{5}{3}\angle AOB$에서 $\angle AOB=\frac{3}{5}\angle AOC$
$\angle AOB+\angle DOE=\frac{3}{5}\angle AOC+\frac{3}{5}\angle COE$
$=\frac{3}{5}(\angle AOC+\angle COE)$
$=\frac{3}{5}\times 180°=108°$
$\therefore \angle BOD=180°-(\angle AOB+\angle DOE)$
$=180°-108°=72°$

9 1분에 시침은 0.5°씩, 분침은 6°씩 움직이므로
시침이 12를 가리킬 때부터 5시간 18분 동안 움직인 각도는
$30°\times 5+0.5°\times 18=159°$
분침이 12를 가리킬 때부터 18분 동안 움직인 각도는
$6°\times 18=108°$
따라서 구하는 각의 크기는
$159°-108°=51°$

참고 시침과 분침이 움직인 각도
① 시침은 1시간, 즉 60분 동안 $\frac{360°}{12}=30°$만큼 움직인다.
⇨ 시침은 1분에 $\frac{30°}{60}=0.5°$만큼 움직인다.
② 분침은 1시간, 즉 60분 동안 360°만큼 움직인다.
⇨ 분침은 1분에 $\frac{360°}{60}=6°$만큼 움직인다.

10 1개의 직선과 1개의 반직선이 만날 때는 맞꼭지각이 생기지 않으므로 4개의 직선에 의해 생기는 맞꼭지각의 쌍의 수를 구하면 된다.
즉, 4개의 직선을 각각 a, b, c, d라 하면 2개의 직선이 한 점에서 만나는 경우는
직선 a와 b, 직선 a와 c, 직선 a와 d, 직선 b와 c, 직선 b와 d, 직선 c와 d의 6가지이다.
이때 각 경우마다 2쌍의 맞꼭지각이 생기므로 전체 맞꼭지각의 쌍의 수는 $6\times 2=12$(쌍)

다른 풀이 $4\times(4-1)=12$(쌍)

11 오른쪽 그림에서

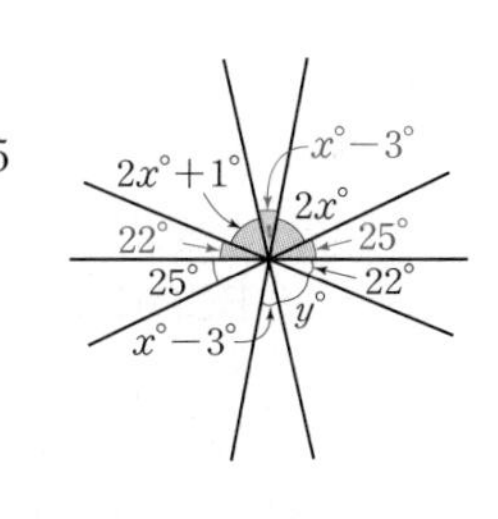

$22+(2x+1)+(x-3)+2x+25=180$
$5x=135$ $\therefore x=27$
$y=2x+1$
$=2\times 27+1=55$ (맞꼭지각)
$\therefore y-x=55-27=28$

12 $\overleftrightarrow{AB}\perp\overleftrightarrow{CD}$이므로 $\angle AOD=90°$
$\therefore \angle AOE=\angle EOD-\angle AOD$
$=(4x°-30°)-90°$
$=4x°-120°$
$\angle BOF=\angle AOE=4x°-120°$ (맞꼭지각)이므로
$\angle GOB+\angle BOF=90°$에서
$2x+(4x-120)=90$, $6x=210$
$\therefore x=35$

13 (i) 네 점 A, B, C, D 중 세 점으로 결정되는 평면:
네 점은 모두 평면 P 위의 점이다. ⇨ 1개
(ii) 네 점 A, B, C, D 중 두 점과 점 E로 결정되는 평면:
평면 ABE, 평면 ACE, 평면 ADE, 평면 BCE, 평면 BDE, 평면 CDE ⇨ 6개
(iii) 네 점 A, B, C, D 중 두 점과 점 F로 결정되는 평면:
평면 ABF, 평면 ACF, 평면 ADF, 평면 BCF, 평면 BDF, 평면 CDF ⇨ 6개
(iv) 네 점 A, B, C, D 중 한 점과 두 점 E, F로 결정되는 평면:
평면 AEF, 평면 BEF, 평면 CEF, 평면 DEF ⇨ 4개
따라서 (i)~(iv)에 의해 구하는 평면의 개수는
$1+6+6+4=17$(개)

14 주어진 전개도로 입체도형을 만들면 오른쪽 그림과 같은 정삼각뿔이 된다.

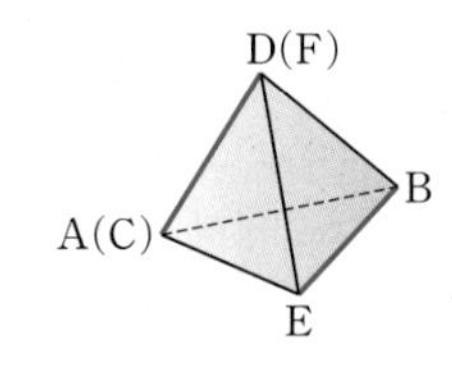

따라서 모서리 CF와 꼬인 위치에 있는 모서리는 $\overline{BE}$이다.

15 ① 모서리 AB와 평행한 면은 면 DQH, 면 EFPQH의 2개이다.
② 면 EFPQH와 만나는 면은 면 ABFE, 면 AEHD, 면 BFP, 면 BPQD, 면 DQH의 5개이다.
③ 모서리 DH와 수직으로 만나는 모서리는 $\overline{AD}$, $\overline{BD}$, $\overline{EH}$, $\overline{QH}$의 4개이다.
④ 모서리 BP와 꼬인 위치에 있는 모서리는 $\overline{AD}$, $\overline{AE}$, $\overline{DH}$, $\overline{EH}$, $\overline{EF}$, $\overline{HQ}$의 6개이다.
⑤ 모서리 BF와 한 점에서 만나는 면은 면 ABD, 면 BPQD, 면 EFPQH의 3개이다.
따라서 옳지 않은 것은 ④이다.

16 주어진 전개도로 직육면체를 만들면 오른쪽 그림과 같다.

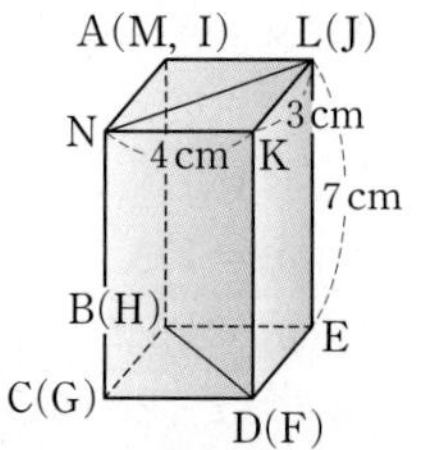

② $\overline{\text{JI}}$와 평행한 면은
면 BCDE(또는 면 HGFE),
면 NCDK(또는 면 NGFK)의
2개이다.

③ $\overline{\text{NL}}$과 $\overline{\text{FH}}$는 꼬인 위치에 있다.

따라서 옳지 않은 것은 ③이다.

17 $\overline{\text{BE}}$는 평면 P와 점 E에서 만난다. 즉, $\overline{\text{BE}}$와 평면 P가 수직이려면 $\overline{\text{BE}}$가 평면 P 위의 점 E를 지나는 2개 이상의 선분과 수직이어야 하므로 $\overline{\text{BE}}$가 $\overline{\text{DE}}$, $\overline{\text{EF}}$와 각각 서로 수직이면 된다.

따라서 필요한 것은 ㄷ, ㄹ이다.

참고 직선이 평면과 한 점에서 만나고, 그 점을 지나는 평면 위의 모든 직선과 주어진 직선이 수직일 때 주어진 직선과 평면은 서로 수직이라 한다. 그러나 직선과 평면이 수직임을 확인할 때는 직선과 평면이 만나는 점을 지나는 평면 위의 2개의 직선과 수직임을 확인하면 된다.

18 ① $l \perp n$, $l /\!/ m$이면 두 직선 m, n은 다음 그림과 같이 수직으로 한 점에서 만나거나 꼬인 위치에 있을 수 있다.

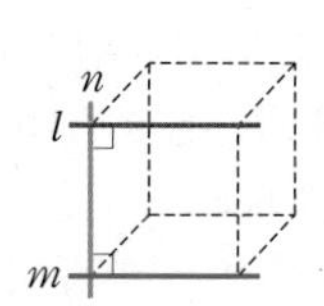

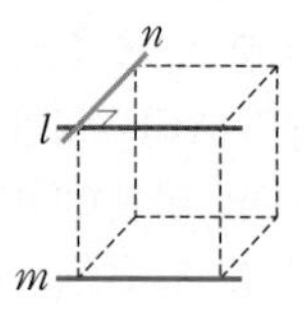

③ $l /\!/ P$, $m /\!/ P$이면 두 직선 l, m은 다음 그림과 같이 평행하거나 한 점에서 만나거나 꼬인 위치에 있을 수 있다.

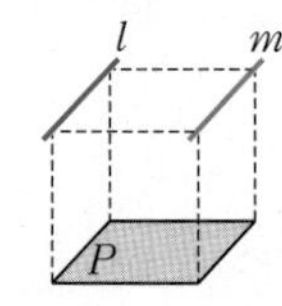

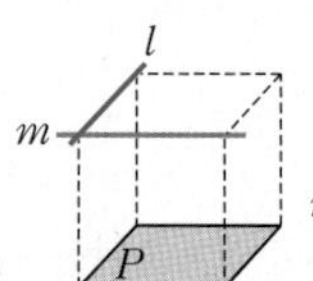

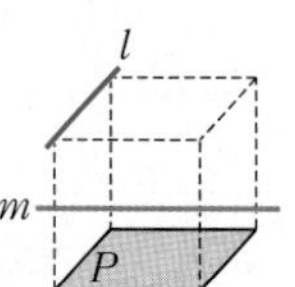

⑤ $P \perp Q$, $Q \perp R$이면 두 평면 P, R는 다음 그림과 같이 평행하거나 한 직선에서 만날 수 있다.

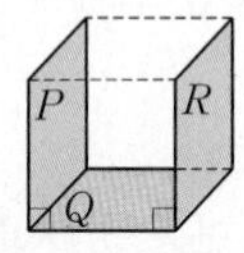

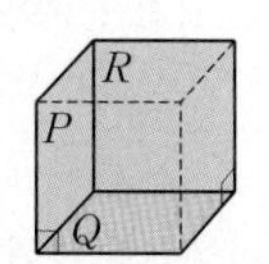

따라서 옳은 것은 ②, ④이다.

19 $\overline{\text{BC}} /\!/ \overline{\text{DE}}$이므로

$\angle\text{DBC} = \angle\text{ADE} = 60°$ (동위각)

$\therefore \angle\text{IBC} = \frac{1}{2} \times 60° = 30°$

$\angle\text{ECB} = \angle\text{AED} = 50°$ (동위각)

$\therefore \angle\text{ICB} = \frac{1}{2} \times 50° = 25°$

따라서 삼각형 IBC에서

$\angle x = 180° - (30° + 25°) = 125°$

20 $n /\!/ k$이므로 $\angle a = 60°$ (엇각)

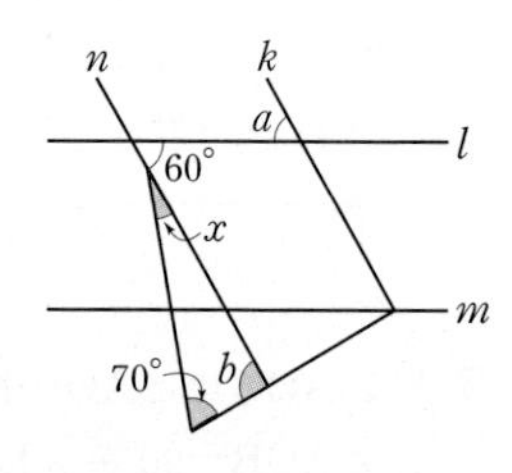

이때 $\angle a : \angle b = 2 : 3$에서

$60° : \angle b = 2 : 3$이므로

$2\angle b = 180°$ $\quad\therefore \angle b = 90°$

따라서 삼각형의 세 각의 크기의 합은 180°이므로

$\angle x + 70° + 90° = 180°$

$\therefore \angle x = 180° - 160° = 20°$

21 오른쪽 그림과 같이 $l /\!/ m /\!/ p /\!/ q$인 두 직선 p, q를 그으면

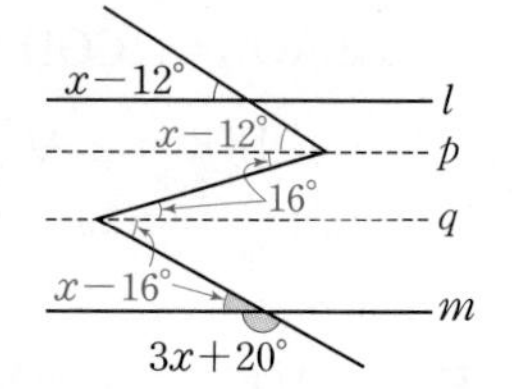

$(\angle x - 16°) + (3\angle x + 20°)$

$= 180°$

$4\angle x = 176°$ $\quad\therefore \angle x = 44°$

22 오른쪽 그림과 같이 $l /\!/ m /\!/ p /\!/ q /\!/ r$인 세 직선 p, q, r를 그으면

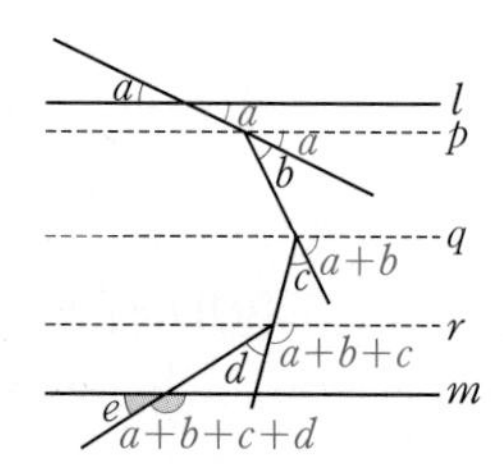

$\angle a + \angle b + \angle c + \angle d + \angle e$

$= 180°$

23 오른쪽 그림과 같이 $\overleftrightarrow{\text{EF}}$와 $\overline{\text{BC}}$의 교점을 G라 하면

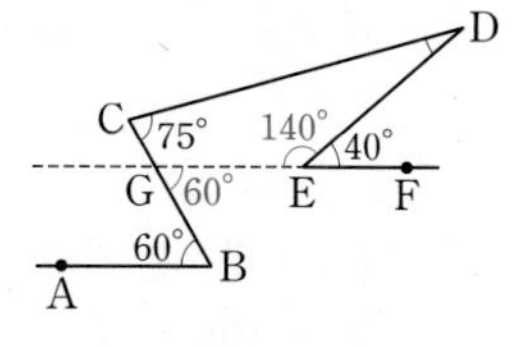

$\overrightarrow{\text{BA}} /\!/ \overleftrightarrow{\text{EF}}$이므로

$\angle\text{EGB} = \angle\text{ABG} = 60°$ (엇각)

$\therefore \angle\text{CGE} = 180° - 60° = 120°$

따라서 사각형 CGED에서

$75° + 120° + 140° + \angle\text{CDE} = 360°$

$\therefore \angle\text{CDE} = 360° - 335° = 25°$

24 오른쪽 그림과 같이 점 C를 지나고 $l /\!/ m /\!/ n$인 직선 n을 긋자.

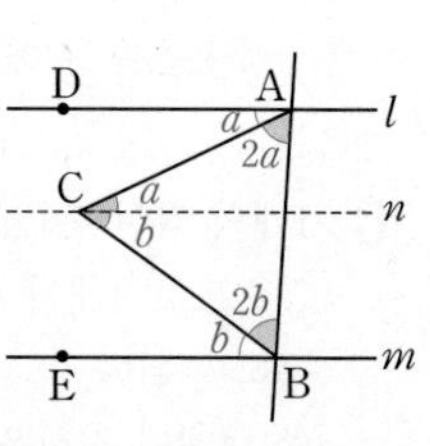

$\angle\text{CAD} = \angle a$, $\angle\text{CBE} = \angle b$라 하면

$\angle\text{CAD} = \frac{1}{2}\angle\text{BAC}$에서

$\angle\text{BAC} = 2\angle\text{CAD} = 2\angle a$

$\angle\text{CBE} = \frac{1}{2}\angle\text{ABC}$에서

$\angle\text{ABC} = 2\angle\text{CBE} = 2\angle b$

이때 삼각형 ACB에서 $3\angle a + 3\angle b = 180°$이므로

$\angle a + \angle b = 60°$

$\therefore \angle\text{ACB} = \angle a + \angle b = 60°$

25 다음 그림과 같이 점 B를 지나고 두 직선 l, m에 평행한 직선 BF를 긋자.

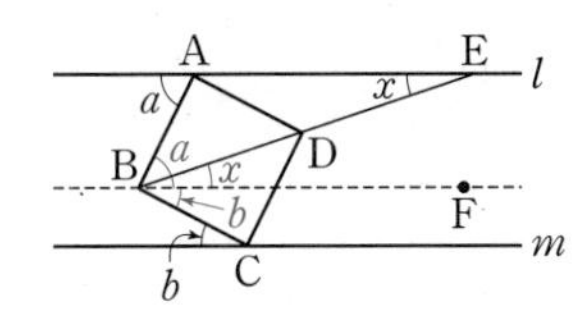

$\angle ABF=\angle a$(엇각), $\angle CBF=\angle b$(엇각)이고

$\angle ABC=90°$이므로 $\angle a+\angle b=90°$

이때 $\angle a:\angle b=7:3$이므로

$\angle b=\frac{3}{7+3}\times 90°=27°$

또 $\angle DBF=\angle x$(엇각)이므로

$\angle x+\angle b=45°$에서 $\angle x+27°=45°$

$\therefore \angle x=18°$

다른 풀이 다음 그림과 같이 $\overline{AB}$의 연장선과 직선 m이 만나는 점을 F라 하자.

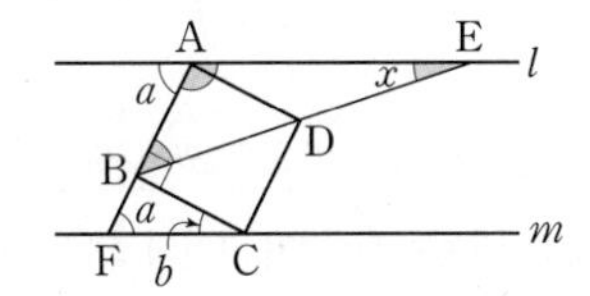

$\angle AFC=\angle a$(엇각)

삼각형 BFC에서

$\angle a+\angle b=180°-90°=90°$이고

$\angle a:\angle b=7:3$이므로

$\angle a=\frac{7}{7+3}\times 90°=63°$

이때 $\angle EAB=180°-63°=117°$, $\angle ABE=45°$이므로

삼각형 ABE에서

$\angle x=180°-(117°+45°)=18°$

26 종이를 접을 때 생기는 접은 각의 크기는 같으므로 $\angle a$, $\angle b$와 크기가 같은 각을 표시하면 오른쪽 그림과 같다.

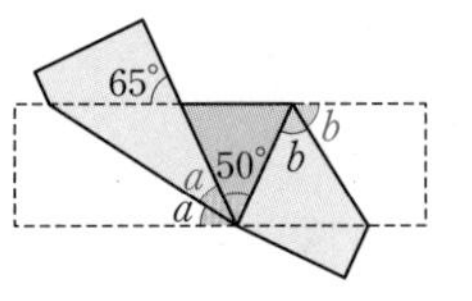

이때 $\angle a+\angle a=65°$(동위각)이므로

$2\angle a=65°$ $\quad\therefore \angle a=32.5°$

또 $\angle b+\angle b=2\angle a+50°$

$=65°+50°=115°$(엇각)

이므로 $2\angle b=115°$ $\quad\therefore \angle b=57.5°$

$\therefore \angle a+\angle b=32.5°+57.5°=90°$

P. 16~17 내신 1% 뛰어넘기

01 78개 **02** $\frac{1}{6}a+\frac{2}{3}b$ **03** 2시 $43\frac{7}{11}$분
04 16° **05** 3 **06** 279° **07** 720°

01 **길잡이** 주어진 규칙에 따라 좌표평면 위에 선분을 1개, 2개, 3개, ⋯ 그려 본다.

주어진 규칙에 따라 두 점을 각각 연결하여 선분을 그릴 때, 선분의 개수에 따른 교점의 개수는 다음과 같다.

(i) 선분이 1개일 때

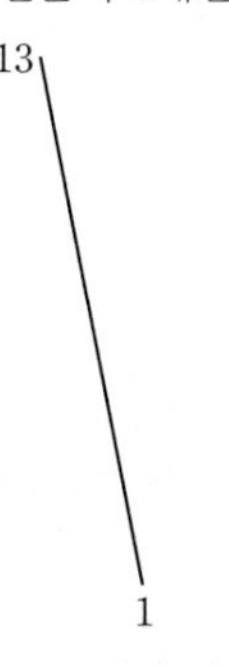

⇨ 교점이 없다.

(ii) 선분 2개가 만날 때

⇨ 1개

(iii) 선분 3개가 만날 때

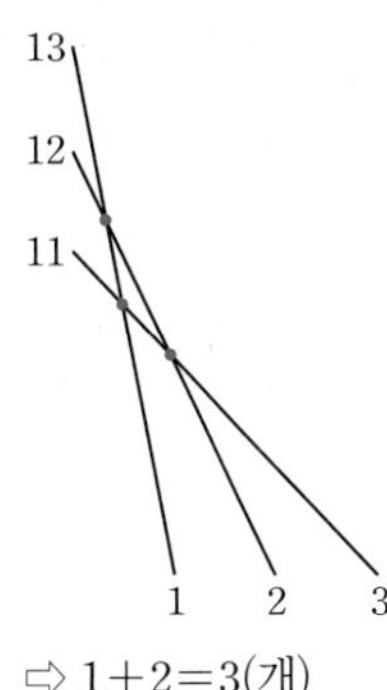

⇨ $1+2=3$(개)

(iv) 선분 4개가 만날 때

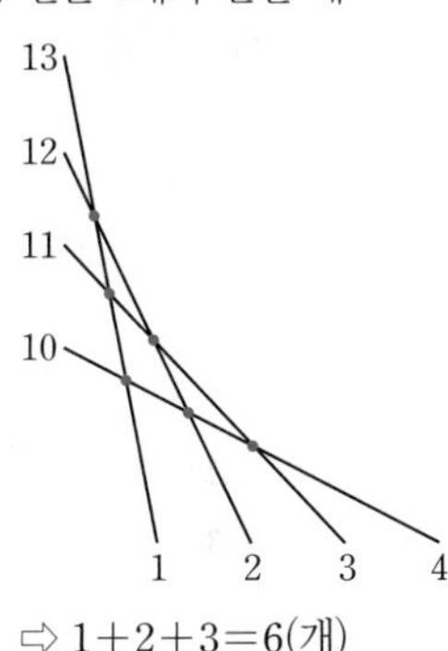

⇨ $1+2+3=6$(개)

⋮

따라서 선분 13개가 만날 때, 교점의 개수는

$1+2+3+\cdots+12=78$(개)

02 **길잡이** 주어진 조건을 이용하여 $\overline{MN}$, $\overline{PN}$의 길이를 각각 a, b를 사용한 식으로 나타낸다.

$\overline{MB}=\frac{1}{2}\overline{AB}=\frac{1}{2}a$, $\overline{BN}=\frac{1}{2}\overline{BC}=\frac{1}{2}b$이므로

$\overline{MN}=\overline{MB}+\overline{BN}=\frac{1}{2}a+\frac{1}{2}b=\frac{1}{2}(a+b)$

이때 $\overline{MP}:\overline{PN}=2:1$이므로

$\overline{PN}=\frac{1}{3}\overline{MN}=\frac{1}{3}\times\frac{1}{2}(a+b)=\frac{1}{6}(a+b)$

$\therefore \overline{PC}=\overline{PN}+\overline{NC}$

$=\overline{PN}+\frac{1}{2}\overline{BC}$

$=\frac{1}{6}(a+b)+\frac{1}{2}b$

$=\frac{1}{6}a+\frac{2}{3}b$

03

길잡이 시계의 시침과 분침이 12를 가리킬 때부터 각각 움직인 각도의 차가 180°가 되도록 식을 세운다.

2시 x분에 시침과 분침이 180°를 이룬다고 하면 시침이 12를 가리킬 때부터 2시간 x분 동안 움직인 각도는

$30° \times 2 + 0.5° \times x$

분침이 12를 가리킬 때부터 x분 동안 움직인 각도는 $6° \times x$

이때 시침과 분침이 이루는 각의 크기가 180°이므로

$6° \times x - (30° \times 2 + 0.5° \times x) = 180°$에서

$5.5° \times x = 240°$ $\quad \therefore x = \frac{480}{11} = 43\frac{7}{11}$

따라서 구하는 시각은 2시 $43\frac{7}{11}$분이다.

04

길잡이 접은 종이에서 접힌 부분의 각의 크기가 같음을 이용하여 식을 세운다.

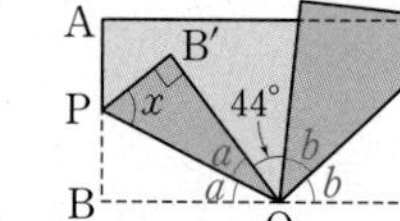

오른쪽 그림에서 $\angle PQB' = \angle a$, $\angle C'QD = \angle b$라 하면

$\angle PQB = \angle PQB' = \angle a$ (접은 각),

$\angle DQC = \angle C'QD = \angle b$ (접은 각)

이므로 $2\angle a + 44° + 2\angle b = 180°$

$2\angle a + 2\angle b = 136°$ $\quad \therefore \angle a + \angle b = 68°$

삼각형 PQB′에서 $\angle x + \angle a + 90° = 180°$

$\therefore \angle x + \angle a = 90°$ $\quad \cdots$ ㉠

삼각형 DQC에서 $\angle y + \angle b + 90° = 180°$

$\therefore \angle y + \angle b = 90°$ $\quad \cdots$ ㉡

㉠, ㉡에서 $\angle x + \angle y + \angle a + \angle b = 180°$

즉, $\angle x + \angle y + 68° = 180°$이므로 $\angle x + \angle y = 112°$

이때 $\angle x : \angle y = 4 : 3$이므로

$\angle x = 112° \times \frac{4}{3+4} = 64°$, $\angle y = 112° \times \frac{3}{3+4} = 48°$

$\therefore \angle x - \angle y = 64° - 48° = 16°$

05

길잡이 주어진 정사각형 모양의 종이를 점선을 따라 접어 입체도형을 만들어 본다.

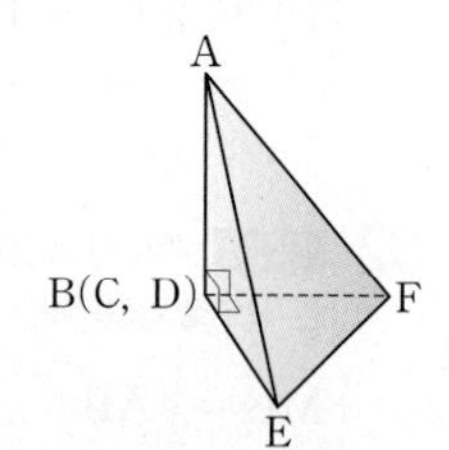

면 CEF와 수직인 면은

면 ABE(또는 면 ACE, 면 ADE),

면 ABF(또는 면 ACF, 면 ADF)

의 2개이므로 $a=2$

$\overline{AF}$와 꼬인 위치에 있는 모서리는

$\overline{BE}$(또는 $\overline{CE}$, $\overline{DE}$)의 1개이므로

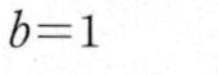

$b=1$

$\therefore a+b=2+1=3$

06

길잡이 두 직선 l, m에 평행한 2개의 직선을 긋는다.

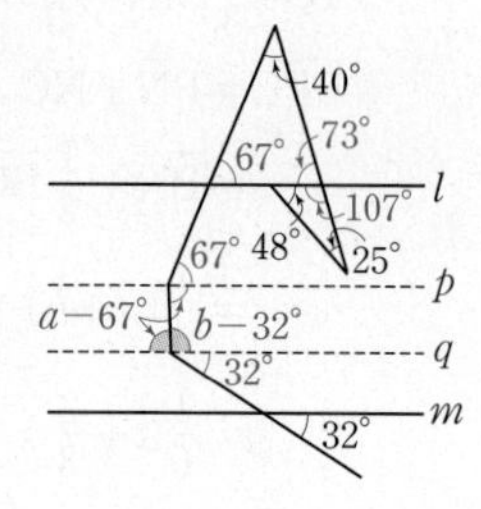

오른쪽 그림과 같이 $l /\!/ m /\!/ p /\!/ q$인 두 직선 p, q를 그으면

$(\angle a - 67°) + (\angle b - 32°) = 180°$

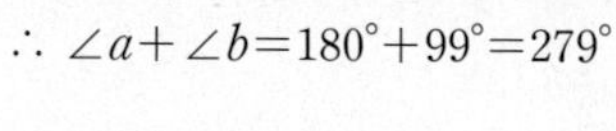

$\therefore \angle a + \angle b = 180° + 99° = 279°$

07

길잡이 점 C, D, E를 각각 지나고 $\overrightarrow{BA}$, $\overrightarrow{FG}$에 평행한 3개의 직선을 긋는다.

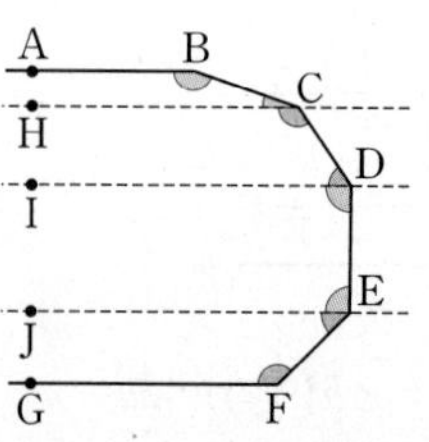

위의 그림과 같이 점 C, D, E를 각각 지나고 $\overrightarrow{BA}$, $\overrightarrow{FG}$에 평행한 세 직선 $\overleftrightarrow{CH}$, $\overleftrightarrow{DI}$, $\overleftrightarrow{EJ}$를 그으면

$\angle ABC + \angle BCD + \angle CDE + \angle DEF + \angle EFG$

$= (\angle ABC + \angle BCH) + (\angle HCD + \angle CDI) + (\angle IDE + \angle DEJ) + (\angle JEF + \angle EFG)$

$= 180° + 180° + 180° + 180°$

$= 720°$

참고 다음 그림과 같이 평행한 두 직선이 다른 한 직선과 만날 때

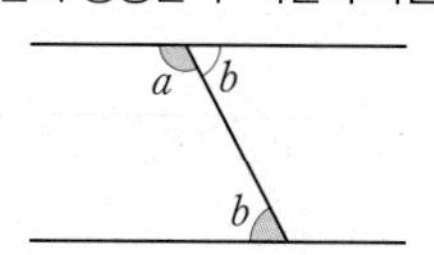

같은 쪽에 있는 안쪽의 두 각의 크기의 합은 180°이다.

⇨ $\angle a + \angle b = 180°$

2. 작도와 합동

P. 20~22 개념+대표 문제 확인하기

1 ②, ④ 2 ⑤ 3 ㄱ, ㄴ, ㄹ
4 ㉡ → ㉤ → ㉠ → ㉥ → ㉣ → ㉢ 5 ②
6 ㄴ, ㄹ 7 ②, ③ 8 ② 9 ③
10 7 cm, 78° 11 ②
12 (가) $\overline{CD}$, (나) ACD, (다) SAS
13 △PAB≡△PDC, SAS 합동

1 ② 작도할 때는 각도기를 사용하지 않는다.
④ 선분의 길이를 옮길 때는 컴퍼스를 사용한다.

2 직선 l 위에 점 C를 끝 점으로 하여 $\overline{AB}$의 길이를 한 번 옮기고, 이때 생긴 교점을 끝 점으로 하여 $\overline{AB}$의 길이를 한 번 더 옮기면 된다. 따라서 선분의 길이를 옮길 때 사용하는 컴퍼스가 필요하다.

3 ㄱ. 두 점 O, P를 중심으로 반지름의 길이가 같은 원을 각각 그렸으므로
$\overline{OA}=\overline{OB}=\overline{PC}=\overline{PD}$
ㄴ. 점 D를 중심으로 $\overline{AB}$의 길이를 반지름으로 하는 원을 그렸으므로
$\overline{AB}=\overline{CD}$
ㄹ. 크기가 같은 각을 작도하였으므로
$\angle AOB=\angle CPD$

4 오른쪽 그림은 '서로 다른 두 직선이 다른 한 직선과 만날 때, 엇각의 크기가 같으면 두 직선은 평행하다.'는 성질을 이용하여 작도한 것이다.

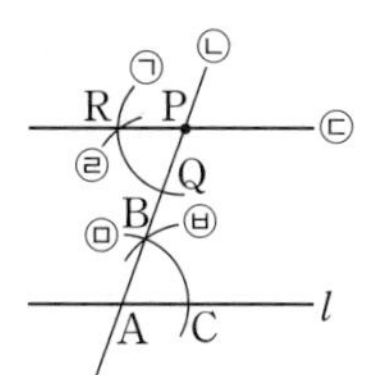

㉡ 점 P를 지나는 직선을 그어 직선 l과의 교점을 A라 한다.
㉤ 점 A를 중심으로 원을 그려 $\overleftrightarrow{PA}$, 직선 l과의 교점을 각각 B, C라 한다.
㉠ 점 P를 중심으로 $\overline{AB}$의 길이를 반지름으로 하는 원을 그려 $\overleftrightarrow{PA}$와의 교점을 Q라 한다.
㉥ 컴퍼스를 사용하여 $\overline{BC}$의 길이를 잰다.
㉣ 점 Q를 중심으로 $\overline{BC}$의 길이를 반지름으로 하는 원을 그려 ㉠의 원과의 교점을 R라 한다.
㉢ 두 점 P, R를 지나는 직선을 그으면 $\overleftrightarrow{PR}$가 점 P를 지나고 직선 l에 평행한 직선이다.
따라서 작도 순서는 ㉡ → ㉤ → ㉠ → ㉥ → ㉣ → ㉢이다.

5 ① $5<3+4$이므로 삼각형이 될 수 있다.
② $12>5+6$이므로 삼각형이 될 수 없다.
③ $7<7+7$이므로 삼각형이 될 수 있다.
④ $15<8+10$이므로 삼각형이 될 수 있다.
⑤ $10<3+8$이므로 삼각형이 될 수 있다.
따라서 삼각형의 세 변의 길이가 될 수 없는 것은 ②이다.

6 한 변의 길이와 그 양 끝 각의 크기가 주어질 때는 선분을 작도한 후 두 각을 작도하거나, 한 각을 작도한 후 선분을 작도하고 나머지 각을 작도하면 된다.
따라서 옳은 것은 ㄴ, ㄹ이다.

7 ① 세 변의 길이가 주어졌지만 $8=3+5$이므로 △ABC를 만들 수 없다.
② $\angle B=180°-(100°+35°)=45°$
즉, $\overline{BC}$의 길이와 그 양 끝 각인 ∠B, ∠C의 크기가 주어진 것과 같으므로 △ABC가 하나로 작도된다.
③ $\overline{AB}$, $\overline{BC}$의 길이와 그 끼인각인 ∠B의 크기가 주어졌으므로 △ABC가 하나로 작도된다.
④ 세 각의 크기가 주어지면 모양은 같고 크기는 다른 삼각형을 무수히 많이 그릴 수 있으므로 △ABC가 하나로 작도되지 않는다.
⑤ $\overline{AB}$와 그 양 끝 각인 ∠A, ∠B의 크기가 주어졌지만 $\angle A+\angle B=85°+95°=180°$이므로 △ABC를 만들 수 없다.
따라서 △ABC가 하나로 작도되는 것은 ②, ③이다.

8 ① 두 변의 길이와 그 끼인각의 크기가 주어졌으므로 △ABC가 하나로 정해진다.
② ∠C는 $\overline{AB}$와 $\overline{AC}$의 끼인각이 아니므로 △ABC가 하나로 정해지지 않는다.
③ 한 변의 길이와 그 양 끝 각의 크기가 주어졌으므로 △ABC가 하나로 정해진다.
④ ∠A와 ∠C의 크기가 주어졌으므로 ∠B의 크기도 알 수 있다. 즉, 한 변의 길이와 그 양 끝 각의 크기가 주어진 것과 같으므로 △ABC가 하나로 정해진다.
⑤ ∠B와 ∠C의 크기가 주어졌으므로 ∠A의 크기도 알 수 있다. 즉, 한 변의 길이와 그 양 끝 각의 크기가 주어진 것과 같으므로 △ABC가 하나로 정해진다.
따라서 필요한 조건이 아닌 것은 ②이다.

9 ③ 다음 그림의 두 마름모는 한 변의 길이는 같지만 합동은 아니다.

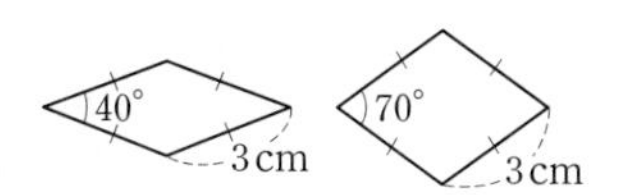

10 $\overline{AB}$의 대응변은 $\overline{DE}$이므로
$\overline{AB}=\overline{DE}=7\,cm$
∠F의 대응각은 ∠C이므로
$\angle F=\angle C=180°-(57°+45°)=78°$

11 △BAC와 △BDE에서
$\overline{AB}=\overline{DB}$, ∠B는 공통, $\overline{BC}=\overline{BE}$
∴ △BAC≡△BDE(SAS 합동)
따라서 필요한 나머지 한 조건은 ②이다.

12 △BCD와 △ACE에서
△ABC가 정삼각형이므로 $\overline{BC}=\overline{AC}$
△DCE가 정삼각형이므로 $\boxed{\overline{CD}}=\overline{CE}$
또 $\angle BCD=60^\circ+\angle\boxed{ACD}=\angle ACE$
$\therefore$ △BCD≡△ACE($\boxed{SAS}$ 합동)

13 △PAB와 △PDC에서
사각형 ABCD는 정사각형이므로
$\overline{AB}=\overline{DC}$ … ㉠
△PBC는 정삼각형이므로
$\overline{PB}=\overline{PC}$ … ㉡
$\angle ABP=90^\circ-\angle PBC=90^\circ-60^\circ=30^\circ$,
$\angle DCP=90^\circ-\angle PCB=90^\circ-60^\circ=30^\circ$
이므로 $\angle ABP=\angle DCP$ … ㉢
따라서 ㉠, ㉡, ㉢에 의해
△PAB≡△PDC(SAS 합동)

P. 23~25 내신 5% 따라잡기

1 ① **2** ⑤ **3** ③ **4** 60° **5** ①, ⑤
6 8개 **7** ②, ③ **8** ㄱ, ㄷ **9** 3개 **10** 120°
11 60° **12** ④ **13** 8cm
14 △ABC≡△CDA, △ABD≡△CDB, △ABO≡△CDO, △AOD≡△COB
15 17cm **16** 57° **17** ④ **18** 47° **19** 25cm²

1 한 변의 길이가 주어졌을 때 정삼각형을 작도하는 과정은 다음과 같다.
❶ 두 점 A, B를 중심으로 하고 반지름의 길이가 $\overline{AB}$인 원을 각각 그려 두 원과 의 교점을 C라 한다.
❷ $\overline{AC}$, $\overline{BC}$를 긋는다.

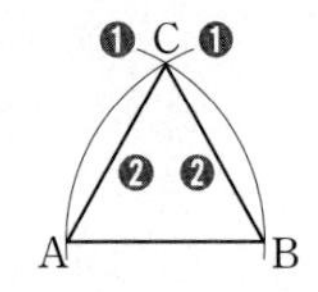

따라서 컴퍼스의 최소 사용 횟수는 2회이다.

2 ① 점 C를 중심으로 $\overline{AB}$의 길이를 반지름으로 하는 원을 그렸으므로
$\overline{AB}=\overline{CD}$
②, ③, ④ 두 점 P, Q를 중심으로 반지름의 길이가 같은 원을 각각 그렸으므로
$\overline{QA}=\overline{QB}=\overline{PC}=\overline{PD}$
따라서 옳지 않은 것은 ⑤이다.

3 평행사변형은 두 쌍의 대변이 각각 평행한 사각형이므로 '서로 다른 두 직선이 다른 한 직선과 만날 때, 동위각의 크기가 같으면 두 직선이 평행하다.'는 성질을 이용하여 작도한 것이다.
㉠ 점 B를 중심으로 원을 그려 $\overleftrightarrow{AB}$, $\overleftrightarrow{BC}$와의 교점을 각각 E, F라 한다.
㉣ 점 C를 중심으로 $\overline{BE}$의 길이를 반지름으로 하는 원을 그려 $\overleftrightarrow{BC}$와의 교점을 Q라 한다.
㉦ 점 A를 중심으로 $\overline{BE}$의 길이를 반지름으로 하는 원을 그려 $\overleftrightarrow{AB}$와의 교점을 R라 한다.
㉡ 컴퍼스를 사용하여 $\overline{EF}$의 길이를 잰다.
㉤ 점 Q를 중심으로 $\overline{EF}$의 길이를 반지름으로 하는 원을 그려 ㉣의 원과의 교점을 P라 한다.
㉧ 점 R를 중심으로 $\overline{EF}$의 길이를 반지름으로 하는 원을 그려 ㉦의 원과의 교점을 S라 한다.
㉢ 두 점 C, P를 지나는 직선을 그린다.
㉥ 두 점 A, S를 지나는 직선을 그려 ㉢의 직선과의 교점을 D라 한다.
∠B와 크기가 같은 각을 동위각의 위치에 작도하였으므로 $\overleftrightarrow{AB}/\!/\overleftrightarrow{CD}$, $\overleftrightarrow{AD}/\!/\overleftrightarrow{BC}$가 되어 사각형 ABCD는 평행사변형이 된다.
위의 작도 순서에서 ㉣ ↔ ㉦, ㉤ ↔ ㉧, ㉢ ↔ ㉥이므로
작도 순서는 ㉠ → (㉣ ↔ ㉦) → ㉡ → (㉤ ↔ ㉧) → (㉢ ↔ ㉥) 이다.
따라서 옳지 않은 것은 ③이다.

4 주어진 순서대로 작도하면 오른쪽 그림과 같다.
이때 $\overline{AB}=\overline{BC}=\overline{CA}$(원의 반지름)이므로 삼각형 ABC는 정삼각형이다.
$\therefore \angle BAC=60^\circ$

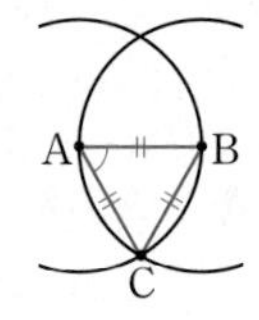

5 ① $x=1$이면 세 변의 길이는 5, 3, 2이다.
$5=3+2$이므로 삼각형이 될 수 없다.
② $x=3$이면 세 변의 길이는 7, 3, 6이다.
$7<3+6$이므로 삼각형이 될 수 있다.
③ $x=5$이면 세 변의 길이는 9, 3, 10이다.
$10<9+3$이므로 삼각형이 될 수 있다.
④ $x=6$이면 세 변의 길이는 10, 3, 12이다.
$12<10+3$이므로 삼각형이 될 수 있다.
⑤ $x=8$이면 세 변의 길이는 12, 3, 16이다.
$16>12+3$이므로 삼각형이 될 수 없다.
따라서 x의 값이 될 수 없는 것은 ①, ⑤이다.

6 (i) 가장 긴 변의 길이가 14cm일 때
$5+6<14$, $5+9=14$ ⇨ 삼각형을 만들 수 없다.
$5+10>14$, $6+9>14$, $6+10>14$, $9+10>14$ ⇨ 삼각형을 만들 수 있다.

(ii) 가장 긴 변의 길이가 10cm일 때

$\left.\begin{array}{l}5+6>10\\5+9>10\\6+9>10\end{array}\right\}$ ⇨ 삼각형을 만들 수 있다.

(iii) 가장 긴 변의 길이가 9cm일 때

$5+6>9$ ⇨ 삼각형을 만들 수 있다.

따라서 (i)~(iii)에 의해 삼각형을 만들 수 있도록 3개의 선분을 고르는 경우는

(5cm, 10cm, 14cm), (6cm, 9cm, 14cm),
(6cm, 10cm, 14cm), (9cm, 10cm, 14cm),
(5cm, 6cm, 10cm), (5cm, 9cm, 10cm),
(6cm, 9cm, 10cm), (5cm, 6cm, 9cm)

의 8가지이므로 구하는 삼각형의 개수는 8개이다.

7 ① 세 변의 길이가 주어졌지만 $8>2+5$이므로 $\triangle ABC$를 만들 수 없다.

② $\angle A=180°-(40°+60°)=80°$
즉, 한 변의 길이와 그 양 끝 각의 크기가 주어진 것과 같으므로 $\triangle ABC$가 하나로 정해진다.

③ 세 변의 길이가 주어졌고 $9<5+5$이므로 $\triangle ABC$가 하나로 정해진다.

④ $\angle C$는 $\overline{AB}$와 $\overline{BC}$의 끼인각이 아니므로 $\triangle ABC$가 하나로 정해지지 않는다.

⑤ $\angle A+\angle B=180°$이므로 $\triangle ABC$를 만들 수 없다.

따라서 $\triangle ABC$가 하나로 정해지는 조건은 ②, ③이다.

참고 두 변의 길이와 그 끼인각이 아닌 다른 한 각의 크기가 주어진 경우에는 삼각형이 그려지지 않거나 1개 또는 2개로 그려진다. ④의 경우에는 다음 그림과 같이 삼각형이 그려지지 않는다.

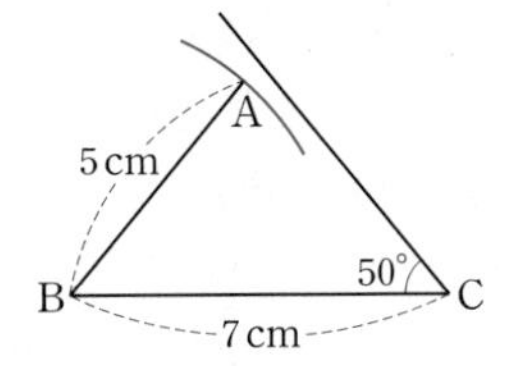

8 ㄱ. $\angle C=180°-(\angle A+\angle B)=180°-(30°+75°)=75°$
즉, 한 변의 길이와 그 양 끝 각의 크기가 주어진 것과 같으므로 $\triangle ABC$가 하나로 정해진다.

ㄴ. $\angle B+\angle C=180°$이므로 $\triangle ABC$를 만들 수 없다.

ㄷ. 두 변의 길이와 그 끼인각의 크기가 주어졌으므로 $\triangle ABC$가 하나로 정해진다.

ㄹ. $\angle B$가 $\overline{BC}$와 $\overline{AC}$의 끼인각이 아니므로 $\triangle ABC$가 하나로 정해지지 않는다.

따라서 $\triangle ABC$가 하나로 정해지기 위해 필요한 나머지 한 조건은 ㄱ, ㄷ이다.

9 (나)에서 나머지 한 각의 크기는

$180°-(50°+70°)=60°$

따라서 주어진 조건을 모두 만족시키도록 작도할 수 있는 서로 다른 삼각형은 다음 그림과 같이 3개이다.

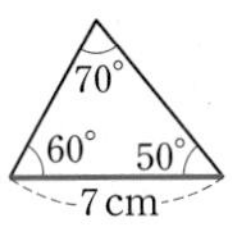

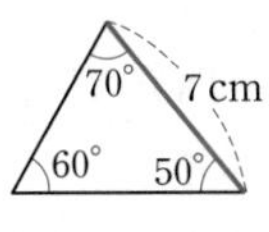

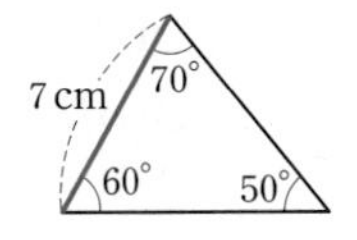

10 $\triangle ADC$와 $\triangle CEB$에서

$\overline{AD}=\overline{CE}$이고, $\triangle ABC$가 정삼각형이므로

$\angle DAC=\angle ECB=60°$, $\overline{AC}=\overline{CB}$

$\therefore \triangle ADC\equiv\triangle CEB$ (SAS 합동)

따라서 $\triangle FBC$에서

$\angle BFC=180°-(\angle FBC+\angle FCB)$
$=180°-(\angle DCA+\angle FCB)$
$=180°-60°=120°$

11 $\triangle BCD$와 $\triangle ACE$에서

$\triangle ABC$와 $\triangle DCE$가 정삼각형이므로

$\overline{BC}=\overline{AC}$, $\overline{CD}=\overline{CE}$,

$\angle BCD=60°+\angle ACD=\angle ACE$

$\therefore \triangle BCD\equiv\triangle ACE$ (SAS 합동)

$\triangle ABF$에서

$\angle x=180°-(\angle FAB+\angle ABF)$
$=180°-(60°+\angle EAC+60°-\angle DBC)$

이때 $\angle EAC=\angle DBC$이므로

$\angle x=180°-120°=60°$

12 $\triangle ABD$와 $\triangle ACE$에서

$\triangle ABC$와 $\triangle ADE$는 정삼각형이므로

$\overline{AB}=\overline{AC}$, $\overline{AD}=\overline{AE}$,

$\angle BAD=60°-\angle DAC=\angle CAE$

$\therefore \triangle ABD\equiv\triangle ACE$ (SAS 합동)

따라서 $\angle AEC=\angle ADB=80°$이므로

$\angle CED=\angle AEC-\angle AED=80°-60°=20°$

13 $\triangle ABF$와 $\triangle AEG$에서

$\triangle ABC$와 $\triangle ADE$는 정삼각형이므로

$\overline{AB}=\overline{AE}=11$cm, $\angle ABF=\angle AEG=60°$,

$\angle BAF=60°-\angle FAG=\angle EAG$

$\therefore \triangle ABF\equiv\triangle AEG$ (ASA 합동)

$\therefore \overline{BF}=\overline{EG}=11-3=8$(cm)

14 주어진 도형은 평행사변형이므로 $\overline{AB}/\!/\overline{DC}$, $\overline{AD}/\!/\overline{BC}$

(i) $\triangle ABC$와 $\triangle CDA$에서
$\angle BAC=\angle DCA$ (엇각), $\angle BCA=\angle DAC$ (엇각)
$\overline{AC}$는 공통
$\therefore \triangle ABC\equiv\triangle CDA$ (ASA 합동)

(ii) $\triangle ABD$와 $\triangle CDB$에서
$\angle ABD=\angle CDB$ (엇각), $\angle ADB=\angle CBD$ (엇각)
$\overline{BD}$는 공통
$\therefore \triangle ABD\equiv\triangle CDB$ (ASA 합동)

(iii) $\triangle ABO$와 $\triangle CDO$에서
$\overline{AB}=\overline{CD}$, $\angle OAB=\angle OCD$ (엇각)
$\angle OBA=\angle ODC$(엇각)
$\therefore \triangle ABO \equiv \triangle CDO$ (ASA 합동)
(iv) $\triangle AOD$와 $\triangle COB$에서
$\overline{AD}=\overline{CB}$, $\angle OAD=\angle OCB$ (엇각)
$\angle ODA=\angle OBC$ (엇각)
$\therefore \triangle AOD \equiv \triangle COB$ (ASA 합동)

15 $\triangle AEF$와 $\triangle CED$에서
$\overline{AF}=\overline{CD}$, $\angle F=\angle D$
$\angle AEF=\angle CED$ (맞꼭지각)이므로
$\angle FAE=180^\circ-(\angle F+\angle AEF)$
$=180^\circ-(\angle D+\angle CED)$
$=\angle DCE$
$\therefore \triangle AEF \equiv \triangle CED$ (ASA 합동)
따라서 $\overline{EA}=\overline{EC}$이므로
($\triangle AEF$의 둘레의 길이)
$=\overline{AF}+\overline{FE}+\overline{EA}=\overline{AF}+\overline{FE}+\overline{EC}$
$=\overline{AF}+\overline{FC}=\overline{AB}+\overline{BC}$
$=5+12=17$(cm)

16 $\triangle DAE$와 $\triangle DCE$에서
사각형 ABCD가 정사각형이므로
$\overline{AD}=\overline{CD}$, $\angle ADE=\angle CDE=45^\circ$, $\overline{DE}$는 공통
$\therefore \triangle DAE \equiv \triangle DCE$ (SAS 합동)
즉, $\angle CED=\angle AED=102^\circ$이므로
$\angle BEC=180^\circ-102^\circ=78^\circ$
따라서 $\triangle BCE$에서
$\angle x=180^\circ-(45^\circ+78^\circ)=57^\circ$

17 $\triangle BCE$와 $\triangle DCG$에서
두 사각형 ABCD와 ECGF가 정사각형이므로
$\overline{BC}=\overline{DC}$, $\overline{CE}=\overline{CG}$, $\angle BCE=\angle DCG=90^\circ$
$\therefore \triangle BCE \equiv \triangle DCG$ (SAS 합동)
따라서 $\triangle DCG$의 둘레의 길이는
$\overline{DC}+\overline{CG}+\overline{DG}=\overline{BC}+\overline{CE}+\overline{BE}$
$=5+(5+7)+13$
$=30$(cm)

18 $\triangle GBC$와 $\triangle EDC$에서
두 사각형 ABCD와 EFGC가 정사각형이므로
$\overline{BC}=\overline{DC}$, $\overline{GC}=\overline{EC}$,
$\angle BCG=90^\circ-\angle GCD=\angle DCE$
$\therefore \triangle GBC \equiv \triangle EDC$ (SAS 합동)
$\angle EDC=\angle GBC=90^\circ-72^\circ=18^\circ$
$\angle DHE=180^\circ-65^\circ=115^\circ$
따라서 $\triangle DHE$에서
$\angle DEF=180^\circ-(18^\circ+115^\circ)=47^\circ$

19 오른쪽 그림의 $\triangle OBH$와 $\triangle OCI$에서 두 사각형 ABCD와 OEFG가 정사각형이므로 $\overline{OB}=\overline{OC}$, 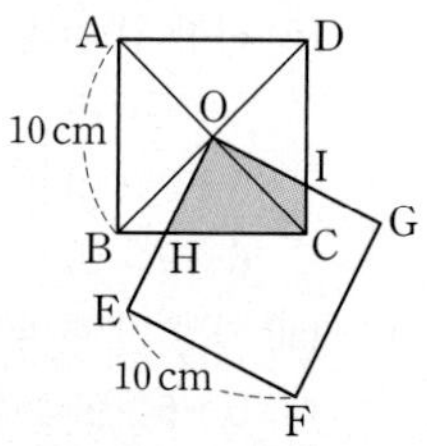
$\angle OBH=\angle OCI=\frac{1}{2}\times 90^\circ=45^\circ$,
$\angle BOH=90^\circ-\angle HOC=\angle COI$
$\therefore \triangle OBH \equiv \triangle OCI$ (ASA 합동)
따라서 색칠한 부분의 넓이는
$\triangle OHC+\triangle OCI=\triangle OHC+\triangle OBH$
$=\triangle OBC$
$=\frac{1}{4}\times$(정사각형 ABCD의 넓이)
$=\frac{1}{4}\times(10\times 10)=25(\text{cm}^2)$

P. 26~27 내신 1% 뛰어넘기

01 ②, ⑤ **02** 4 **03** ④ **04** 90° **05** 20 cm
06 75°

01 길잡이 크기가 90°인 각의 삼등분선은 정삼각형의 세 각의 크기가 모두 60°임을 이용하여 작도할 수 있다.
① $\overrightarrow{OP}$, $\overrightarrow{OQ}$가 $\angle AOB$의 삼등분선이므로
$\angle AOQ=\angle QOP=\angle POB=\frac{1}{3}\angle AOB$
$\therefore \angle AOP=\angle AOQ+\angle QOP=\frac{2}{3}\angle AOB$
② $\triangle AOQ$와 $\triangle POQ$에서
$\overline{AO}=\overline{PO}$, $\angle AOQ=\angle POQ$, $\overline{OQ}$는 공통이므로
$\triangle AOQ \equiv \triangle POQ$ (SAS 합동)
즉, $\overline{AQ}=\overline{PQ}$이므로 $\triangle APQ$에서
$\overline{AP}<\overline{AQ}+\overline{PQ}=2\overline{PQ}$
③ $\overline{OA}=\overline{OQ}$이므로 $\triangle AOQ$는 이등변삼각형이다.
즉, $\angle OAQ=\frac{1}{2}\times(180^\circ-\angle AOQ)$
$=\frac{1}{2}\times(180^\circ-30^\circ)=75^\circ$
④ 세 점 O, A, B를 중심으로 반지름의 길이가 같은 원을 각각 그렸으므로 $\overline{OA}=\overline{OP}=\overline{AP}$이다.
즉, $\triangle AOP$는 정삼각형이다.
⑤ 주어진 그림은 정삼각형의 세 각의 크기가 모두 60°임을 이용하여 작도한 것이다.
㉡ 점 O를 중심으로 원을 그려 $\overrightarrow{OX}$, $\overrightarrow{OY}$와의 교점을 각각 A, B라 한다.
㉢ 두 점 A, B를 중심으로 $\overline{OA}$의 길이를 반지름으로 하는 원을 그려 ㉡의 원과의 교점을 각각 P, Q라 한다.
㉠ 두 점 O, P를 지나는 $\overrightarrow{OP}$, 두 점 O, Q를 지나는 $\overrightarrow{OQ}$를 그리면 $\angle AOQ=\angle QOP=\angle POB$이다.
즉, 작도 순서는 ㉡ → ㉢ → ㉠이다.
따라서 옳지 않은 것은 ②, ⑤이다.

02 길잡이 두 변의 길이와 그 끼인각이 아닌 다른 한 각의 크기가 주어지면 삼각형이 하나로 정해지지 않으므로 주어진 조건을 만족시키는 삼각형의 여러 가지 모양을 모두 생각해 본다.

두 변의 길이와 그 끼인각의 크기가 주어지면 삼각형은 하나로 정해지므로

$x=1$

주어진 각이 두 변의 끼인각이 아닐 때 만들 수 있는 삼각형은 다음 그림과 같이 3개이므로

$y=3$

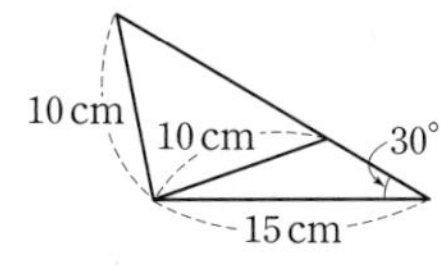

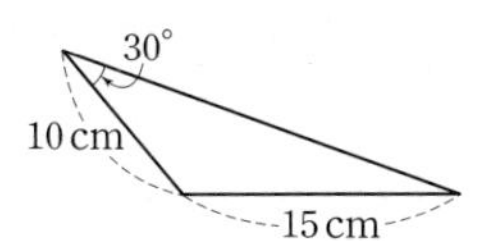

$\therefore x+y=1+3=4$

03 길잡이 △ABC와 합동인 두 삼각형을 찾는다.

△DBE와 △ABC에서

$\overline{DB}=\overline{AB}$, $\overline{BE}=\overline{BC}$,

$\angle DBE=60^\circ-\angle EBA=\angle ABC$ (①)

$\therefore$ △DBE≡△ABC (SAS 합동)

△FEC와 △ABC에서

$\overline{FC}=\overline{AC}$, $\overline{EC}=\overline{BC}$,

$\angle FCE=60^\circ-\angle ECA=\angle ACB$

$\therefore$ △FEC≡△ABC (SAS 합동)

② △DBE≡△ABC≡△FEC

③ $\overline{CF}=\overline{CA}=\overline{ED}=7\,\text{cm}$

④ $\angle DEC=\angle DEB+60^\circ$

$\angle FEB=\angle FEC+60^\circ$

이때 $\angle DEB\neq\angle FEC$이므로

$\angle DEC\neq\angle FEB$

⑤ (오각형 DBCFE의 둘레의 길이)

$=\overline{BC}+\overline{CF}+\overline{FE}+\overline{ED}+\overline{DB}$

$=\overline{BC}+\overline{CA}+\overline{AB}+\overline{CA}+\overline{AB}$

$=9+7+4+7+4=31(\text{cm})$

따라서 옳지 않은 것은 ④이다.

04 길잡이 합동인 두 삼각형을 찾는다.

오른쪽 그림의 △ADC와 △ABF에서 두 사각형 DEBA와 ACGF가 정사각형이므로

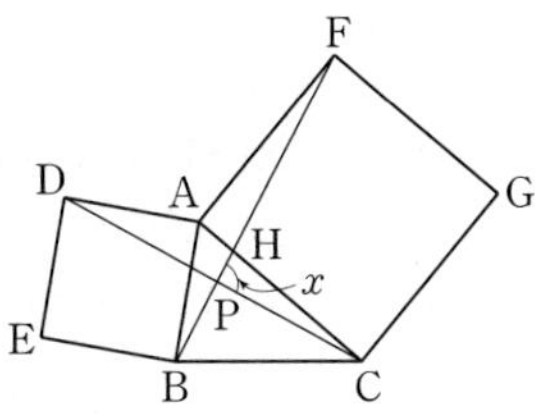

$\overline{AD}=\overline{AB}$, $\overline{AC}=\overline{AF}$,

$\angle DAC=90^\circ+\angle BAC$

$=\angle BAF$

$\therefore$ △ADC≡△ABF (SAS 합동) ⋯ ㉠

△FAH와 △CPH에서

$\angle AFH=\angle PCH$ (∵ ㉠)이고

$\angle AHF=\angle PHC$ (맞꼭지각)

$\therefore \angle x=180^\circ-(\angle PCH+\angle PHC)$

$=180^\circ-(\angle AFH+\angle AHF)$

$=\angle FAH=90^\circ$

05 길잡이 △DCE와 합동인 삼각형을 찾는다.

오른쪽 그림의 △BCG와 △DCE에서 두 사각형 ABCD와 GCEF가 정사각형이므로

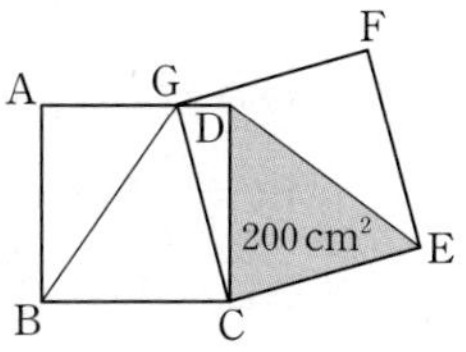

$\overline{GC}=\overline{EC}$, $\overline{BC}=\overline{DC}$,

$\angle BCG=90^\circ-\angle GCD$

$=\angle DCE$

$\therefore$ △BCG≡△DCE (SAS 합동)

따라서 △BCG의 넓이는 △DCE의 넓이와 같으므로

$\overline{AB}=x\,\text{cm}$라 하면

$\frac{1}{2}x^2=200$, $x^2=400=20^2$

$\therefore x=20(\text{cm})$

따라서 $\overline{AB}$의 길이는 20 cm이다.

06 길잡이 보조선을 그어 △ABE와 합동인 삼각형을 만든다.

오른쪽 그림과 같이 $\overline{DG}=\overline{BE}$가 되도록 $\overline{CD}$의 연장선 위에 점 G를 잡으면

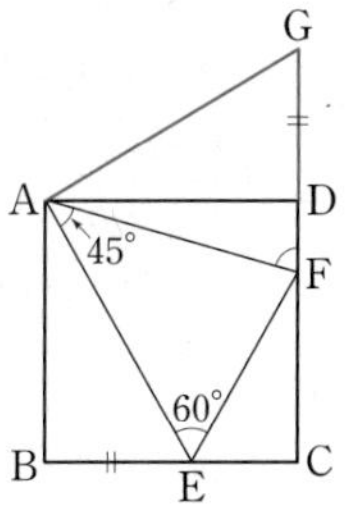

△ABE와 △ADG에서

사각형 ABCD가 정사각형이므로

$\overline{AB}=\overline{AD}$, $\overline{BE}=\overline{DG}$,

$\angle ABE=\angle ADG=90^\circ$이므로

△ABE≡△ADG (SAS 합동) ⋯ ㉠

$\therefore \angle GAF=\angle GAD+\angle DAF$

$=\angle EAB+\angle DAF$

$=90^\circ-\angle EAF$

$=90^\circ-45^\circ=45^\circ$

또 △AEF와 △AGF에서

$\overline{AF}$는 공통, $\overline{AE}=\overline{AG}$ (∵ ㉠), $\angle EAF=\angle GAF=45^\circ$

$\therefore$ △AEF≡△AGF (SAS 합동)

$\therefore \angle AFD=\angle AFE=180^\circ-(45^\circ+60^\circ)=75^\circ$

P. 28~29 **1~2 서술형 완성하기**

[과정은 풀이 참조]

1 (1) 6 cm (2) 18 cm **2** 14

3 (1) 91° (2) 52° **4** 4개

5 (1) ㉠ → ㉤ → ㉡ → ㉥ → ㉢ → ㉣ (2) 풀이 참조

6 △BPM≡△CQM, ASA 합동

7 $\angle x=84^\circ$, $\angle y=126^\circ$ **8** 66°

1 (1) $\overline{AB}=\overline{BC}=\overline{CD}$이고 $\overline{AB}$, $\overline{CD}$의 중점이 각각 M, N이므로

$\overline{MB}=\overline{CN}=\frac{1}{2}\overline{BC}$

$\therefore \overline{MN}=\overline{MB}+\overline{BC}+\overline{CN}$

$=\frac{1}{2}\overline{BC}+\overline{BC}+\frac{1}{2}\overline{BC}=2\overline{BC}$ … (i)

이때 $\overline{MN}=12\,\text{cm}$이므로

$\overline{BC}=\frac{1}{2}\overline{MN}=\frac{1}{2}\times 12=6(\text{cm})$ … (ii)

(2) $\overline{AD}=3\overline{BC}=3\times 6=18(\text{cm})$ … (iii)

채점 기준	비율
(i) $\overline{MN}=2\overline{BC}$임을 알기	40 %
(ii) $\overline{BC}$의 길이 구하기	30 %
(iii) $\overline{AD}$의 길이 구하기	30 %

2 모서리 CD와 꼬인 위치에 있는 모서리는

$\overline{EF}$, $\overline{FG}$, $\overline{HI}$, $\overline{HK}$, $\overline{IJ}$, $\overline{JK}$, $\overline{AH}$, $\overline{BI}$, $\overline{FJ}$의 9개이므로

$a=9$ … (i)

면 FJKG와 수직인 면은

면 EFG, 면 BIJFEC, 면 HIJK, 면 AHKD, 면 ABCD의 5개이므로

$b=5$ … (ii)

$\therefore a+b=9+5=14$ … (iii)

채점 기준	비율
(i) a의 값 구하기	40 %
(ii) b의 값 구하기	40 %
(iii) $a+b$의 값 구하기	20 %

3 (1) 다음 그림과 같이 점 F를 지나고 두 직선 AB, CD에 평행한 직선을 그으면

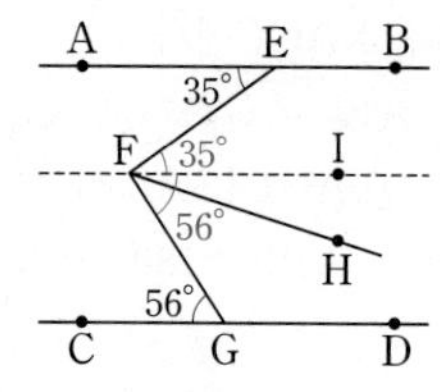

$\angle EFI=\angle AEF=35°$ (엇각)

$\angle IFG=\angle FGC=56°$ (엇각)

$\therefore \angle EFG=\angle EFI+\angle IFG$

$=35°+56°=91°$ … (i)

(2) $\angle EFH=\frac{4}{3}\angle HFG$이므로

$\angle EFG=\angle EFH+\angle HFG$

$=\frac{4}{3}\angle HFG+\angle HFG$

$=\frac{7}{3}\angle HFG=91°$

$\therefore \angle HFG=\frac{3}{7}\times 91°=39°$ … (ii)

$\therefore \angle EFH=\frac{4}{3}\angle HFG=\frac{4}{3}\times 39°=52°$ … (iii)

채점 기준	비율
(i) $\angle EFG$의 크기 구하기	30 %
(ii) $\angle HFG$의 크기 구하기	40 %
(iii) $\angle EFH$의 크기 구하기	30 %

4 가장 긴 변의 길이가 $x$cm일 때

$x<4+9$

$\therefore x<13$ … ㉠ … (i)

가장 긴 변의 길이가 9cm일 때

$9<4+x$

$\therefore x>5$ … ㉡ … (ii)

즉, ㉠, ㉡에서 $5<x<13$ … (iii)

따라서 x의 값이 될 수 있는 한 자리의 자연수는 6, 7, 8, 9의 4개이다. … (iv)

채점 기준	비율
(i) 가장 긴 변의 길이가 $x$cm일 때, x의 값의 범위 구하기	30 %
(ii) 가장 긴 변의 길이가 9cm일 때, x의 값의 범위 구하기	30 %
(iii) x의 값의 범위 구하기	20 %
(iv) x의 값이 될 수 있는 한 자리의 자연수의 개수 구하기	20 %

5 (1) 크기가 같은 각의 작도를 이용한 것이므로 작도 순서는

㉠ → ㉤ → ㉡ → ㉥ → ㉢ → ㉣이다. … (i)

(2) △ABC와 △PQR에서

$\overline{AB}=\overline{PQ}$, $\overline{BC}=\overline{QR}$, $\overline{AC}=\overline{PR}$

이므로 대응하는 세 변의 길이가 각각 같다. … (ii)

∴ △ABC≡△PQR (SSS 합동) … (iii)

따라서 합동인 두 삼각형에서 대응각의 크기는 같으므로

$\angle CAB=\angle RPQ$이다. … (iv)

채점 기준	비율
(i) 작도 순서 나열하기	30 %
(ii) △ABC와 △PQR가 합동인 이유 보이기	30 %
(iii) 두 삼각형이 합동임을 기호 ≡를 사용하여 나타내고 합동 조건 말하기	30 %
(iv) $\angle CAB=\angle RPQ$임을 설명하기	10 %

6 △BPM과 △CQM에서

$\overline{BM}=\overline{CM}$, $\angle BMP=\angle CMQ$ (맞꼭지각)

이때 $\angle BPM=\angle CQM$이므로

$\angle PBM=\angle QCM$ … (i)

따라서 대응하는 한 변의 길이가 같고, 그 양 끝 각의 크기가 각각 같으므로

△BPM≡△CQM (ASA 합동) … (ii)

채점 기준	비율
(i) △BPM과 △CQM이 합동인 이유 보이기	60 %
(ii) 두 삼각형이 합동임을 기호 ≡를 사용하여 나타내고 합동 조건 말하기	40 %

7 다음 그림과 같이 세 점 C, D, E를 각각 지나고 두 직선 l, m에 평행한 세 직선을 긋자.

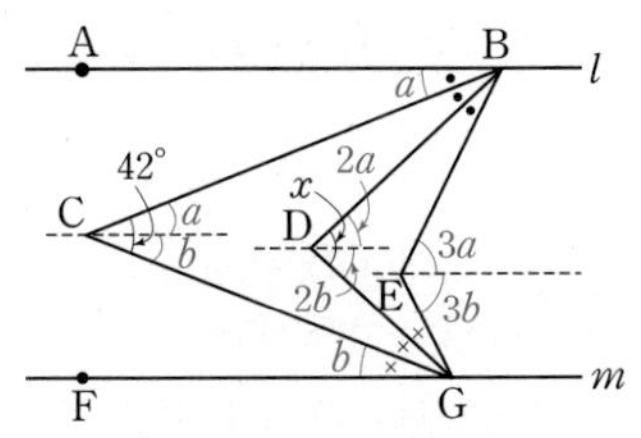

$\angle ABC = \angle a$, $\angle FGC = \angle b$라 하면

$\angle BCG = \angle a + \angle b = 42°$ … (i)

$\angle ABD = 2\angle a$, $\angle FGD = 2\angle b$이므로

$\angle x = 2\angle a + 2\angle b = 2(\angle a + \angle b) = 2 \times 42° = 84°$ … (ii)

$\angle ABE = 3\angle a$, $\angle FGE = 3\angle b$이므로

$\angle y = 3\angle a + 3\angle b = 3(\angle a + \angle b) = 3 \times 42° = 126°$ … (iii)

채점 기준	비율
(i) $\angle BCG$의 크기를 문자를 사용한 식으로 나타내기	20 %
(ii) $\angle x$의 크기 구하기	40 %
(iii) $\angle y$의 크기 구하기	40 %

8 $\triangle AED$와 $\triangle CED$에서

$\overline{AD} = \overline{CD}$, $\angle ADE = \angle CDE = 45°$, $\overline{DE}$는 공통

$\therefore \triangle AED \equiv \triangle CED$ (SAS 합동) … (i)

$\overline{AD} /\!/ \overline{BF}$이므로

$\angle DAE = \angle AFC = 38°$ (엇각)

즉, $\angle DCE = \angle DAE = 38°$이므로

$\angle BCE = 90° - \angle DCE$

$= 90° - 38° = 52°$ … (ii)

$\angle ECF = 180° - \angle BCE$

$= 180° - 52° = 128°$

이므로 $\triangle CEF$에서

$\angle CEF = 180° - (128° + 38°) = 14°$ … (iii)

$\therefore \angle BCE + \angle CEF = 52° + 14° = 66°$ … (iv)

채점 기준	비율
(i) $\triangle AED$와 $\triangle CED$가 합동임을 보이기	40 %
(ii) $\angle BCE$의 크기 구하기	25 %
(iii) $\angle CEF$의 크기 구하기	25 %
(iv) $\angle BCE + \angle CEF$의 값 구하기	10 %

3. 다각형

P. 32~34 개념+대표 문제 확인하기

1 ①, ⑤	**2** 25	**3** 7개	**4** 정구각형	
5 ④	**6** 118°	**7** 234°	**8** 76°	**9** 63°
10 35개	**11** 100°	**12** 6개	**13** ①	**14** ⑤
15 ④	**16** 31.5°			

1 ① 모든 변의 길이가 같고 모든 내각의 크기가 같은 다각형을 정다각형이라 한다.
⑤ 오른쪽 그림의 정육각형에서 두 대각선의 길이는 같지 않다.

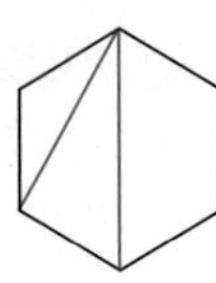

2 십오각형의 한 꼭짓점에서 그을 수 있는 대각선의 개수는
$15-3=12$(개)이므로 $a=12$
이때 만들어지는 삼각형의 개수는 $15-2=13$(개)이므로
$b=13$
$\therefore a+b=12+13=25$

3 주어진 다각형을 n각형이라 하면
한 꼭짓점에서 대각선을 모두 그었을 때 만들어지는 삼각형의 개수는 $(n-2)$개이므로
$n-2=5$ $\quad\therefore n=7$, 즉 칠각형
따라서 칠각형의 내부의 한 점에서 각 꼭짓점에 선분을 그었을 때 만들어지는 삼각형의 개수는 오른쪽 그림과 같으므로 7개이다.

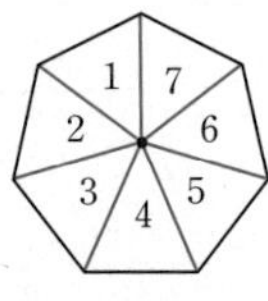

참고 n각형의 내부의 한 점에서 각 꼭짓점에 선분을 그었을 때 만들어지는 삼각형의 개수는 n개이다.

4 (가)에서 모든 변의 길이가 같고 모든 내각의 크기가 같은 다각형은 정다각형이다.
(나)에서 대각선의 개수가 27개인 다각형을 정n각형이라 하면
$\frac{n(n-3)}{2}=27$, $\underline{n}(n-3)=54=\underline{9}\times6$
$\therefore n=9$
따라서 구하는 다각형은 정구각형이다.

5 주어진 다각형을 n각형이라 하면
한 꼭짓점에서 그을 수 있는 대각선의 개수는 $(n-3)$개이므로
$n-3=17$ $\quad\therefore n=20$, 즉 이십각형
따라서 이십각형의 대각선의 개수는
$\frac{20\times(20-3)}{2}=\frac{20\times17}{2}=170$(개)

6 오른쪽 그림과 같이 $\overline{BD}$를 그으면
$\triangle$ABD에서
$57°+23°+38°+\angle CBD+\angle CDB$
$=180°$
$\triangle$CBD에서
$\angle x+\angle CBD+\angle CDB=180°$
$\therefore \angle x=57°+23°+38°=118°$

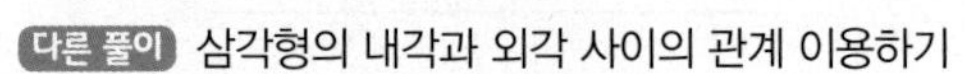
다른 풀이 삼각형의 내각과 외각 사이의 관계 이용하기

오른쪽 그림과 같이 $\overline{AC}$의 연장선을 그으면
$\triangle$ABC에서 $\angle BCE=\angle a+23°$
$\triangle$ACD에서 $\angle DCE=\angle b+38°$
$\therefore \angle x=\angle BCE+\angle DCE$
$=(\angle a+23°)+(\angle b+38°)$
$=(\angle a+\angle b)+23°+38°$
$=57°+23°+38°=118°$

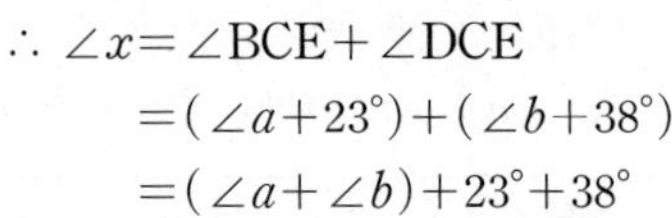

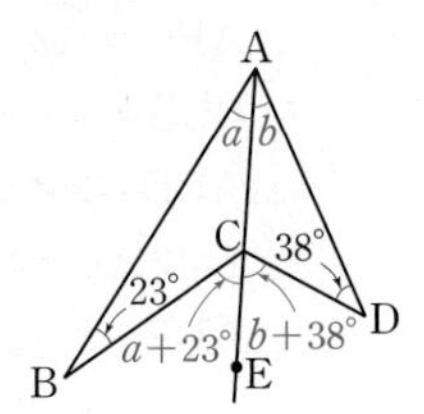

7 $\triangle$ABC에서
$\angle x=42°+60°=102°$
$\triangle$EDB에서
$\angle y=30°+\angle x=30°+102°=132°$
$\therefore \angle x+\angle y=102°+132°=234°$

8 $\angle BAD=\angle CAD=\frac{1}{2}\times(180°-118°)=31°$
$\angle ACD=180°-135°=45°$
따라서 $\triangle$ADC에서
$\angle x=\angle CAD+\angle ACD$
$=31°+45°=76°$

9 오른쪽 그림의 $\triangle$AGD에서
$\angle BGF=25°+24°=49°$
$\triangle$EFC에서
$\angle BFG=33°+35°=68°$
따라서 $\triangle$BGF에서
$\angle x+\angle BGF+\angle BFG=180°$
$\angle x+49°+68°=180°$
$\therefore \angle x=180°-(49°+68°)=63°$

10 주어진 다각형을 n각형이라 하면
$180°\times(n-2)=1440°$, $n-2=8$
$\therefore n=10$, 즉 십각형
따라서 십각형의 대각선의 개수는
$\frac{10\times(10-3)}{2}=\frac{10\times7}{2}=35$(개)

11 육각형의 외각의 크기의 합은 360°이므로
$(180°-\angle x)+50°+(180°-110°)+30°$
$+(180°-90°)+40°=360°$
$460°-\angle x=360°$ $\quad\therefore \angle x=100°$

다른 풀이 내각의 크기의 합 이용하기

육각형의 내각의 크기의 합은

$180^\circ\times(6-2)=720^\circ$이므로

$\angle x+(180^\circ-50^\circ)+110^\circ+(180^\circ-30^\circ)$
$+90^\circ+(180^\circ-40^\circ)=720^\circ$

$\angle x+620^\circ=720^\circ$

$\therefore\ \angle x=100^\circ$

12 주어진 정다각형을 정n각형이라 하면

$\dfrac{180^\circ\times(n-2)}{n}=140^\circ$

$180^\circ\times n-360^\circ=140^\circ\times n$

$40^\circ\times n=360^\circ$ $\quad\therefore\ n=9$, 즉 정구각형

따라서 정구각형의 한 꼭짓점에서 그을 수 있는 대각선의 개수는

$9-3=6$(개)

다른 풀이 주어진 정다각형 구하기

다각형의 한 꼭짓점에서 내각과 외각의 크기의 합은 180°이므로

(한 외각의 크기)$=180^\circ-140^\circ=40^\circ$

주어진 정다각형을 정n각형이라 하면

$\dfrac{360^\circ}{n}=40^\circ$ $\quad\therefore\ n=9$, 즉 정구각형

13 주어진 정다각형을 정n각형이라 하면

$\dfrac{360^\circ}{n}=30^\circ$ $\quad\therefore\ n=12$, 즉 정십이각형

따라서 정십이각형의 내각의 크기의 합은

$180^\circ\times(12-2)=1800^\circ$

14 한 내각의 크기와 한 외각의 크기의 합은 180°이므로

(한 외각의 크기)$=180^\circ\times\dfrac{1}{9+1}=18^\circ$

구하는 정다각형을 정n각형이라 하면

$\dfrac{360^\circ}{n}=18^\circ$ $\quad\therefore\ n=20$

따라서 구하는 정다각형은 정이십각형이다.

15 정오각형의 한 내각의 크기는

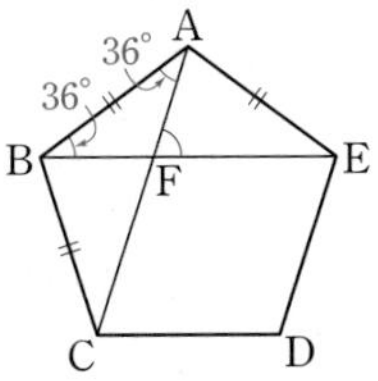

$\dfrac{180^\circ\times(5-2)}{5}=108^\circ$

오른쪽 그림에서 $\triangle ABC$는

$\overline{BA}=\overline{BC}$인 이등변삼각형이므로

$\angle BAC=\dfrac{1}{2}\times(180^\circ-108^\circ)=36^\circ$

$\triangle ABE$는 $\overline{AB}=\overline{AE}$인 이등변삼각형이므로

$\angle ABE=\dfrac{1}{2}\times(180^\circ-108^\circ)=36^\circ$

따라서 $\triangle ABF$에서

$\angle AFE=\angle BAF+\angle ABF$
$=36^\circ+36^\circ$
$=72^\circ$

16 오른쪽 그림과 같이 정오각형과 정팔각형의 공통된 변을 연장하여 보조선을 그으면

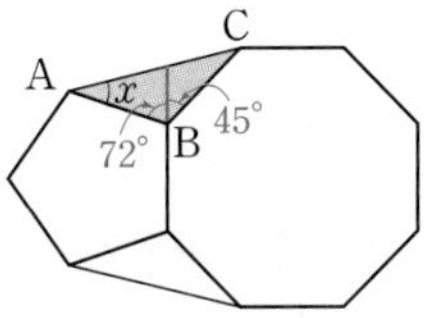

정오각형의 한 외각의 크기는

$\dfrac{360^\circ}{5}=72^\circ$

정팔각형의 한 외각의 크기는 $\dfrac{360^\circ}{8}=45^\circ$

$\therefore\ \angle ABC=72^\circ+45^\circ=117^\circ$

따라서 $\triangle ABC$는 $\overline{BA}=\overline{BC}$인 이등변삼각형이므로

$\angle x=\dfrac{1}{2}\times(180^\circ-117^\circ)=31.5^\circ$

P. 35~39 내신 5% 따라잡기

1 14개	**2** ①	**3** ⑤	**4** 105	**5** ②
6 100°	**7** 92°	**8** ③	**9** 34°	**10** 116°
11 27°	**12** 20°	**13** 54°	**14** ③	**15** 119개
16 ⑤	**17** 104°	**18** 360°	**19** 1080°	**20** 330°
21 540°	**22** 정십오각형		**23** ③, ④	**24** 105°
25 67.5°	**26** ③	**27** 96°	**28** 60°	**29** 144°
30 36°				

1 (i) 작은 정삼각형 1개로 이루어진 정삼각형: 9개

(ii) 작은 정삼각형 4개로 이루어진 정삼각형: 3개

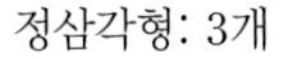

(iii) 작은 정삼각형 9개로 이루어진 정삼각형: 1개

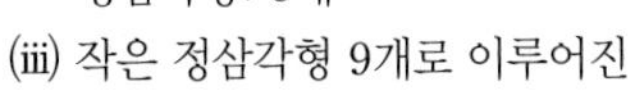

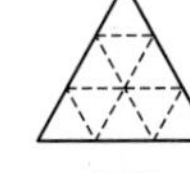

(iv) 작은 정삼각형 6개로 이루어진 정육각형: 1개

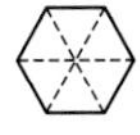

따라서 (i)~(iv)에 의해 정다각형은 모두

$9+3+1+1=14$(개)이다.

2 구하는 다각형을 n각형이라 하면

한 꼭짓점에서 그을 수 있는 대각선의 개수는 $(n-3)$개이므로

$a=n-3$

이때 만들어지는 삼각형의 개수는 $(n-2)$개이므로

$b=n-2$

즉, $a+b=21$에서 $(n-3)+(n-2)=21$

$2n-5=21,\ 2n=26$ $\quad\therefore\ n=13$

따라서 구하는 다각형은 십삼각형이다.

3 오른쪽 그림과 같이 8명의 학생을 8개의 점으로 두고 서로 연결하면 팔각형의 각 꼭짓점을 서로 연결하는 것과 같다.
이때 이웃하는 학생끼리 악수를 하는 횟수는 팔각형의 변의 개수와 같으므로 8번이고, 이웃하지 않는 학생끼리 악수를 하는 횟수는 팔각형의 대각선의 개수와 같으므로 $\frac{8\times(8-3)}{2}=20$(번)이다.
따라서 악수를 하는 횟수는 모두 $8+20=28$(번)이다.

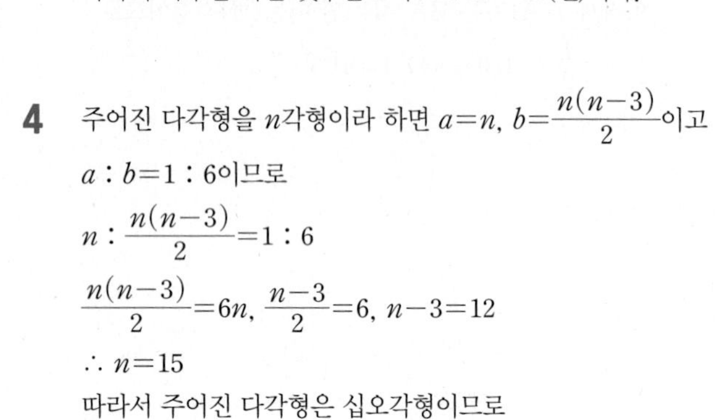

4 주어진 다각형을 n각형이라 하면 $a=n$, $b=\frac{n(n-3)}{2}$이고
$a:b=1:6$이므로
$n:\frac{n(n-3)}{2}=1:6$
$\frac{n(n-3)}{2}=6n$, $\frac{n-3}{2}=6$, $n-3=12$
$\therefore n=15$
따라서 주어진 다각형은 십오각형이므로
$a=n=15$
$b=\frac{n(n-3)}{2}=\frac{15(15-3)}{2}=90$
$\therefore a+b=15+90=105$

5 주어진 정다각형을 정n각형이라 하면 한 꼭짓점에서 그을 수 있는 대각선의 개수는 $(n-3)$개이므로
$n-3=8$ $\quad\therefore n=11$, 즉 정십일각형
따라서 오른쪽 그림과 같이 정십일각형은 점 A와 $\overline{BC}$의 중점을 연결한 선분에 대하여 대칭이므로 길이가 서로 다른 대각선의 개수는 4개이다.

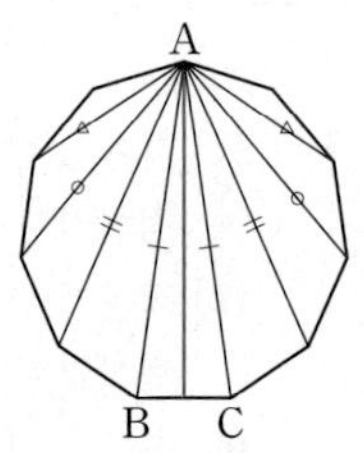

6 오른쪽 그림의 이등변삼각형 ABC에서
$\angle ACB=\angle ABC=70°$이므로
$\angle BAC$
$=180°-(70°+70°)=40°$
$\angle DAC=\angle DAB+\angle BAC$
$=60°+40°=100°$
$\triangle ADC$는 $\overline{AD}=\overline{AC}$인 이등변삼각형이므로
$\angle ACD=\frac{1}{2}\times(180°-100°)$
$=\frac{1}{2}\times 80°=40°$
$\therefore \angle FCE=\angle ACD+\angle ACE$
$=40°+60°=100°$

7 $\triangle ABC$에서 $\angle B+\angle C=180°-48°=132°$
$\triangle DBC$에서
$\angle BDC=180°-(\angle DBC+\angle DCB)$
$=180°-\frac{2}{3}(\angle B+\angle C)$
$=180°-\frac{2}{3}\times 132°=92°$

8 오른쪽 그림과 같이 $\overline{BC}$, $\overline{DE}$를 그으면
$\angle DGE=\angle BGC$ (맞꼭지각)
이므로
$\angle GBC+\angle GCB$
$=\angle GDE+\angle GED$
$\therefore \angle A+\angle B+\angle C+\angle D+\angle E$
$=\angle A+\angle B+\angle C$
$+(\angle FDE+\angle GDE)+(\angle FED+\angle GED)$
$=(\angle A+\angle B+\angle C+\angle GDE+\angle GED)$
$+(\angle FDE+\angle FED)$
$=(\triangle ABC$의 내각의 크기의 합$)+(\angle FDE+\angle FED)$
이때 $\triangle FDE$에서
$\angle FDE+\angle FED=180°-\angle F=180°-90°=90°$이므로
$\angle A+\angle B+\angle C+\angle D+\angle E=180°+90°=270°$

9

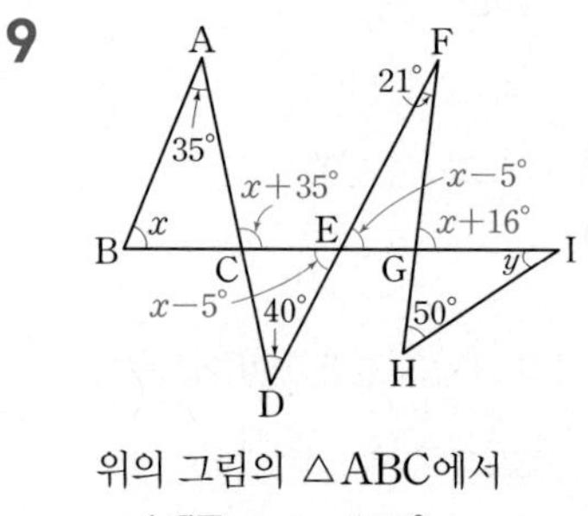

위의 그림의 $\triangle ABC$에서
$\angle ACE=\angle x+35°$
$\triangle CDE$에서
$\angle x+35°=\angle CED+40°$이므로
$\angle CED=\angle x-5°$
$\angle FEG=\angle CED=\angle x-5°$ (맞꼭지각)이므로
$\triangle FEG$에서
$\angle FGI=21°+(\angle x-5°)=\angle x+16°$
또 $\triangle IGH$에서 $\angle FGI=\angle y+50°$이므로
$\angle x+16°=\angle y+50°$ $\quad\therefore \angle x-\angle y=34°$

10

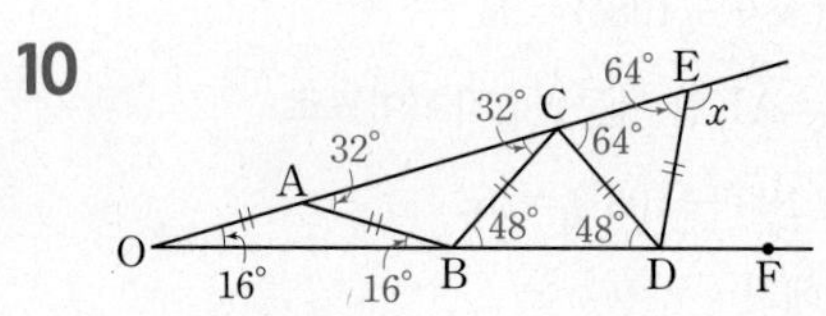

위의 그림에서 $\triangle AOB$는 $\overline{AO}=\overline{AB}$인 이등변삼각형이므로
$\angle ABO=\angle AOB=16°$
$\therefore \angle BAC=16°+16°=32°$

$\triangle CAB$는 $\overline{BA}=\overline{BC}$인 이등변삼각형이므로
$\angle BCA=\angle BAC=32°$
$\triangle COB$에서
$\angle CBD=\angle COB+\angle BCO=16°+32°=48°$
$\triangle CBD$는 $\overline{CB}=\overline{CD}$인 이등변삼각형이므로
$\angle CDB=\angle CBD=48°$
$\triangle COD$에서
$\angle DCE=\angle COD+\angle CDO$
$=16°+48°=64°$
$\triangle ECD$는 $\overline{DC}=\overline{DE}$인 이등변삼각형이므로
$\angle DEC=\angle DCE=64°$
$\therefore \angle x=180°-\angle DEC$
$=180°-64°=116°$

11 $\triangle DBE$는 $\triangle ABC$를 점 B를 중심으로 시계 반대 방향으로 30°만큼 회전시킨 것이므로
$\triangle DBE\equiv\triangle ABC$이고 $\overline{DB}=\overline{AB}$, $\angle E=\angle C=48°$
$\angle DBE=\angle ABC$에서
$\angle DBA+\angle ABE=\angle ABE+30°$
$\therefore \angle DBA=30°$
즉, $\triangle DBA$는 $\overline{DB}=\overline{AB}$인 이등변삼각형이므로
$\angle BAD=\angle BDA=\frac{1}{2}\times(180°-30°)=75°$
$\triangle BAE$에서
$\angle BAD=\angle ABE+\angle AEB$이므로
$75°=\angle ABE+48°$
$\therefore \angle ABE=27°$

12 오른쪽 그림에서 $\angle ABE=\angle a$,
$\angle ACE=\angle b$라 하면
$\angle EBC=\angle ABE=\angle a$ (접은 각)
$\angle ECD=\angle ACE=\angle b$ (접은 각)
$\triangle ABC$에서
$\angle ACD=40°+\angle B$이므로
$2\angle b=40°+2\angle a$
$\therefore \angle b=20°+\angle a$ $\cdots$ ㉠
$\triangle EBC$에서 $\angle ECD=\angle x+\angle EBC$이므로
$\angle b=\angle x+\angle a$ $\cdots$ ㉡
따라서 ㉠, ㉡에서 $20°+\angle a=\angle x+\angle a$
$\therefore \angle x=20°$

13 $\angle DBE=\angle EBC=\angle a$, $\angle BCE=\angle ECF=\angle b$라 하면
$\triangle ABC$에서
$\angle ABC=180°-2\angle a$, $\angle ACB=180°-2\angle b$이므로
$72°+(180°-2\angle a)+(180°-2\angle b)=180°$
$2\angle a+2\angle b=252°$ $\therefore \angle a+\angle b=126°$
따라서 $\triangle BEC$에서
$\angle BEC=180°-(\angle a+\angle b)=180°-126°=54°$

14 오른쪽 그림의 $\triangle ADH$에서
$\angle DHE=\angle a+\angle d$
$\triangle GCI$에서
$\angle GIF=\angle c+\angle g$
따라서 $\triangle HIJ$에서
$\angle x$
$=(\angle a+\angle d)+(\angle c+\angle g)$
$=\angle a+\angle c+\angle d+\angle g$

15 주어진 다각형을 n각형이라 하면 n각형의 한 꼭짓점에서 내각과 외각의 크기의 합은 180°이므로

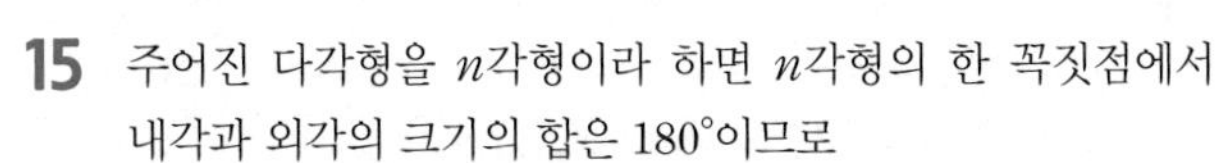

$n\times180°=3060°$
$\therefore n=17$, 즉 십칠각형
따라서 십칠각형의 대각선의 개수는
$\frac{17\times(17-3)}{2}=\frac{17\times14}{2}=119$(개)

16 오각형의 내각의 크기의 합은 $180°\times(5-2)=540°$이므로
$\angle A+\angle B+100°+\angle D+\angle E=540°$
이때 $\angle FAE=\angle FAB$, $\angle FBC=\angle FBA$,
$\angle GDC=\angle GDE$, $\angle GEA=\angle GED$이므로
$2\angle FAB+2\angle FBA+100°+2\angle GDE+2\angle GED=540°$
$2\angle FAB+2\angle FBA+2\angle GDE+2\angle GED=440°$
$\therefore \angle FAB+\angle FBA+\angle GDE+\angle GED=220°$
따라서 $\triangle ABF$와 $\triangle EDG$에서
$\angle F+\angle G$
$=180°-(\angle FAB+\angle FBA)$
$+180°-(\angle GDE+\angle GED)$
$=360°-(\angle FAB+\angle FBA+\angle GDE+\angle GED)$
$=360°-220°$
$=140°$

17

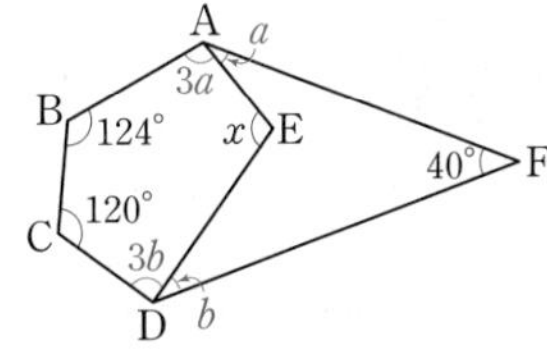

위의 그림에서 $\angle EAF=\angle a$, $\angle EDF=\angle b$라 하면
$\angle BAE=3\angle a$, $\angle CDE=3\angle b$이고
오각형의 내각의 크기의 합은 $180°\times(5-2)=540°$이므로
오각형 ABCDF에서
$4\angle a+124°+120°+4\angle b+40°=540°$
$4(\angle a+\angle b)=256°$
$\therefore \angle a+\angle b=64°$
따라서 오각형 ABCDE에서
$3\angle a+124°+120°+3\angle b+\angle x=540°$
$3\angle a+3\angle b+\angle x=296°$
$\therefore \angle x=296°-3(\angle a+\angle b)$
$=296°-3\times64°$
$=296°-192°=104°$

18 오른쪽 그림의 $\triangle$GCD에서

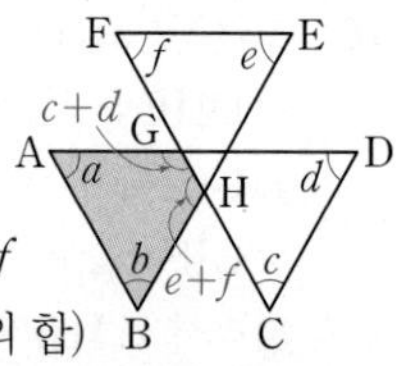

$\angle AGC = \angle c + \angle d$

$\triangle$FHE에서 $\angle FHB = \angle e + \angle f$

$\therefore \angle a + \angle b + \angle c + \angle d + \angle e + \angle f$

$=$(사각형 ABHG의 내각의 크기의 합)

$=360°$

19 오른쪽 그림과 같이 보조선을 그으면

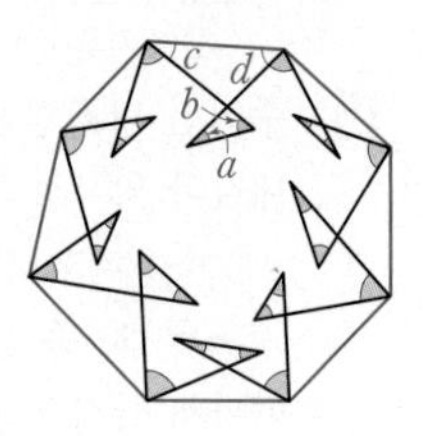

$\angle a + \angle b = \angle c + \angle d$

이를 팔각형의 모든 변에서 생각하면 색칠한 모든 각의 크기의 합은 팔각형의 내각의 크기의 합과 같다.

따라서 색칠한 모든 각의 크기의 합은

$180° \times (8-2) = 1080°$

20 오른쪽 그림의 $\triangle$EGF에서

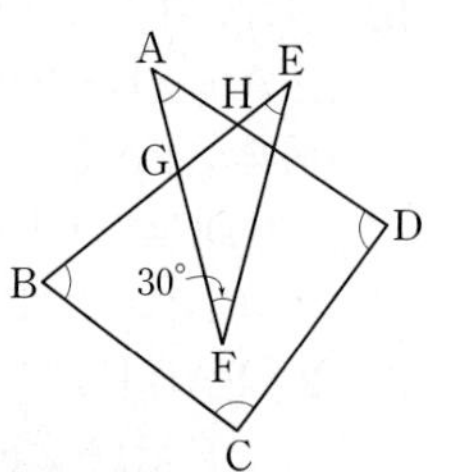

$\angle AGE = \angle E + 30°$

$\triangle$AGH에서

$\angle BHD = \angle A + \angle AGH$

$= \angle A + (\angle E + 30°)$

사각형 HBCD에서

$\angle BHD + \angle B + \angle C + \angle D = 360°$이므로

$(\angle A + \angle E + 30°) + \angle B + \angle C + \angle D = 360°$

$\therefore \angle A + \angle B + \angle C + \angle D + \angle E = 330°$

다른 풀이 오른쪽 그림과 같이

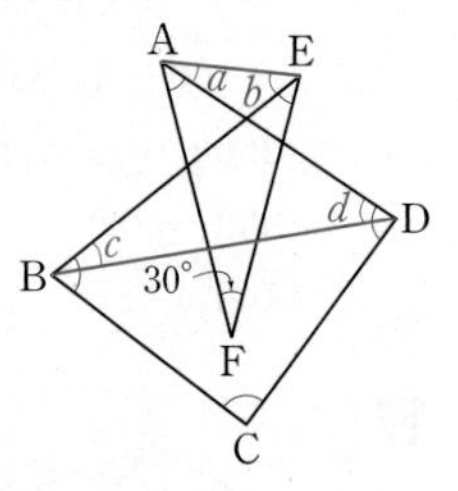

$\overline{AE}$, $\overline{BD}$를 그으면

$\angle a + \angle b = \angle c + \angle d$이므로

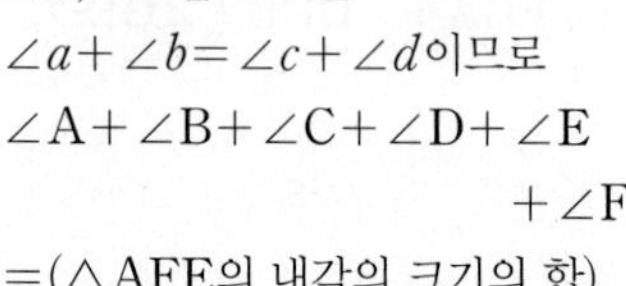

$\angle A + \angle B + \angle C + \angle D + \angle E + \angle F$

$=$($\triangle$AFE의 내각의 크기의 합)

$+$($\triangle$BCD의 내각의 크기의 합)

$=180° + 180° = 360°$

이때 $\angle F = 30°$이므로

$\angle A + \angle B + \angle C + \angle D + \angle E = 360° - 30° = 330°$

21

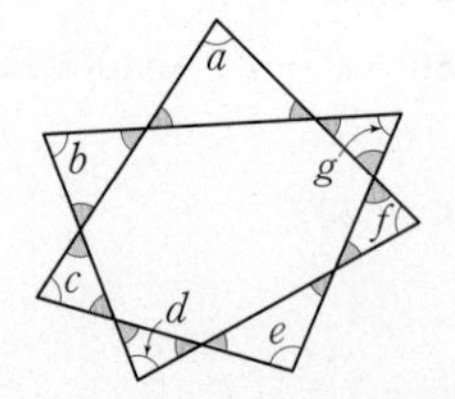

$\angle a + \angle b + \angle c + \angle d + \angle e + \angle f + \angle g$

$=$(7개의 삼각형의 내각의 크기의 합)

$-$(칠각형의 외각의 크기의 합)$\times 2$

$=180° \times 7 - 360° \times 2$

$=1260° - 720°$

$=540°$

다른 풀이

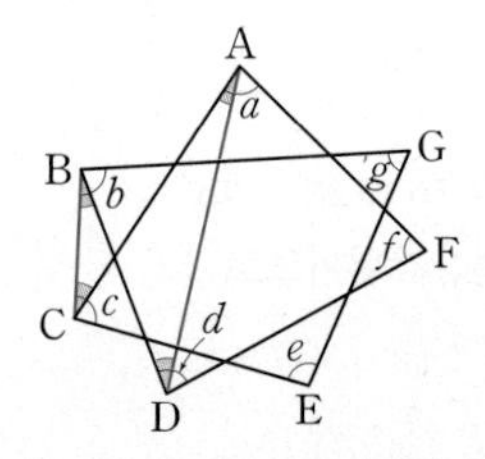

위의 그림과 같이 $\overline{BC}$, $\overline{AD}$를 그으면

$\angle CAD + \angle BDA = \angle DBC + \angle ACB$

$\therefore \angle a + \angle b + \angle c + \angle d + \angle e + \angle f + \angle g$

$=$(사각형 BCEG의 내각의 크기의 합)

$+$(삼각형 ADF의 내각의 크기의 합)

$=360° + 180° = 540°$

22 구하는 정다각형을 정n각형이라 하고 이 정n각형의 한 외각의 크기를 $\angle x$라 하면 한 내각의 크기는 $\angle x + 132°$이므로

$(\angle x + 132°) + \angle x = 180°$에서 $2\angle x = 48°$

$\therefore \angle x = 24°$

$\frac{360°}{n} = 24° \qquad \therefore n = 15$

따라서 구하는 정다각형은 정십오각형이다.

23 점 P에 모이는 세 정다각형의 한 내각의 크기의 합이 360°가 되어야 한다.

① 점 P에 모이는 정삼각형, 정오각형, 정팔각형의 한 내각의 크기의 합은

$60° + \frac{180° \times (5-2)}{5} + \frac{180° \times (8-2)}{8}$

$=60° + 108° + 135° = 303°$

② 점 P에 모이는 정삼각형, 정구각형, 정십이각형의 한 내각의 크기의 합은

$60° + \frac{180° \times (9-2)}{9} + \frac{180° \times (12-2)}{12}$

$=60° + 140° + 150° = 350°$

③ 점 P에 모이는 정사각형, 정육각형, 정십이각형의 한 내각의 크기의 합은

$90° + \frac{180° \times (6-2)}{6} + \frac{180° \times (12-2)}{12}$

$=90° + 120° + 150° = 360°$

④ 점 P에 모이는 정오각형 2개와 정십각형의 한 내각의 크기의 합은

$\frac{180° \times (5-2)}{5} \times 2 + \frac{180° \times (10-2)}{10}$

$=108° \times 2 + 144° = 360°$

⑤ 점 P에 모이는 정육각형과 정팔각형 2개의 한 내각의 크기의 합은

$\frac{180° \times (6-2)}{6} + \frac{180° \times (8-2)}{8} \times 2$

$=120° + 135° \times 2 = 390°$

따라서 순서쌍 (a, b, c)가 될 수 있는 것은 ③, ④이다.

24 정삼각형 ABC와 정사각형 ACDE의 한 내각의 크기는 각각 $60°$, $90°$이므로 $\triangle ABE$에서

$\angle BAE=60°+90°=150°$

이때 $\triangle ABE$는 $\overline{AB}=\overline{AE}$인 이등변삼각형이므로

$\angle AEB=\angle ABE=\frac{1}{2}\times(180°-150°)=15°$

따라서 직각삼각형 AFE에서

$\angle x=\angle EAF+\angle AEF=90°+15°=105°$

25 정팔각형의 한 내각의 크기는

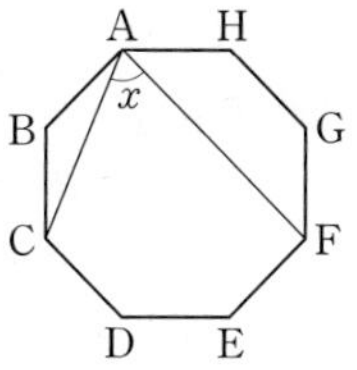

$\frac{180°\times(8-2)}{8}=135°$

삼각형 ABC에서

$\angle BAC=\angle BCA$

$=\frac{1}{2}\times(180°-135°)=22.5°$

사각형 AFGH에서

$\angle HAF=\angle GFA=\frac{1}{2}\times(360°-135°-135°)=45°$

$\therefore \angle x=135°-(22.5°+45°)=67.5°$

26 오른쪽 그림에서 정삼각형, 정사각형, 정오각형의 한 내각의 크기는 각각

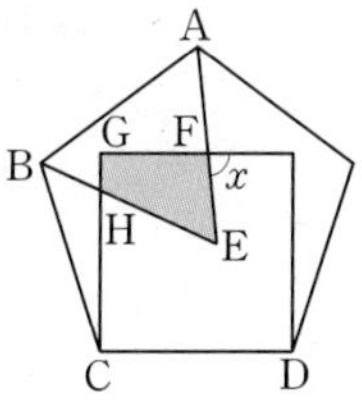

$60°$, $90°$, $\frac{180°\times(5-2)}{5}=108°$이므로

$\triangle BCH$에서

$\angle HBC=108°-\angle ABE$

$=108°-60°=48°$

$\angle BCH=108°-\angle GCD$

$=108°-90°=18°$

$\therefore \angle BHC=180°-(48°+18°)=114°$

이때 사각형 GHEF에서

$\angle GHE=\angle BHC=114°$(맞꼭지각), $\angle FEH=60°$,

$\angle FGH=90°$이므로

$114°+60°+\angle GFE+90°=360°$

$264°+\angle GFE=360°$ $\therefore \angle GFE=96°$

$\therefore \angle x=180°-96°=84°$

27 오른쪽 그림에서

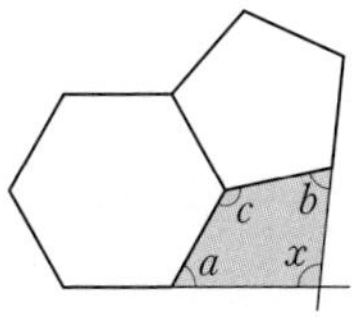

$\angle a$는 정육각형의 한 외각이므로

$\angle a=\frac{360°}{6}=60°$

$\angle b$는 정오각형의 한 외각이므로

$\angle b=\frac{360°}{5}=72°$

$\angle c$의 크기는 정육각형과 정오각형의 한 외각의 크기의 합이므로

$\angle c=60°+72°=132°$

색칠한 사각형의 내각의 크기의 합은 $360°$이므로

$\angle a+\angle x+\angle b+\angle c=60°+\angle x+72°+132°=360°$

$\angle x+264°=360°$ $\therefore \angle x=96°$

28

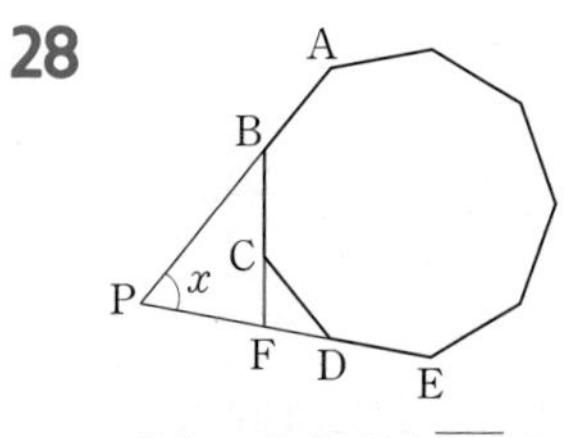

위의 그림과 같이 $\overline{BC}$의 연장선과 $\overline{PD}$의 교점을 F라 하면

$\angle PBF$, $\angle PDC$, $\angle FCD$는 정구각형의 외각이므로

$\angle PBF=\angle PDC=\angle FCD=\frac{360°}{9}=40°$

따라서 $\triangle CFD$에서

$\angle BFP=\angle FCD+\angle FDC=40°+40°=80°$이므로

$\triangle BPF$에서

$\angle x=180°-(\angle PBF+\angle BFP)$

$=180°-(40°+80°)=60°$

29 $\triangle BAE$와 $\triangle CBF$에서

$\overline{BE}=\overline{CF}$, $\angle ABE=\angle BCF$, $\overline{AB}=\overline{BC}$이므로

$\triangle BAE\equiv\triangle CBF$(SAS 합동)

$\therefore \angle BAE=\angle CBF$

즉, $\triangle BAG$에서

$\angle AGF=\angle BAG+\angle GBA=\angle CBF+\angle GBA=\angle B$

따라서 $\angle AGF$의 크기는 정십각형의 한 내각의 크기와 같으므로

$\angle AGF=\frac{180°\times(10-2)}{10}=144°$

30

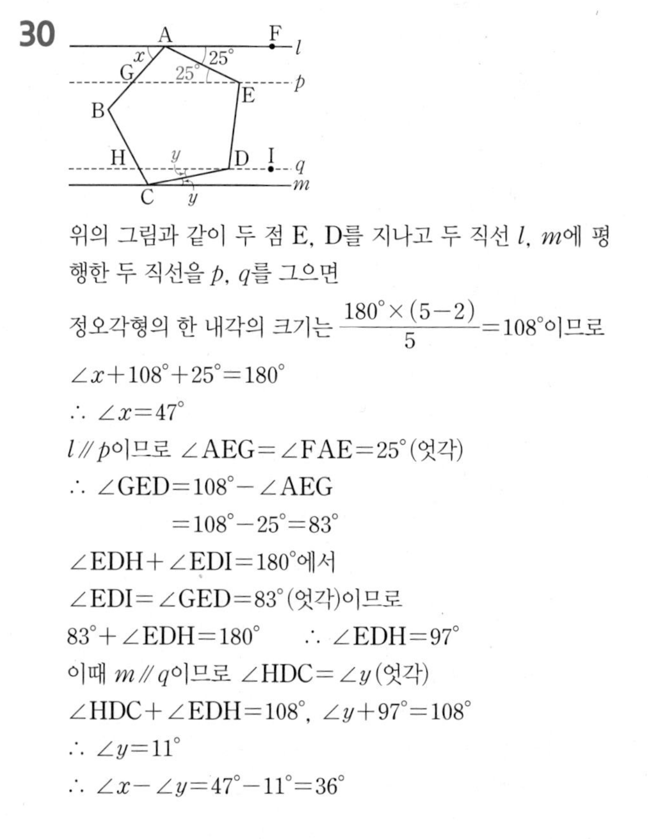

위의 그림과 같이 두 점 E, D를 지나고 두 직선 l, m에 평행한 두 직선을 p, q를 그으면

정오각형의 한 내각의 크기는 $\frac{180°\times(5-2)}{5}=108°$이므로

$\angle x+108°+25°=180°$

$\therefore \angle x=47°$

$l /\!/ p$이므로 $\angle AEG=\angle FAE=25°$(엇각)

$\therefore \angle GED=108°-\angle AEG$

$=108°-25°=83°$

$\angle EDH+\angle EDI=180°$에서

$\angle EDI=\angle GED=83°$(엇각)이므로

$83°+\angle EDH=180°$ $\therefore \angle EDH=97°$

이때 $m /\!/ q$이므로 $\angle HDC=\angle y$(엇각)

$\angle HDC+\angle EDH=108°$, $\angle y+97°=108°$

$\therefore \angle y=11°$

$\therefore \angle x-\angle y=47°-11°=36°$

P. 40~41 내신 1% 뛰어넘기

01 8개	**02** 30개	**03** 99°	**04** 540°	**05** 48°
06 150°	**07** 22개	**08** 338°		

01 길잡이 △ABF, △ACE와 모양이 같은 이등변삼각형을 찾는다.

$\overline{AB}=\overline{BC}=\overline{CD}=\overline{DE}=\overline{EF}=\overline{FA}$이므로

△ABF, △BCA, △CDB, △DEC, △EFD, △FAE의 6개

$\overline{AC}=\overline{CE}=\overline{EA}=\overline{BD}=\overline{DF}=\overline{FB}$이므로

△ACE, △BDF의 2개

따라서 만들 수 있는 이등변삼각형의 개수는

$6+2=8$(개)

참고 △ABF≡△BCA≡△CDB≡△DEC≡△EFD≡△FAE(SAS 합동)

$\therefore \overline{AC}=\overline{CE}=\overline{EA}=\overline{BD}=\overline{DF}=\overline{FB}$

02 길잡이 원의 지름은 그 원 위의 두 점을 잇는 가장 긴 선분임을 이용한다.

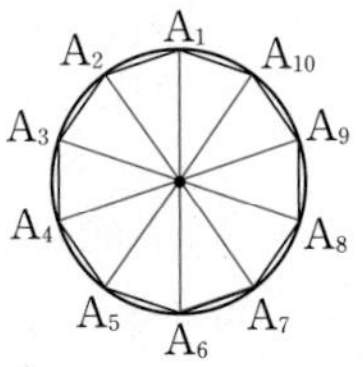

오른쪽 그림에서 원 O의 지름이 10 cm이므로 주어진 정십각형의 가장 긴 대각선의 길이는 10 cm이다.

정십각형의 대각선의 개수는

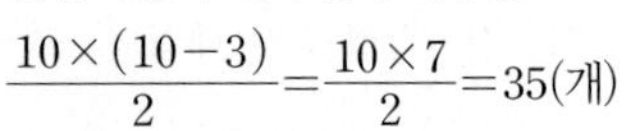

$\dfrac{10\times(10-3)}{2}=\dfrac{10\times7}{2}=35$(개)

정십각형에서 길이가 10 cm인 대각선은

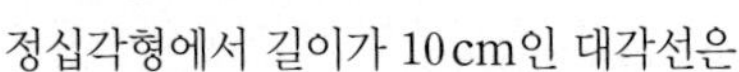

$\overline{A_1A_6}$, $\overline{A_2A_7}$, $\overline{A_3A_8}$, $\overline{A_4A_9}$, $\overline{A_5A_{10}}$의 5개

따라서 길이가 10 cm보다 짧은 대각선의 개수는

$35-5=30$(개)

03 길잡이 삼각형의 세 내각의 크기의 합은 180°이고 사각형의 네 내각의 크기의 합은 360°임을 이용한다.

△ABC에서

$3(\angle RBC+\angle RCB)+81°=180°$

$3(\angle RBC+\angle RCB)=99°$

$\therefore \angle RBC+\angle RCB=33°$

△RBC에서

$\angle RBC+\angle RCB+\angle BRC=180°$

$\therefore \angle BRC=180°-(\angle RBC+\angle RCB)$

$=180°-33°=147°$

$\therefore \angle QRS=\angle BRC=147°$(맞꼭지각)

△PBC에서

$\angle PBC+\angle PCB+\angle BPC=180°$

$\therefore \angle BPC=180°-(\angle PBC+\angle PCB)$

$=180°-2(\angle RBC+\angle RCB)$

$=180°-66°=114°$

사각형 PQRS에서

$114°+\angle PQR+147°+\angle PSR=360°$

$261°+\angle PQR+\angle PSR=360°$

$\therefore \angle PQR+\angle PSR=99°$

다른 풀이 △ABC에서

$3(\angle RBC+\angle RCB)+81°=180°$

$3(\angle RBC+\angle RCB)=99°$

$\therefore \angle RBC+\angle RCB=33°$

△BCQ에서 $\angle PQR=2\angle RBC+\angle RCB$

△BCS에서 $\angle PSR=\angle RBC+2\angle RCB$

$\therefore \angle PQR+\angle PSR=3(\angle RBC+\angle RCB)$

$=99°$

04 길잡이 맞꼭지각의 크기는 서로 같고, 두 직선이 평행하면 동위각의 크기가 서로 같음을 이용한다.

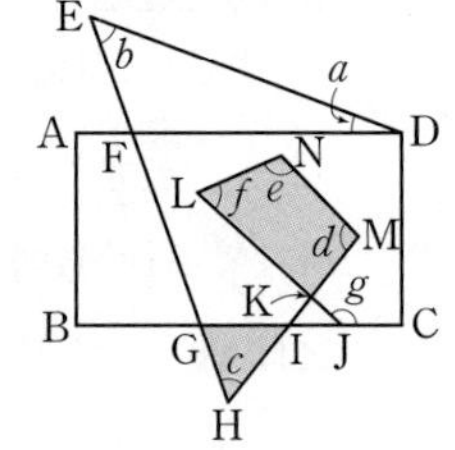

오른쪽 그림의 △EFD에서

$\angle DFG=\angle a+\angle b$

직사각형 ABCD에서

$\overline{AD}/\!/\overline{BC}$이므로

$\angle CGH=\angle DFG$

$=\angle a+\angle b$(동위각)

△KIJ에서

$\angle g=\angle KIJ+\angle IKJ$

$=\angle GIH+\angle LKM$(맞꼭지각)

$\therefore \angle a+\angle b+\angle c+\angle d+\angle e+\angle f+\angle g$

$=\angle CGH+\angle c+\angle d+\angle e+\angle f+(\angle GIH+\angle LKM)$

$=(\angle CGH+\angle c+\angle GIH)+(\angle d+\angle e+\angle f+\angle LKM)$

$=$(△GHI의 내각의 크기의 합)+(사각형 LKMN의 내각의 크기의 합)

$=180°+360°$

$=540°$

05 길잡이 보조선 BE를 그어 삼각형의 내각의 크기의 합은 180°임을 이용한다.

정오각형의 한 외각의 크기는 $\dfrac{360°}{5}=72°$

$\overline{BF}$는 정오각형의 외각의 이등분선이므로

$\angle FBA=\dfrac{1}{2}\times72°=36°$

$\overline{EF}$는 정오각형의 외각의 삼등분선이므로

$\angle FEA=\dfrac{1}{3}\times72°=24°$

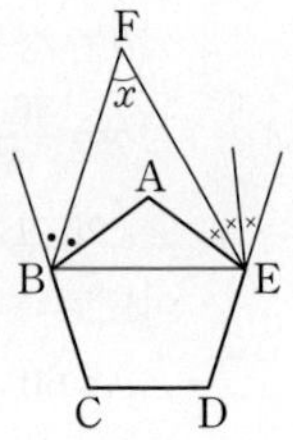

오른쪽 그림과 같이 $\overline{BE}$를 그으면

△ABE에서

$\angle A=\dfrac{180°\times(5-2)}{5}=108°$이므로

$\angle ABE+\angle AEB=180°-108°$

$=72°$

따라서 △FBE에서

$\angle x=180°-(36°+24°+72°)$

$=48°$

06 길잡이 종이를 접었을 때 접은 각의 크기는 서로 같음을 이용한다.

오른쪽 그림에서

$\angle E=\angle ABO=45^\circ$ (접은 각)

$\angle F=\angle ADO=45^\circ$ (접은 각)

이때

$\angle BOF=\angle FOE=\angle EOD$

$=\frac{1}{3}\times180^\circ=60^\circ$

이므로 $\triangle EGO$에서

$\angle FGE=\angle E+\angle GOE$

$=45^\circ+60^\circ=105^\circ$

따라서 $\triangle FGI$에서

$\angle x=\angle F+\angle FGE$

$=45^\circ+105^\circ=150^\circ$

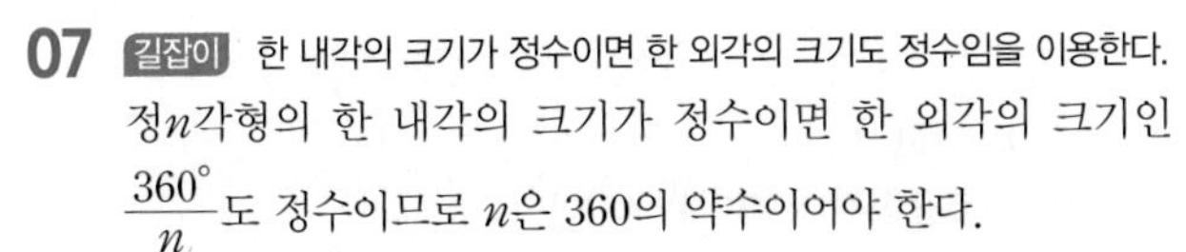

07 길잡이 한 내각의 크기가 정수이면 한 외각의 크기도 정수임을 이용한다.

정n각형의 한 내각의 크기가 정수이면 한 외각의 크기인 $\frac{360^\circ}{n}$도 정수이므로 n은 360의 약수이어야 한다.

$360=2^3\times3^2\times5$이므로 360의 약수의 개수는

$(3+1)\times(2+1)\times(1+1)=24$(개)

이때 $n\geq3$이므로 360의 약수 중에서 1, 2를 제외한 약수의 개수는

$24-2=22$(개)

따라서 한 내각의 크기가 정수인 정다각형은 모두 22개이다.

08 길잡이 정오각형의 한 꼭짓점을 지나고 두 직선 l, m에 평행한 직선을 그어 동위각과 엇각의 크기가 각각 같음을 이용한다.

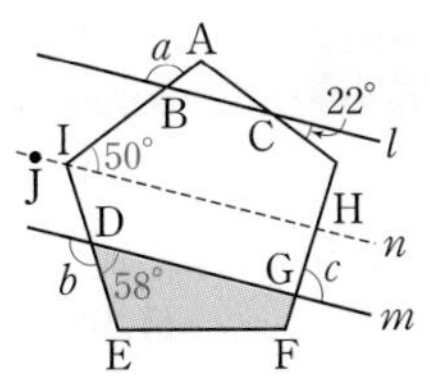

정오각형의 한 내각의 크기는 $\frac{180^\circ\times(5-2)}{5}=108^\circ$이므로

위의 그림의 $\triangle ABC$에서

$\angle BAC=108^\circ$, $\angle ACB=22^\circ$ (맞꼭지각)

$\therefore\ \angle a=\angle BAC+\angle ACB=108^\circ+22^\circ=130^\circ$

점 I를 지나고 두 직선 l, m에 평행한 직선 n을 그으면

$\angle AIJ=\angle a=130^\circ$ (동위각)이므로

$\angle AIH=180^\circ-130^\circ=50^\circ$

$\angle AIE$는 정오각형의 한 내각이므로

$\angle HID=\angle AIE-\angle AIH=108^\circ-50^\circ=58^\circ$

이때 $n /\!/ m$이므로

$\angle GDE=\angle HID=58^\circ$ (동위각)

$\therefore\ \angle b=180^\circ-\angle GDE=180^\circ-58^\circ=122^\circ$

또 $\angle DGF=\angle c$ (맞꼭지각)이고 사각형 DEFG의 내각의 크기의 합은 360°이므로

$58^\circ+108^\circ+108^\circ+\angle c=360^\circ$

$\therefore\ \angle c=360^\circ-274^\circ=86^\circ$

$\therefore\ \angle a+\angle b+\angle c=130^\circ+122^\circ+86^\circ=338^\circ$

4. 원과 부채꼴

P. 44~45 개념+대표 문제 확인하기

1 ②	**2** 2	**3** 96°	**4** 3cm	**5** 10cm^2
6 ④	**7** $40\pi\text{cm}$, $60\pi\text{cm}^2$	**8** 45°		
9 $(2\pi+4)\text{cm}$		**10** 32cm^2		**11** 96cm^2
12 $\frac{25}{3}\pi\text{cm}^2$				

1 ② $\overline{BC}$는 원 O의 지름이므로 가장 긴 현이다.
⑤ 원 위의 두 점 A, B를 양 끝 점으로 하는 호는 $\widehat{AB}$, $\widehat{ACB}$의 2개이다.
따라서 옳지 않은 것은 ②이다.

2 부채꼴의 호의 길이는 중심각의 크기에 정비례하므로
$(x+4):(4x+1)=70°:105°$
$(x+4):(4x+1)=2:3$
$3(x+4)=2(4x+1)$
$3x+12=8x+2,\ -5x=-10 \qquad \therefore x=2$

3 부채꼴의 호의 길이는 중심각의 크기에 정비례하므로
$\angle AOB:\angle BOC:\angle COA=\widehat{AB}:\widehat{BC}:\widehat{CA}=4:5:6$
$\therefore \angle AOB=360°\times\frac{4}{4+5+6}$
$=360°\times\frac{4}{15}=96°$

4 $\overline{AB}/\!/\overline{OC}$이므로
$\angle OAB=\angle DOC=30°$ (동위각)
오른쪽 그림과 같이 $\overline{OB}$를 그으면
$\triangle OAB$는 $\overline{OA}=\overline{OB}$인 이등변삼각형이므로

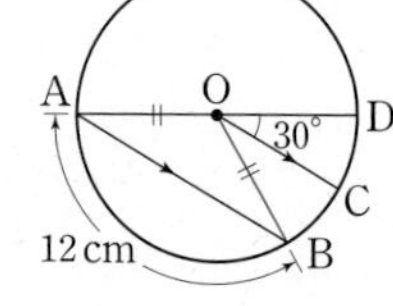

$\angle OBA=\angle OAB=30°$
$\therefore \angle AOB=180°-(30°+30°)=120°$
$\widehat{CD}:\widehat{AB}=\angle COD:\angle AOB$에서
$\widehat{CD}:12=30°:120°$, $\widehat{CD}:12=1:4$
$4\widehat{CD}=12 \qquad \therefore \widehat{CD}=3(\text{cm})$

5 부채꼴 BOC의 넓이를 $x\text{cm}^2$라 하면
부채꼴의 넓이는 중심각의 크기에 정비례하므로
$x:15=78°:117°$, $x:15=2:3$
$3x=30 \qquad \therefore x=10(\text{cm}^2)$
따라서 부채꼴 BOC의 넓이는 10cm^2이다.

6 ④ 현의 길이는 중심각의 크기에 정비례하지 않으므로
$2\overline{AB}\neq\overline{BD}$

참고 $\triangle BOD$에서 $\overline{OB}+\overline{OD}>\overline{BD}$
이때 $\overline{OB}=\overline{OD}=\overline{AB}$(원의 반지름)이므로
$\overline{OB}+\overline{OD}=2\overline{AB}>\overline{BD}$

7 (색칠한 부분의 둘레의 길이)
=(지름의 길이가 20cm인 원의 둘레의 길이)
+(지름의 길이가 14cm인 원의 둘레의 길이)
+(지름의 길이가 6cm인 원의 둘레의 길이)
$=2\pi\times10+2\pi\times7+2\pi\times3=40\pi(\text{cm})$
(색칠한 부분의 넓이)
=(지름의 길이가 20cm인 원의 넓이)
−(지름의 길이가 14cm인 원의 넓이)
+(지름의 길이가 6cm인 원의 넓이)
$=\pi\times10^2-\pi\times7^2+\pi\times3^2=60\pi(\text{cm}^2)$

8 부채꼴의 반지름의 길이를 $r\text{cm}$, 중심각의 크기를 $x°$라 하면
(부채꼴의 넓이)$=\frac{1}{2}\times r\times2\pi=8\pi$
$\therefore r=8(\text{cm})$
(부채꼴의 호의 길이)$=2\pi\times8\times\frac{x}{360}=2\pi$
$\therefore x=45(°)$
따라서 중심각의 크기는 45°이다.

9 (색칠한 부분의 둘레의 길이)
$=2\pi\times5\times\frac{45}{360}+2\pi\times(5-2)\times\frac{45}{360}+2\times2$
$=\frac{5}{4}\pi+\frac{3}{4}\pi+4$
$=2\pi+4(\text{cm})$

10 오른쪽 그림과 같이 도형을 이동하면 색칠한 부분의 넓이는 직각을 낀 두 변의 길이가 8cm인 직각이등변삼각형의 넓이와 같으므로

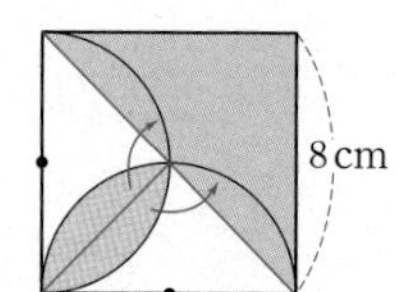

(색칠한 부분의 넓이)$=\frac{1}{2}\times8\times8$
$=32(\text{cm}^2)$

11 (색칠한 부분의 넓이)
=($\overline{AB}$가 지름인 반원의 넓이)+($\overline{AC}$가 지름인 반원의 넓이)
+($\triangle ABC$의 넓이)−($\overline{BC}$가 지름인 반원의 넓이)
$=\pi\times8^2\times\frac{1}{2}+\pi\times6^2\times\frac{1}{2}+\frac{1}{2}\times16\times12-\pi\times10^2\times\frac{1}{2}$
$=32\pi+18\pi+96-50\pi$
$=96(\text{cm}^2)$

12 (색칠한 부분의 넓이)
=($\overline{AB'}$이 지름인 반원의 넓이)
+(부채꼴 B′AB의 넓이)−($\overline{AB}$가 지름인 반원의 넓이)
=(부채꼴 B′AB의 넓이)
$=\pi\times10^2\times\frac{30}{360}$
$=\frac{25}{3}\pi(\text{cm}^2)$

P. 46~48 내신 5% 따라잡기

1 ③, ④　2 $40°$　3 $45°$　4 $9\pi\,\text{cm}$　5 $4\,\text{cm}$
6 ②, ③　7 $(9\pi+24)\,\text{cm}$　8 $12\pi\,\text{cm}$
9 $(4\pi+6)\,\text{cm}^2$　10 $\left(49-\frac{49}{6}\pi\right)\text{cm}^2$
11 $27\pi\,\text{cm}^2$　12 $(9\pi+24)\,\text{cm}$, $54\pi\,\text{cm}^2$
13 $(392-98\pi)\,\text{cm}^2$　14 $(144+9\pi)\,\text{cm}^2$　15 $\frac{3}{2}\pi\,\text{cm}$
16 $6\pi\,\text{cm}$　17 용훈, $12\,\text{cm}$　18 $\frac{105}{2}\pi\,\text{m}^2$

1 ① 호의 길이는 중심각의 크기에 정비례하므로
$\overset{\frown}{AB}:\overset{\frown}{CD}=\angle AOB:\angle COD$에서
$\overset{\frown}{AB}:\overset{\frown}{CD}=60°:20°$, $\overset{\frown}{AB}:\overset{\frown}{CD}=3:1$
$\therefore \overset{\frown}{AB}=3\overset{\frown}{CD}$
② 현의 길이는 중심각의 크기에 정비례하지 않으므로
$\overline{AB}\neq 3\overline{CD}$
③ $\angle BOC=180°-60°=120°$
호의 길이는 중심각의 크기에 정비례하므로
$\overset{\frown}{BC}:\overset{\frown}{CD}=\angle BOC:\angle COD$에서
$\overset{\frown}{BC}:\overset{\frown}{CD}=120°:20°$, $\overset{\frown}{BC}:\overset{\frown}{CD}=6:1$
$\therefore \overset{\frown}{BC}=6\overset{\frown}{CD}$
④ $\overline{AO}=\overline{BO}$, $\angle AOB=60°$이므로 $\triangle AOB$에서
$\angle OAB=\angle OBA=\frac{1}{2}\times(180°-60°)=60°$
즉, $\triangle AOB$는 정삼각형이므로 $\overline{AB}=\overline{OA}$
$\therefore \overline{AB}=\overline{OC}$
⑤ $\angle AOB+\angle COD=60°+20°=80°$
호의 길이는 중심각의 크기에 정비례하므로
$(\overset{\frown}{AB}+\overset{\frown}{CD}):\overset{\frown}{AC}=80°:180°$
$(\overset{\frown}{AB}+\overset{\frown}{CD}):\overset{\frown}{AC}=4:9$
$9(\overset{\frown}{AB}+\overset{\frown}{CD})=4\overset{\frown}{AC}$
$\therefore \overset{\frown}{AB}+\overset{\frown}{CD}=\frac{4}{9}\overset{\frown}{AC}$
따라서 옳은 것은 ③, ④이다.

2

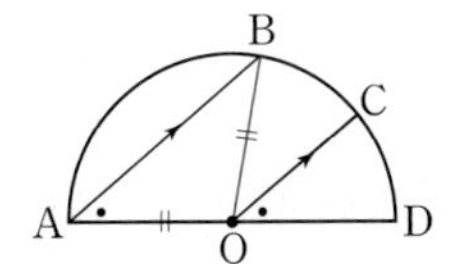

위의 그림과 같이 $\overline{OB}$를 그으면
$\angle AOB:\angle BOD=\overset{\frown}{AB}:\overset{\frown}{BD}=5:4$
$\therefore \angle AOB=180°\times\frac{5}{5+4}=180°\times\frac{5}{9}=100°$
이때 $\triangle OBA$는 $\overline{OA}=\overline{OB}$인 이등변삼각형이므로
$\angle BAO=\angle ABO=\frac{1}{2}\times(180°-100°)=40°$
따라서 $\overline{AB}/\!/\overline{OC}$이므로
$\angle COD=\angle BAO=40°$(동위각)

3 오른쪽 그림과 같이 시계의 중심인 점을 O라 하고 $\overline{OA}$, $\overline{OC}$, $\overline{OD}$를 그으면
$\overline{OA}=\overline{OC}=\overline{OD}$(원의 반지름)
이때 1시간에 대한 중심각의 크기는
$\frac{360°}{12}=30°$이므로
$\angle AOD=30°\times4=120°$
$\triangle OAD$는 $\overline{OA}=\overline{OD}$인 이등변삼각형이므로
$\angle ODA=\frac{1}{2}\times(180°-120°)=30°$
또 $\angle COD=30°\times5=150°$
$\triangle ODC$는 $\overline{OC}=\overline{OD}$인 이등변삼각형이므로
$\angle ODC=\frac{1}{2}\times(180°-150°)=15°$
$\therefore \angle ADC=\angle ODA+\angle ODC$
$=30°+15°=45°$

4 오른쪽 그림과 같이 $\overline{OD}$, $\overline{OB}$를 그으면 $\triangle ODA$는 $\overline{OA}=\overline{OD}$인 이등변삼각형이므로

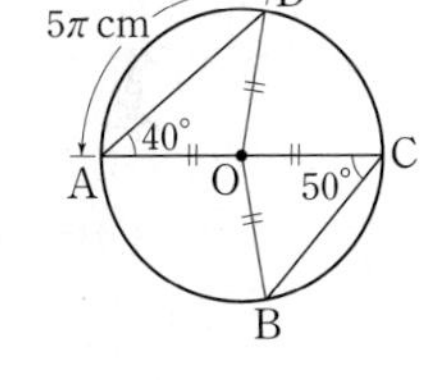

$\angle ODA=\angle OAD=40°$
$\therefore \angle AOD=180°-(40°+40°)$
$=100°$
또 $\triangle OBC$는 $\overline{OB}=\overline{OC}$인 이등변삼각형이므로
$\angle OBC=\angle OCB=50°$
$\therefore \angle BOC=180°-(50°+50°)=80°$
$\therefore \angle AOB+\angle COD=360°-(\angle AOD+\angle BOC)$
$=360°-(100°+80°)=180°$
$\overset{\frown}{AD}:(\overset{\frown}{AB}+\overset{\frown}{CD})=\angle AOD:(\angle AOB+\angle COD)$에서
$5\pi:(\overset{\frown}{AB}+\overset{\frown}{CD})=100°:180°$
$5\pi:(\overset{\frown}{AB}+\overset{\frown}{CD})=5:9$, $5(\overset{\frown}{AB}+\overset{\frown}{CD})=45\pi$
$\therefore \overset{\frown}{AB}+\overset{\frown}{CD}=9\pi(\text{cm})$

5

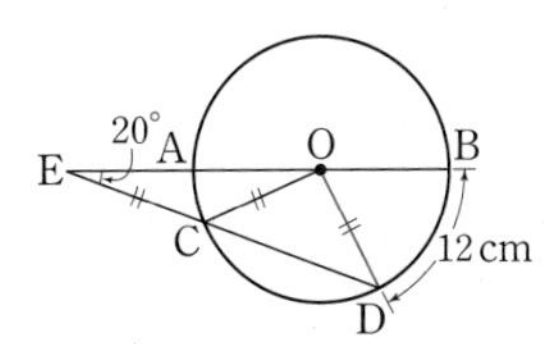

위의 그림에서 $\triangle COE$는 $\overline{CE}=\overline{CO}$인 이등변삼각형이므로
$\angle EOC=\angle OEC=20°$
$\therefore \angle OCD=\angle OEC+\angle EOC=20°+20°=40°$
$\overline{OD}$를 그으면 $\triangle OCD$는 $\overline{OC}=\overline{OD}$인 이등변삼각형이므로
$\angle ODC=\angle OCD=40°$
$\triangle OED$에서
$\angle BOD=\angle OED+\angle ODE=20°+40°=60°$
따라서 호의 길이는 중심각의 크기에 정비례하므로
$\overset{\frown}{AC}:\overset{\frown}{BD}=\angle AOC:\angle BOD$에서
$\overset{\frown}{AC}:12=20°:60°$, $\overset{\frown}{AC}:12=1:3$
$3\overset{\frown}{AC}=12$　$\therefore \overset{\frown}{AC}=4(\text{cm})$

6 ① 호의 길이는 중심각의 크기에 정비례하므로

$\angle COE = 2\angle BOC$에서

$\overset{\frown}{CE} = 2\overset{\frown}{BC}$

② 오른쪽 그림에서

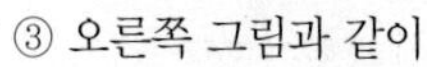

$3\triangle ODE$

$= \triangle OAB + \triangle OBC + \triangle OCD$

$\therefore \triangle OAD \neq 3\triangle ODE$

③ 오른쪽 그림과 같이

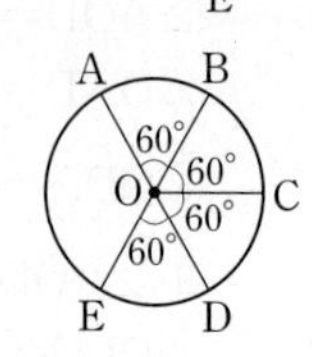

$\angle AOB = \angle BOC$

$= \angle COD$

$= \angle DOE$

$= 60°$

일 때만 세 점 A, O, D가 일직선 위에 있다.

④ $\angle AOC = \angle BOD$이고 한 원에서 중심각의 크기가 같은 두 부채꼴의 넓이는 같으므로

(부채꼴 AOC의 넓이)=(부채꼴 BOD의 넓이)

⑤ 오른쪽 그림과 같이 $\angle AOB$와 $\angle DOE$가 맞꼭지각이면 세 점 A, O, D와 세 점 B, O, E는 각각 일직선 위에 있다.

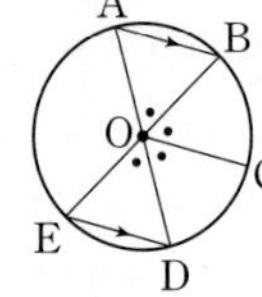

이때 $\triangle OAB$와 $\triangle ODE$에서

$\overline{OA} = \overline{OB} = \overline{OD} = \overline{OE}$,

$\angle AOB = \angle DOE$이므로

$\triangle OAB \equiv \triangle ODE$ (SAS 합동)

$\therefore \angle OAB = \angle ODE$, $\angle OBA = \angle OED$

즉, 엇각의 크기가 같으므로

$\overline{AB} /\!/ \overline{ED}$

따라서 옳지 않은 것은 ②, ③이다.

7

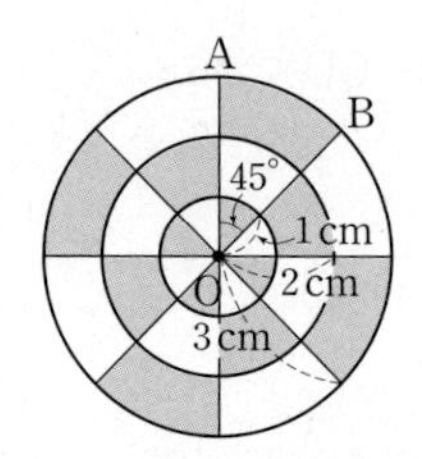

위의 그림에서 반지름의 길이가 3 cm인 원의 둘레의 길이가 8등분되었으므로

$\angle AOB = 360° \times \frac{1}{8}$

$= 45°$

∴ (색칠한 부분의 둘레의 길이)

$=(\overset{\frown}{AB}$의 길이$) \times 4$

+(반지름의 길이가 2 cm인 원의 둘레의 길이)

+(반지름의 길이가 1 cm인 원의 둘레의 길이)

$+(\overline{OA}$의 길이$) \times 8$

$= \left(2\pi \times 3 \times \frac{45}{360}\right) \times 4 + 2\pi \times 2 + 2\pi \times 1 + 3 \times 8$

$= 3\pi + 4\pi + 2\pi + 24$

$= 9\pi + 24$(cm)

8 오른쪽 그림에서

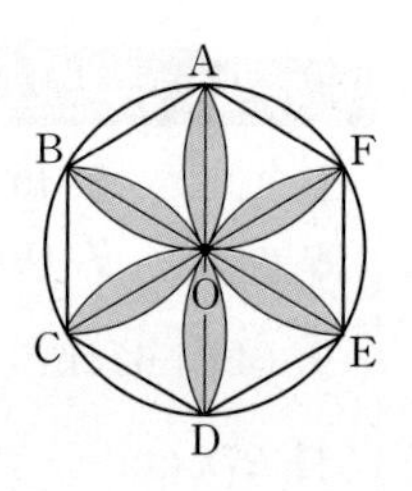

$\overline{BA} = \overline{BO} = \overline{AO}$(원의 반지름)

이므로 $\triangle ABO$는 정삼각형이다.

$\therefore \angle OAB = \angle OBA = 60°$

마찬가지로 $\triangle BCO$, $\triangle CDO$, $\triangle DEO$, $\triangle EFO$, $\triangle FAO$는 모두 정삼각형이므로 색칠한 부분의 둘레의 길이는 $\overset{\frown}{AO}$의 길이의 12배이다.

$\therefore 12\overset{\frown}{AO} = 12 \times \left(2\pi \times 3 \times \frac{60}{360}\right)$

$= 12\pi$(cm)

9

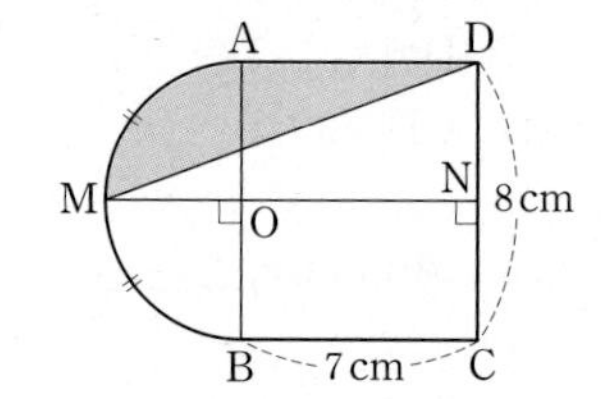

위의 그림과 같이 점 M에서 $\overline{CD}$에 내린 수선의 발을 N, $\overline{AB}$와 $\overline{MN}$의 교점을 O라 하면

$\overline{AO} = \frac{1}{2}\overline{AB} = \frac{1}{2}\overline{CD} = \frac{1}{2} \times 8 = 4$(cm)

∴ (색칠한 부분의 넓이)

=(부채꼴 AOM의 넓이)+(사각형 AOND의 넓이)

−($\triangle DMN$의 넓이)

$= \pi \times 4^2 \times \frac{1}{4} + 7 \times 4 - \frac{1}{2} \times 11 \times 4$

$= 4\pi + 6$(cm^2)

10 $\overline{AD} = \overline{AE} = \overline{DE}$(원의 반지름)이므로 $\triangle AED$는 정삼각형이다.

즉, $\angle DAE = \angle ADE = 60°$이므로

$\angle BAE = \angle EDC = 90° - 60° = 30°$

따라서 부채꼴 BAE의 넓이와 부채꼴 EDC의 넓이가 같으므로

(색칠한 부분의 넓이)

=(정사각형 ABCD의 넓이)−(부채꼴 BAE의 넓이)×2

$= 7 \times 7 - \left(\pi \times 7^2 \times \frac{30}{360}\right) \times 2$

$= 49 - \frac{49}{6}\pi$(cm^2)

11 $\overline{OO'} = 9$ cm이므로 두 원 O, O′의 반지름의 길이는 9 cm이다.

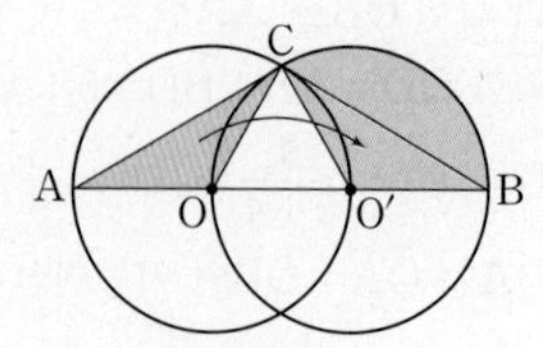

위의 그림과 같이 $\overline{CO'}$을 그으면

$\overline{OA} = \overline{OO'} = \overline{O'B} = \overline{OC} = \overline{O'C}$(원의 반지름)이므로

$\triangle COO'$은 정삼각형이다.

즉, $\angle COO'=\angle CO'O=60°$이므로

$\angle AOC=\angle BO'C=180°-60°=120°$

$\therefore \triangle AOC \equiv \triangle BO'C$ (SAS 합동)

따라서 $\triangle AOC=\triangle BO'C$이므로 위의 그림과 같이 이동하면

(색칠한 부분의 넓이)=(부채꼴 $CO'B$의 넓이)

$=\pi\times9^2\times\frac{120}{360}$

$=27\pi(\text{cm}^2)$

12 정팔각형의 한 내각의 크기는 $\frac{180°\times(8-2)}{8}=135°$

(색칠한 부분의 둘레의 길이)

=(부채꼴의 호의 길이)+(정팔각형의 한 변의 길이)×2

$=2\pi\times12\times\frac{135}{360}+12\times2$

$=9\pi+24(\text{cm})$

(색칠한 부분의 넓이)$=\pi\times12^2\times\frac{135}{360}=54\pi(\text{cm}^2)$

13 구하는 넓이는 오른쪽 그림의 색칠한 부분의 넓이의 8배와 같으므로

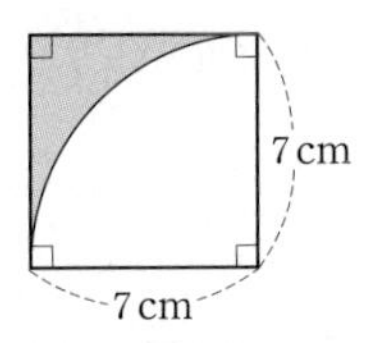

(색칠한 부분의 넓이)

={(한 변의 길이가 7 cm인 정사각형의 넓이)

−(반지름의 길이가 7 cm인 사분원의 넓이)}×8

$=\left(7\times7-\pi\times7^2\times\frac{1}{4}\right)\times8$

$=\left(49-\frac{49}{4}\pi\right)\times8=392-98\pi(\text{cm}^2)$

14

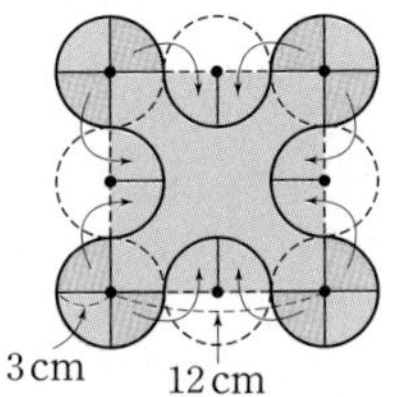

위의 그림과 같이 도형을 이동하면 색칠한 부분의 넓이는 한 변의 길이가 12 cm인 정사각형의 넓이와 반지름의 길이가 3 cm인 원의 넓이의 합과 같으므로

(색칠한 부분의 넓이)$=12\times12+\pi\times3^2$

$=144+9\pi(\text{cm}^2)$

15 오른쪽 그림에서

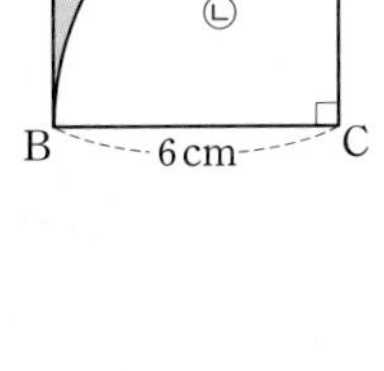

(직사각형 ABCD의 넓이)=㉠+㉡

(부채꼴 BCE의 넓이)=㉡+㉢

이때 ㉠=㉢이므로

(직사각형 ABCD의 넓이)

=(부채꼴 BCE의 넓이)

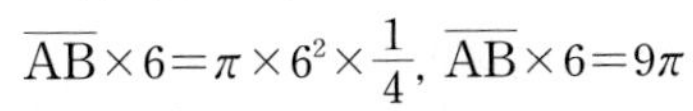

$\overline{AB}\times6=\pi\times6^2\times\frac{1}{4}$, $\overline{AB}\times6=9\pi$

$\therefore \overline{AB}=\frac{3}{2}\pi(\text{cm})$

16 점 A가 지나간 자리는 다음 그림에서 색선으로 표시된 부분과 같다.

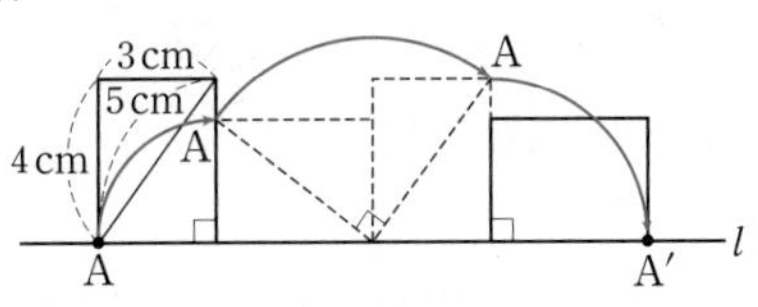

따라서 점 A가 움직인 거리는

$2\pi\times3\times\frac{1}{4}+2\pi\times5\times\frac{1}{4}+2\pi\times4\times\frac{1}{4}$

$=\frac{3}{2}\pi+\frac{5}{2}\pi+2\pi$

$=6\pi(\text{cm})$

17 신근이와 용훈이가 사용한 끈의 길이를 각각 구하면

(i) 신근이가 사용한 끈의 길이

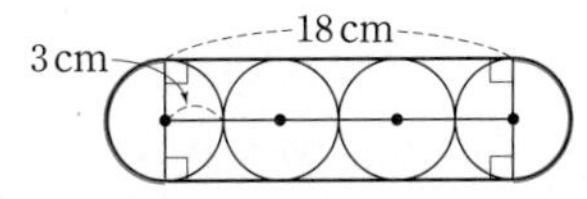

위의 그림에서 직선 부분의 길이는

$18\times2=36(\text{cm})$ … ㉠

곡선 부분의 길이는 반지름의 길이가 3 cm인 원의 둘레의 길이와 같으므로

$2\pi\times3=6\pi(\text{cm})$ … ㉡

㉠, ㉡에서 $36+6\pi(\text{cm})$

(ii) 용훈이가 사용한 끈의 길이

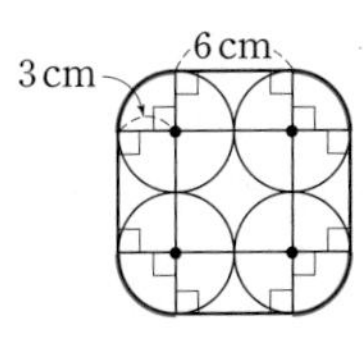

위의 그림에서 직선 부분의 길이는

$6\times4=24(\text{cm})$ … ㉢

곡선 부분의 길이는 반지름의 길이가 3 cm인 원의 둘레의 길이와 같으므로

$2\pi\times3=6\pi(\text{cm})$ … ㉣

㉢, ㉣에서 $24+6\pi(\text{cm})$

따라서 (i), (ii)에 의해 용훈이의 방법이 끈을

$(36+6\pi)-(24+6\pi)=12(\text{cm})$ 더 적게 사용한다.

18 염소가 채소밭 밖에서 최대한 움직일 수 있는 영역은 오른쪽 그림의 색칠한 부분과 같으므로 구하는 넓이는

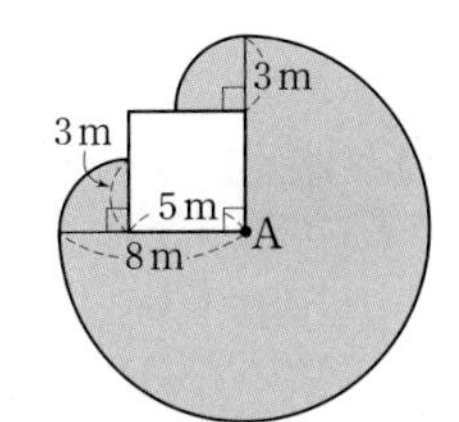

$\pi\times3^2\times\frac{1}{4}+\pi\times8^2\times\frac{3}{4}$

$+\pi\times3^2\times\frac{1}{4}$

$=\frac{9}{4}\pi+48\pi+\frac{9}{4}\pi$

$=\frac{105}{2}\pi(\text{m}^2)$

P. 49 내신 1% 뛰어넘기

01 9 : 2 **02** $(5\pi+10)$ cm **03** $\frac{\pi}{2}$ cm^2
04 $(160+16\pi)$ cm^2

01 길잡이 보조선을 그어 $\widehat{BC}$에 대한 중심각의 크기를 구한다.

원 O의 둘레의 길이를 x라 하면 $\widehat{AB}$의 길이는 $\frac{1}{5}x$, $\widehat{DC}$의 길이는 $\frac{1}{6}x$이다.

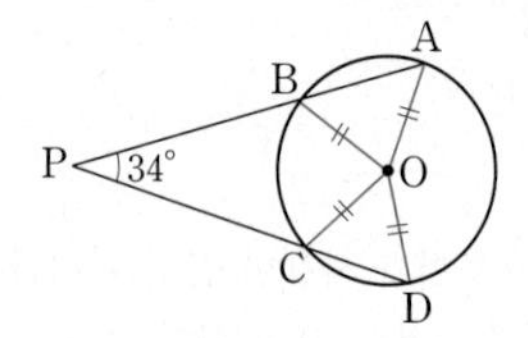

위의 그림과 같이 $\overline{OA}$, $\overline{OB}$, $\overline{OC}$, $\overline{OD}$를 그으면 호의 길이는 중심각의 크기에 정비례하므로

$x : \widehat{AB}=360° : \angle AOB$에서

$x : \frac{1}{5}x=360° : \angle AOB$

$5 : 1=360° : \angle AOB$, $5\angle AOB=360°$

$\therefore \angle AOB=72°$

$x : \widehat{DC}=360° : \angle DOC$에서

$x : \frac{1}{6}x=360° : \angle DOC$

$6 : 1=360° : \angle DOC$, $6\angle DOC=360°$

$\therefore \angle DOC=60°$

이때 △OAB는 $\overline{OA}=\overline{OB}$인 이등변삼각형이므로

$\angle OBA=\angle OAB=\frac{1}{2}\times(180°-72°)=54°$

$\therefore \angle OBP=180°-54°=126°$

△OCD는 $\overline{OC}=\overline{OD}$인 이등변삼각형이므로

$\angle OCD=\angle ODC=\frac{1}{2}\times(180°-60°)=60°$

$\therefore \angle OCP=180°-60°=120°$

사각형 PCOB의 내각의 크기의 합은 360°이므로

$\angle BOC=360°-(34°+120°+126°)$
$=80°$

따라서 $x : \widehat{BC}=360° : \angle BOC$에서

$x : \widehat{BC}=360° : 80°=9 : 2$

02 길잡이 △AGD가 정삼각형임을 이용하여 $\widehat{DG}$와 $\widehat{GC}$에 대한 중심각의 크기를 구한다.

$\overline{AG}=\overline{GD}=\overline{DA}$ (원의 반지름)이므로 △AGD는 정삼각형이다.

즉, $\angle DAG=\angle GDA=60°$,

$\angle CDG=90°-60°=30°$이므로

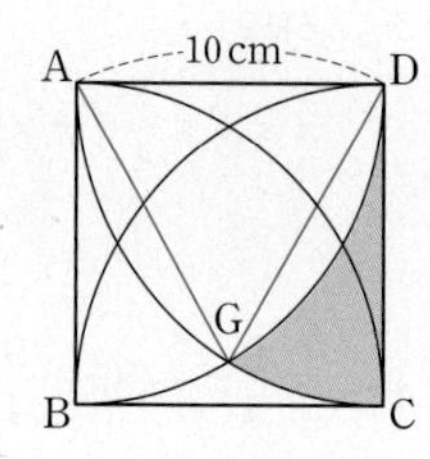

$\widehat{DG}=2\pi\times10\times\frac{60}{360}=\frac{10}{3}\pi$(cm)

$\widehat{GC}=2\pi\times10\times\frac{30}{360}=\frac{5}{3}\pi$(cm)

$\therefore$ (색칠한 부분의 둘레의 길이)$=\widehat{DG}+\widehat{GC}+\overline{CD}$
$=\frac{10}{3}\pi+\frac{5}{3}\pi+10$
$=5\pi+10$(cm)

참고 $\widehat{CG}=\widehat{BG}$임을 이용하여
$\widehat{DG}+\widehat{GC}+\overline{CD}=\widehat{DG}+\widehat{GB}+\overline{CD}=\widehat{DB}+\overline{CD}$와 같이 구할 수도 있다.

03 길잡이 △ABC의 넓이와 △ADE의 넓이가 같음을 이용하여 색칠한 부분의 넓이를 구하는 식을 세운다.

(색칠한 부분의 넓이)
=(부채꼴 EAC의 넓이)+(△ABC의 넓이)
−(△ADE의 넓이)−(부채꼴 DAB의 넓이)
=(부채꼴 EAC의 넓이)−(부채꼴 DAB의 넓이)

이때 $\angle DAB=\angle DAC+\angle CAB$
$=\angle DAC+\angle EAD$
$=\angle EAC=60°$

이므로

(색칠한 부분의 넓이)$=\pi\times2^2\times\frac{60}{360}-\pi\times1^2\times\frac{60}{360}$
$=\frac{2}{3}\pi-\frac{1}{6}\pi=\frac{\pi}{2}$(cm^2)

04 길잡이 부채꼴과 직사각형으로 나누어 원이 지나간 자리의 넓이를 구한다.

원이 지나간 자리는 오른쪽 그림과 같이 5개의 직사각형과 5개의 부채꼴로 이루어진다.

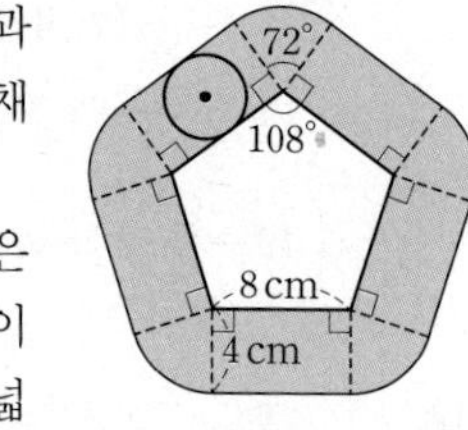

이때 5개의 부채꼴의 넓이의 합은 반지름의 길이가 4 cm인 원의 넓이와 같으므로 원이 지나간 자리의 넓이는

$(8\times4)\times5+\pi\times4^2=160+16\pi$(cm^2)

P. 50~51 3~4 서술형 완성하기

[과정은 풀이 참조]

1 10° **2** 108° **3** 66° **4** 3 : 1
5 (1) 45° (2) $\left(\frac{15}{2}\pi+10\right)$cm **6** $(\pi-2)$cm^2
7 105° **8** $\left(\frac{164}{5}\pi+30\right)$m^2

1 오각형 ABCDE의 내각의 크기의 합은
$180°\times(5-2)=540°$이므로
$\angle x+60°+\angle BCD+130°+120°=540°$
$\therefore \angle BCD=230°-\angle x$ ⋯ (i)
사각형 CFGH의 내각의 크기의 합은 360°이므로
$\angle FCH+65°+\angle y+55°=360°$
$\therefore \angle FCH=240°-\angle y$ ⋯ (ii)
$\angle BCD=\angle FCH$ (맞꼭지각)이므로

$230° - \angle x = 240° - \angle y$

$\therefore\ \angle y - \angle x = 10°$ … (iii)

채점 기준	비율
(i) $\angle$BCD의 크기를 $\angle x$를 사용한 식으로 나타내기	40 %
(ii) $\angle$FCH의 크기를 $\angle y$를 사용한 식으로 나타내기	30 %
(iii) $\angle y - \angle x$의 값 구하기	30 %

2 주어진 정다각형을 정n각형이라 하면 대각선의 개수가 35개이므로

$\frac{n(n-3)}{2} = 35$, $\underline{n}(n-3) = 70 = \underline{10} \times 7$

$\therefore\ n = 10$

따라서 주어진 다각형은 정십각형이다. … (i)

정십각형의 한 내각의 크기는

$\angle a = \frac{180° \times (10-2)}{10} = \frac{180° \times 8}{10} = 144°$ … (ii)

정십각형의 한 외각의 크기는

$\angle b = \frac{360°}{10} = 36°$ … (iii)

$\therefore\ \angle a - \angle b = 144° - 36° = 108°$ … (iv)

채점 기준	비율
(i) 주어진 다각형 구하기	30 %
(ii) $\angle a$의 크기 구하기	30 %
(iii) $\angle b$의 크기 구하기	30 %
(iv) $\angle a - \angle b$의 값 구하기	10 %

3 정오각형의 한 내각의 크기는

$\frac{180° \times (5-2)}{5} = 108°$이므로

$\angle$ABC$=\angle$BCD$=108°$ … (i)

정육각형의 한 내각의 크기는

$\frac{180° \times (6-2)}{6} = 120°$이므로

$\angle$CDF$=\angle$DFG$=\angle$FGH$=120°$ … (ii)

이때 $\triangle$GHF는 $\overline{GH} = \overline{GF}$인 이등변삼각형이므로

$\angle$GFH$= \frac{1}{2} \times (180° - 120°) = 30°$

$\therefore\ \angle$JFD$=\angle$DFG$-\angle$GFH$=120° - 30° = 90°$ … (iii)

오각형 JBCDF의 내각의 크기의 합은

$180° \times (5-2) = 540°$이므로

$\angle$BJF$+108°+108°+120°+90°=540°$

$\therefore\ \angle$BJF$=540°-426°=114°$ … (iv)

$\therefore\ \angle$HJB$=180°-\angle$BJF$=180°-114°=66°$ … (v)

채점 기준	비율
(i) 정오각형의 한 내각의 크기 구하기	20 %
(ii) 정육각형의 한 내각의 크기 구하기	20 %
(iii) $\angle$JFD의 크기 구하기	20 %
(iv) 오각형의 내각의 크기의 합을 이용하여 $\angle$BJF의 크기 구하기	20 %
(v) $\angle$HJB의 크기 구하기	20 %

4 $\triangle$DOE는 $\overline{DO} = \overline{DE}$인 이등변삼각형이므로

$\angle$DOE$=\angle$DEO$=30°$ … (i)

$\therefore\ \angle$ODC$=30°+30°$

$=60°$ … (ii)

$\triangle$OCD는 $\overline{OC} = \overline{OD}$인 이등변삼각형이므로

$\angle$OCD$=\angle$ODC$=60°$

$\triangle$OCE에서 $\angle$AOC$=60°+30°=90°$ … (iii)

$\therefore\ \widehat{AC} : \widehat{BD} = \angle$AOC$:\angle$BOD

$=90° : 30° = 3 : 1$ … (iv)

채점 기준	비율
(i) $\angle$DOE의 크기 구하기	25 %
(ii) $\angle$ODC의 크기 구하기	25 %
(iii) $\angle$AOC의 크기 구하기	25 %
(iv) $\widehat{AC} : \widehat{BD}$를 가장 간단한 자연수의 비로 나타내기	25 %

5 (1) 반원 O의 넓이와 부채꼴 CAB의 넓이가 같으므로

$\angle$CAB$=x°$라 하면

$\pi \times 5^2 \times \frac{1}{2} = \pi \times 10^2 \times \frac{x}{360}$ … (i)

$\frac{25}{2}\pi = 100\pi \times \frac{x}{360}$ $\quad\therefore\ x = 45(°)$

$\therefore\ \angle$CAB$=45°$ … (ii)

(2) (색칠한 부분의 둘레의 길이)

=(반원 O의 호의 길이)+(부채꼴 CAB의 호의 길이)

+($\overline{AC}$의 길이)

$= 2\pi \times 5 \times \frac{1}{2} + 2\pi \times 10 \times \frac{45}{360} + 10$ … (iii)

$= 5\pi + \frac{5}{2}\pi + 10$

$= \frac{15}{2}\pi + 10$(cm) … (iv)

채점 기준	비율
(i) $\angle$CAB의 크기를 구하는 식 세우기	20 %
(ii) $\angle$CAB의 크기 구하기	30 %
(iii) 색칠한 부분의 둘레의 길이를 구하는 식 세우기	20 %
(iv) 색칠한 부분의 둘레의 길이 구하기	30 %

6 구하는 넓이는 오른쪽 그림의 색칠한 부분의 넓이의 4배이므로

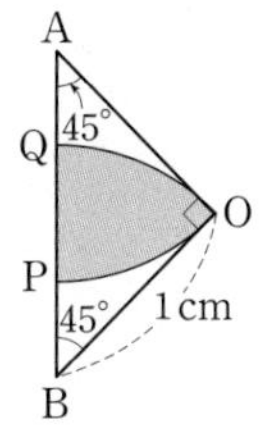

{(부채꼴 OAP의 넓이)

+(부채꼴 QBO의 넓이)

−($\triangle$ABO의 넓이)}$\times 4$

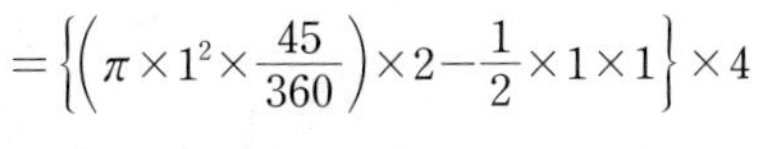

$= \left\{\left(\pi \times 1^2 \times \frac{45}{360}\right) \times 2 - \frac{1}{2} \times 1 \times 1\right\} \times 4$ … (i)

$= \left(\frac{1}{4}\pi - \frac{1}{2}\right) \times 4$

$= \pi - 2$(cm^2) … (ii)

채점 기준	비율
(i) 색칠한 부분의 넓이를 구하는 식 세우기	60 %
(ii) 색칠한 부분의 넓이 구하기	40 %

7 $\angle AEG=\angle GED=\angle a$, $\angle GFC=\angle DFG=\angle b$라 하면

$\triangle EAD$에서 $\angle ADE=70^\circ-2\angle a$

$\triangle DCF$에서 $\angle CDF=80^\circ-2\angle b$

$\angle ADE=\angle CDF$ (맞꼭지각)이므로

$70^\circ-2\angle a=80^\circ-2\angle b$, $2(\angle b-\angle a)=10^\circ$

$\therefore \angle b-\angle a=5^\circ$ … (i)

$\triangle EGH$와 $\triangle CFH$에서

$\angle GEH+\angle EGH=\angle CFH+\angle HCF$이므로

$\angle a+\angle EGF=\angle b+100^\circ$ … (ii)

$\therefore \angle EGF=(\angle b-\angle a)+100^\circ$

$=5^\circ+100^\circ$

$=105^\circ$ … (iii)

채점 기준	비율
(i) $\angle GFC-\angle GED$의 크기 구하기	30 %
(ii) $\angle GEH+\angle EGH=\angle CFH+\angle HCF$임을 이용하여 식 세우기	40 %
(iii) $\angle EGF$의 크기 구하기	30 %

8 정오각형의 한 내각의 크기는

$\dfrac{180^\circ\times(5-2)}{5}=108^\circ$ … (i)

토끼가 울타리 밖에서 최대한 움직일 수 있는 영역은 다음 그림의 색칠한 부분과 같다.

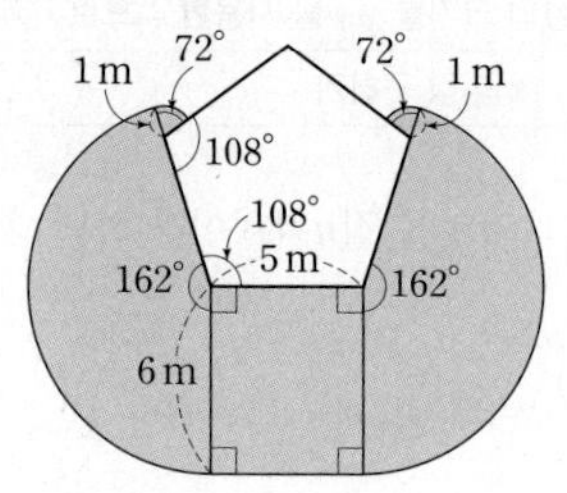

따라서 구하는 넓이는

$\left(\pi\times1^2\times\dfrac{72}{360}\right)\times2+\left(\pi\times6^2\times\dfrac{162}{360}\right)\times2+5\times6$ … (ii)

$=\dfrac{2}{5}\pi+\dfrac{162}{5}\pi+30$

$=\dfrac{164}{5}\pi+30(\text{m}^2)$ … (iii)

채점 기준	비율
(i) 정오각형의 한 내각의 크기 구하기	30 %
(ii) 토끼가 최대한 움직일 수 있는 영역의 넓이를 구하는 식 세우기	40 %
(iii) 토끼가 최대한 움직일 수 있는 영역의 넓이 구하기	30 %

5. 다면체와 회전체

P. 54~56 개념+대표 문제 확인하기

1 ③, ⑤	2 5	3 구각뿔	4 ④	5 5개
6 ③	7 ②	8 ⑤	9 ④	
10 ㄱ, ㄷ, ㄹ		11 ②, ⑤	12 18cm^2	13 ④

1 ③ 정육각형은 평면도형이므로 다면체가 아니다.
⑤ 원뿔은 곡면을 포함한 입체도형이므로 다면체가 아니다.

2 삼각뿔의 모서리의 개수는 $2\times3=6$(개)이므로 $a=6$
오각뿔대의 꼭짓점의 개수는 $2\times5=10$(개)이므로 $b=10$
칠각기둥의 면의 개수는 $7+2=9$(개)이므로 $c=9$
$\therefore a-b+c=6-10+9=5$

3 (가), (나)에서 이 입체도형은 각뿔이다.
이 입체도형을 n각뿔이라 하면
(다)에서 십면체이므로 $n+1=10$
$\therefore n=9$
따라서 조건을 모두 만족시키는 입체도형은 구각뿔이다.

4 ④ 두 밑면은 서로 평행하고 모양이 같지만 크기는 다르므로 합동이 아니다.

5 면의 개수를 f개라 하면
오일러 공식에 의해 $6-9+f=2$ $\therefore f=5$
따라서 이 다면체의 면의 개수는 5개이다.

개념 더하기 다시 보기

오일러 공식
바람을 넣어 구와 같은 모양으로 부풀릴 수 있는 다면체에 대하여 꼭짓점의 개수를 v개, 모서리의 개수를 e개, 면의 개수를 f개라 하면 다음이 성립한다.
⇨ $v-e+f=2$

6 ① 정다면체의 종류는 다섯 가지뿐이다.
② 정이십면체의 꼭짓점의 개수는 12개이다.
④ 정다면체의 면의 모양은 정삼각형, 정사각형, 정오각형의 세 가지뿐이다.
⑤ 한 꼭짓점에 모인 면의 개수가 가장 많은 정다면체는 정이십면체이다.
따라서 옳은 것은 ③이다.

7 (가)에서 한 꼭짓점에 모인 면의 개수가 3개인 정다면체는
정사면체, <u>정육면체</u>, 정십이면체
(나)에서 모서리의 개수가 12개인 정다면체는
<u>정육면체</u>, 정팔면체
따라서 조건을 모두 만족시키는 정다면체는 정육면체이다.

8 ⑤ 오른쪽 그림의 색칠한 두 면이 겹치므로 정육면체가 만들어지지 않는다.

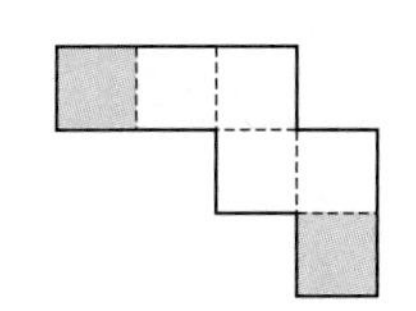

9 주어진 전개도로 만들어지는 정팔면체는 다음 그림과 같다.

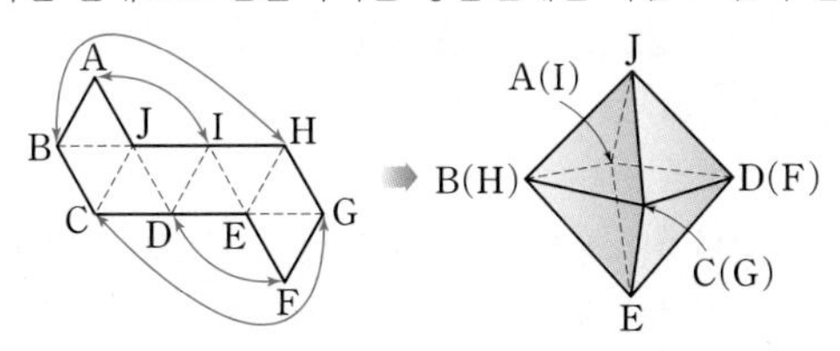

따라서 $\overline{AB}$와 겹치는 모서리는 ④ $\overline{IH}$이다.

10 ㄴ.

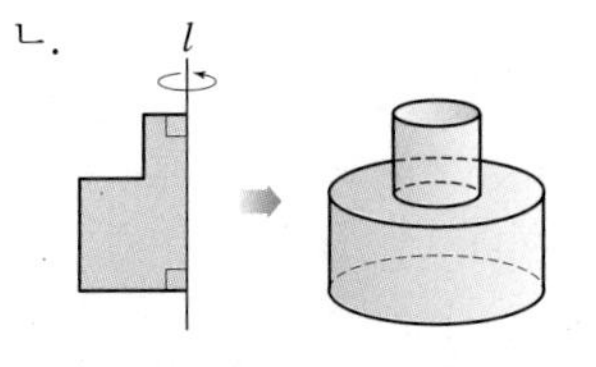

11 ① 원기둥 – 직사각형 ② 원뿔 – 이등변삼각형

③ 반구 – 반원 ④ 구 – 원

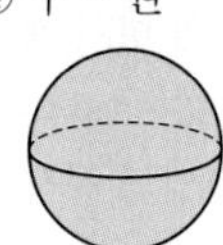

⑤ 원뿔대 – 사다리꼴

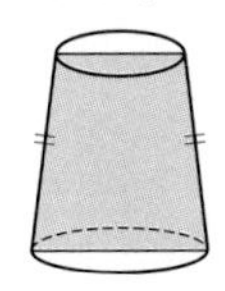

따라서 바르게 짝 지어지지 않은 것은 ②, ⑤이다.

12 주어진 회전체를 회전축을 포함하는 평면으로 자를 때 생기는 단면은 오른쪽 그림과 같이 합동인 2개의 직각삼각형이다.

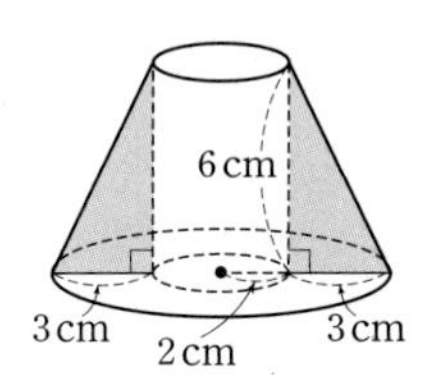

$\therefore$ (단면의 넓이)$=\left(\frac{1}{2}\times3\times6\right)\times2$
$=18(\text{cm}^2)$

13 ① 구의 전개도는 그릴 수 없다.
② 구의 회전축은 무수히 많다.
③ 직사각형의 한 변을 회전축으로 하여 1회전 시킬 때 생기는 회전체는 원기둥이다.
⑤ 원뿔대를 회전축에 수직인 평면으로 자른 단면은 모두 원이지만 크기는 다르므로 합동이 아니다.
따라서 옳은 것은 ④이다.

P. 57~60 내신 5% 따라잡기

1 ④	**2** ⑤	**3** 1	**4** 21개	**5** 16개
6 ④	**7** 풀이 참조		**8** 정팔면체, 12개	
9 ②, ④	**10** 13	**11** $60°$	**12** 11	**13** ④
14 ③	**15** 30	**16** ①, ④	**17** ④	**18** ㄴ, ㄹ
19 ②, ④	**20** ⑤	**21** $55\,cm^2$		
22 $40\pi\,cm^2$		**23** ①	**24** 4	

1 ① 다면체는 삼각기둥, 사각뿔대, 오각뿔의 3개이다.
② 꼭짓점의 개수와 면의 개수가 같은 다면체는 오각뿔의 1개이다.
③ 옆면의 모양이 모두 사각형인 다면체는 삼각기둥, 사각뿔대의 2개이다.
④ 육면체는 사각뿔대, 오각뿔의 2개이다.
⑤ 각 꼭짓점에 모인 면의 개수가 모두 같은 다면체는 삼각기둥, 사각뿔대의 2개이다.
따라서 옳은 것은 ④이다.

2 주어진 각기둥을 n각기둥이라 하면 꼭짓점의 개수는 $2n$개이므로
$2n=24$ $\quad\therefore n=12$, 즉 십이각기둥
따라서 십이각기둥의 모서리의 개수는 $3\times12=36$(개)이므로 $a=36$
십이각기둥의 면의 개수는 $12+2=14$(개)이므로 $b=14$
$\therefore a-b=36-14=22$
다른 풀이 오일러 공식을 이용하면
$24-a+b=2$ $\quad\therefore a-b=22$

3 꼭짓점의 개수는 12개이므로 $v=12$
모서리의 개수는 20개이므로 $e=20$
면의 개수는 9개이므로 $f=9$
$\therefore v-e+f=12-20+9=1$
참고 주어진 입체도형은 가운데가 뚫려서 바람을 넣어 부풀려도 구와 같은 모양이 되지 않으므로 $v-e+f=2$가 성립하지 않는다.

4 n각뿔의 밑면은 n각형이므로 대각선의 개수는 $\frac{n(n-3)}{2}$개이다.
이때 $\frac{n(n-3)}{2}=14$이므로 $\underline{n}(\underline{n-3})=28=\underline{7}\times4$
$\therefore n=7$, 즉 칠각뿔대
따라서 칠각뿔대의 모서리의 개수는 $3\times7=21$(개)이다.

5 (가), (나)에서 이 입체도형은 각뿔대이다.
이 입체도형을 n각뿔대라 하면 (다)에서 모서리의 개수는 $3n$개이고 면의 개수는 $(n+2)$개이므로
$3n=(n+2)+14$, $2n=16$ $\quad\therefore n=8$, 즉 팔각뿔대
따라서 팔각뿔대의 꼭짓점의 개수는 $2\times8=16$(개)이다.

6 ④ 정다면체를 둘러싸고 있는 정다각형의 면의 개수에 따라 정다면체의 이름이 결정된다.
⑤ 정사면체의 각 면의 한가운데에 있는 점을 연결하면 오른쪽 그림과 같은 정사면체가 만들어진다.

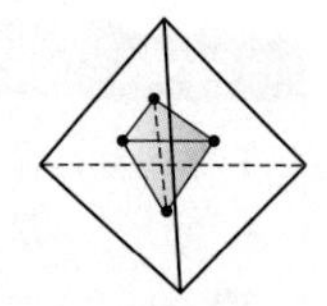

따라서 옳지 않은 것은 ④이다.

7 크기가 같은 두 개의 정사면체를 이어 붙여 만든 입체도형은 오른쪽 그림과 같은 육면체이다. 이 육면체에서 꼭짓점 A에 모인 면의 개수는 3개, 꼭짓점 B에 모인 면의 개수는 4개이다. 따라서 각 꼭짓점에 모인 면의 개수가 다르므로 정다면체가 아니다.

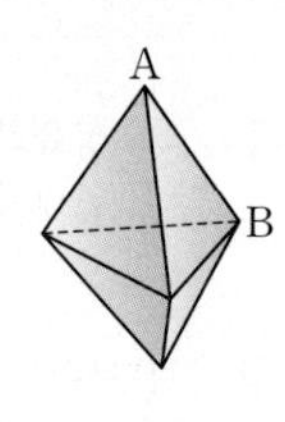

8 정육면체의 각 면의 대각선의 교점을 연결하면 오른쪽 그림과 같이 정팔면체가 생긴다. 따라서 정팔면체의 모서리의 개수는 12개이다.

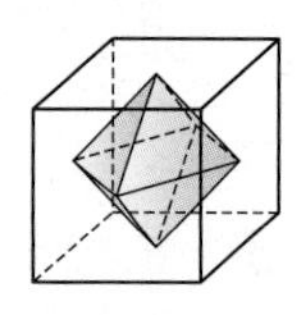

9 주어진 전개도로 만들어지는 정다면체는 오른쪽 그림과 같은 정십이면체이다.
① 한 꼭짓점에 모인 면의 개수는 3개이다.

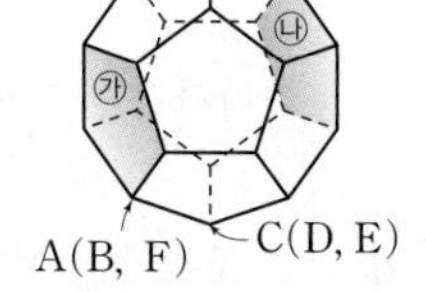

③ 꼭짓점 A와 만나는 꼭짓점은 점 B와 점 F이다.
⑤ 꼭짓점의 개수는 20개이다.
따라서 옳은 것은 ②, ④이다.

10 주어진 전개도로 만들어지는 정팔면체는 오른쪽 그림과 같다.
따라서 2가 적힌 면과 서로 이웃한 세 면에 적힌 숫자는 1, 4, 8이므로 그 합은 $1+4+8=13$이다.

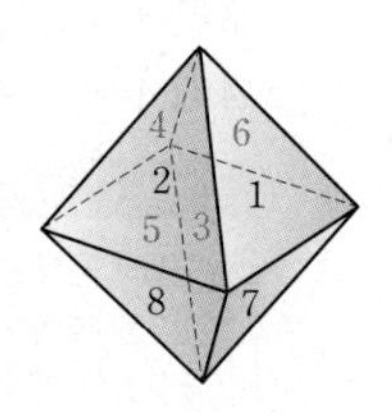

11 주어진 전개도로 만들어지는 정육면체를 세 점 A, B, C를 지나는 평면으로 자를 때 생기는 단면은 오른쪽 그림과 같은 정삼각형이다.
$\therefore \angle BAC=60°$

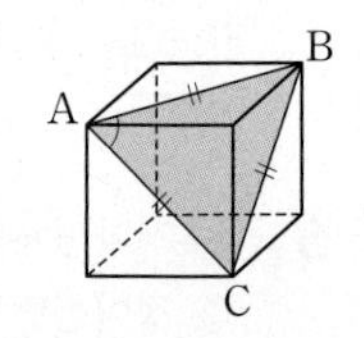

12 주어진 입체도형은 각 면이 모두 합동이고 한 꼭짓점에 모인 면의 개수가 같으므로 정다면체이다.
(가)에서 각 면이 모두 합동인 정삼각형인 정다면체는 정사면체, 정팔면체, 정이십면체이다.
(나)에서 한 꼭짓점에 모인 면의 개수가 5개인 정다면체는 정이십면체이다.
따라서 조건을 모두 만족시키는 입체도형은 정이십면체이다.
정이십면체의 꼭짓점의 개수는 12개이고 n각뿔의 꼭짓점의 개수는 $(n+1)$개이므로
$n+1=12$ $\quad\therefore n=11$

13 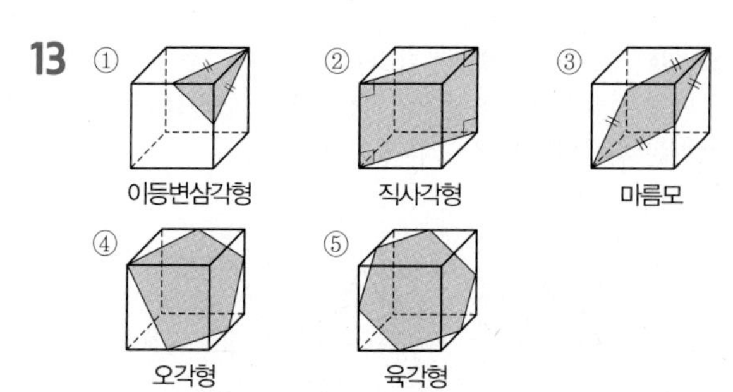

따라서 단면의 모양이 될 수 없는 것은 ④이다.

14 정십이면체의 면의 개수는 12개이고 각 면의 한가운데에 있는 점을 꼭짓점으로 하므로 구하는 다면체의 꼭짓점의 개수는 12개이다.
즉, 꼭짓점의 개수가 12개인 정다면체는 정이십면체이다.
② 십각뿔대의 모서리의 개수는 $3\times10=30$(개)이므로 정이십면체와 모서리의 개수가 같다.
③ 십이각뿔의 꼭짓점의 개수는 $12+1=13$(개)이고 정이십면체의 꼭짓점의 개수는 12개이므로 같지 않다.
따라서 옳지 않은 것은 ③이다.

15 정이십면체를 각 꼭짓점에 모인 모서리의 삼등분점을 지나도록 모두 잘라서 생긴 입체도형에서 정오각형의 개수는 정이십면체의 꼭짓점의 개수인 12개, 정육각형의 개수는 정이십면체의 면의 개수인 20개이다.
따라서 축구공 모양의 입체도형은 12개의 정오각형과 20개의 정육각형으로 이루어진 삼십이면체이다.
이때 한 꼭짓점에 3개의 면이 모이므로 꼭짓점의 개수는
$\frac{5\times12+6\times20}{3}=60$(개) $\quad\therefore a=60$
한 모서리에 2개의 면이 모이므로 모서리의 개수는
$\frac{5\times12+6\times20}{2}=90$(개) $\quad\therefore b=90$
$\therefore b-a=90-60=30$

16 다음 그림과 같이 한 평면으로 자르면 정사면체에서는 삼각뿔대, 정십이면체에서는 오각뿔대가 만들어진다.

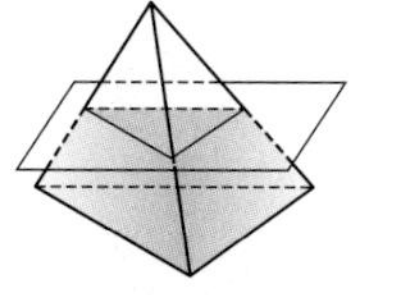
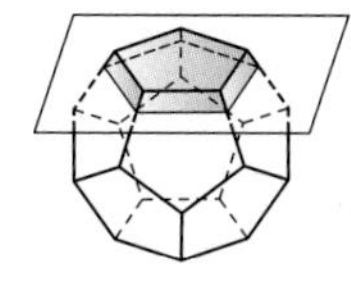

17 주어진 평면도형을 직선 l을 회전축으로 하여 1회전 시킬 때 생기는 입체도형은 다음 그림과 같다.

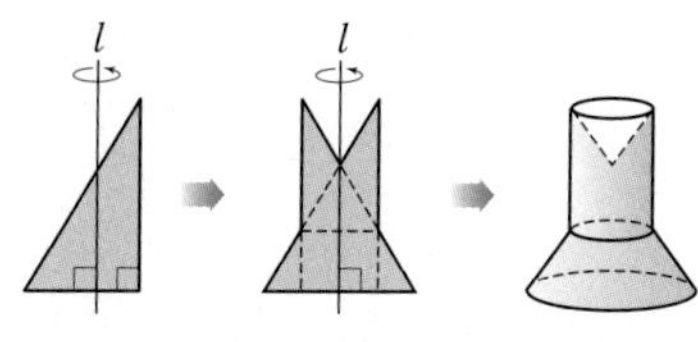

따라서 주어진 평면도형을 1회전 시킬 때 생기는 입체도형은 ④이다.

18 보기의 평면도형을 직선 l을 회전축으로 하여 1회전 시킬 때 생기는 입체도형은 다음 그림과 같다.

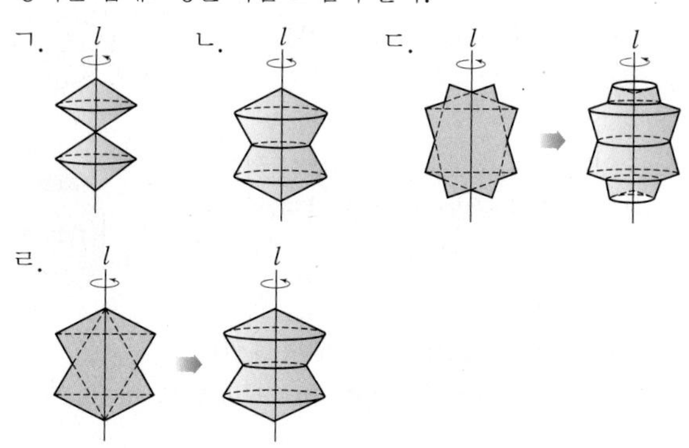

따라서 주어진 회전체는 ㄴ, ㄹ을 1회전 시킨 것이다.

19 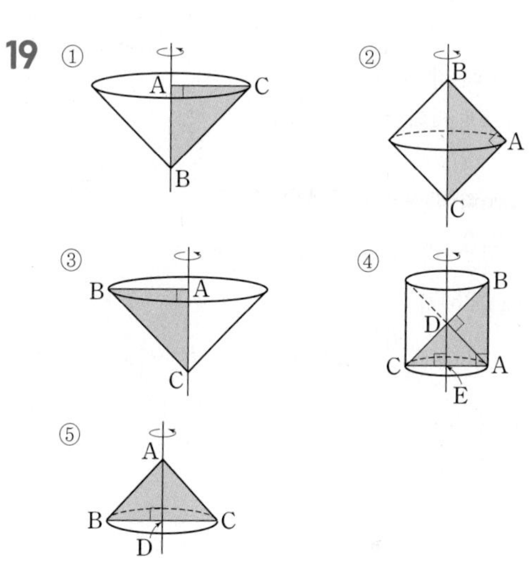

따라서 회전축이 될 수 없는 것은 ②, ④이다.

20 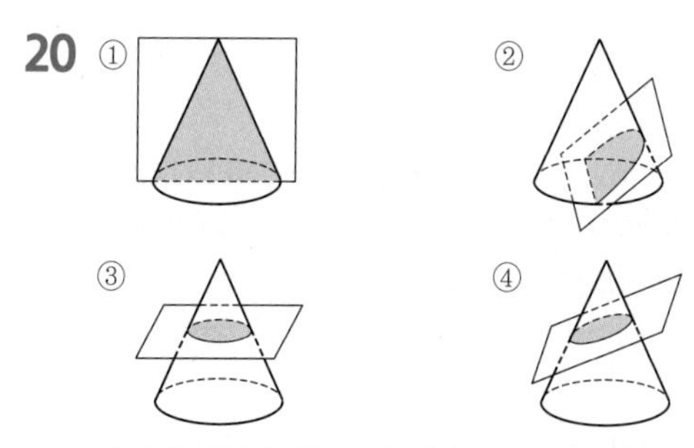

따라서 원뿔을 자를 때 생기는 단면이 될 수 없는 것은 ⑤이다.

21 주어진 원뿔대는 오른쪽 그림과 같으므로 원뿔대를 밑면에 수직인 평면으로 잘랐을 때 그 넓이가 가장 큰 단면은 윗변의 길이가 8 cm, 아랫변의 길이가 14 cm, 높이가 5 cm인 사다리꼴이다.

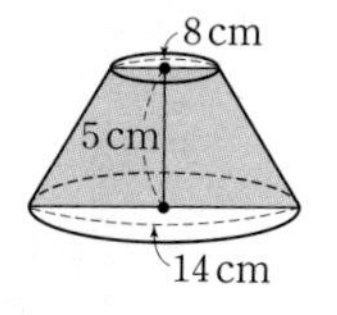

따라서 가장 큰 단면의 넓이는
$\frac{1}{2}\times(8+14)\times5=55(\text{cm}^2)$

22 주어진 원을 직선 l을 회전축으로 하여 1회전 시킬 때 생기는 회전체는 오른쪽 그림과 같은 도넛 모양이다.

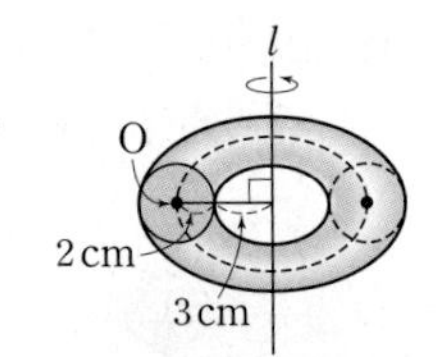

이때 원의 중심 O를 지나면서 회전축에 수직인 평면으로 자른 단면은 오른쪽 그림과 같으므로

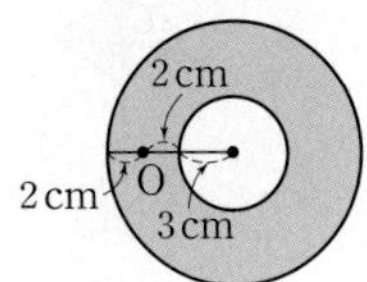

(단면의 넓이)

$=$(큰 원의 넓이)$-$(작은 원의 넓이)

$=\pi\times7^2-\pi\times3^2=49\pi-9\pi=40\pi(\text{cm}^2)$

23 실로 원기둥을 팽팽하게 감을 때의 경로는 전개도 위에 직선으로 나타나므로 점 A에서 점 B까지 실이 지나가는 경로는 오른쪽 그림과 같다.

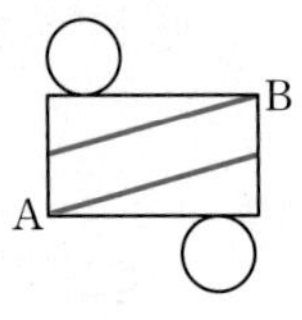

따라서 바르게 나타낸 것은 ①이다.

24 $\overline{OA}=x\,\text{cm}$라 하면 부채꼴 AOA′에서

$2\pi\times x\times\frac{120}{360}=2\pi\times r \qquad \therefore r=\frac{1}{3}x$

부채꼴 BOB′에서

$2\pi\times(x+12)\times\frac{120}{360}=2\pi\times R \qquad \therefore R=\frac{1}{3}x+4$

$\therefore R-r=\left(\frac{1}{3}x+4\right)-\frac{1}{3}x=4$

P. 61 내신 1% 뛰어넘기

01 최댓값: 13, 최솟값: 11 **02** ㄱ, ㄷ
03 ㄱ, ㄷ, ㅁ, ㅂ **04** 59

01 길잡이 $m\ge3$, $n\ge3$인 자연수 m, n의 쌍을 모두 구해 본다.

m각뿔대의 모서리의 개수는 $3m$개, n각기둥의 꼭짓점의 개수는 $2n$개이므로 $3m+2n=30$

이때 $m\ge3$, $n\ge3$이므로 이를 만족시키는 자연수 m, n의 값은

$m=4$, $n=9$ 또는 $m=6$, $n=6$ 또는 $m=8$, $n=3$

따라서 $m+n$의 최댓값은 $4+9=13$이고, 최솟값은 $8+3=11$이다.

02 길잡이 주어진 전개도로 정육면체를 만들고, 여러 방향에서 본 모습을 생각해 본다.

주어진 전개도로 만들 수 있는 정육면체는 다음 그림과 같다.

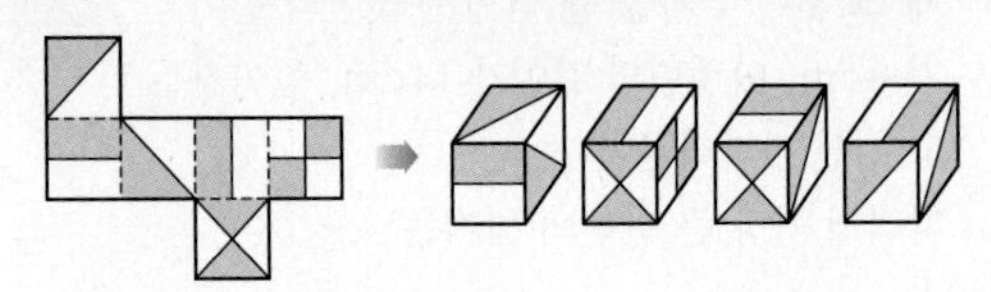

따라서 만들 수 있는 정육면체는 ㄱ, ㄷ이다.

03 길잡이 회전체를 그린 후 여러 방향의 평면으로 자른 단면을 생각해 본다.

주어진 정삼각형을 직선 l을 회전축으로 하여 1회전 시킬 때 생기는 회전체는 다음 그림과 같다.

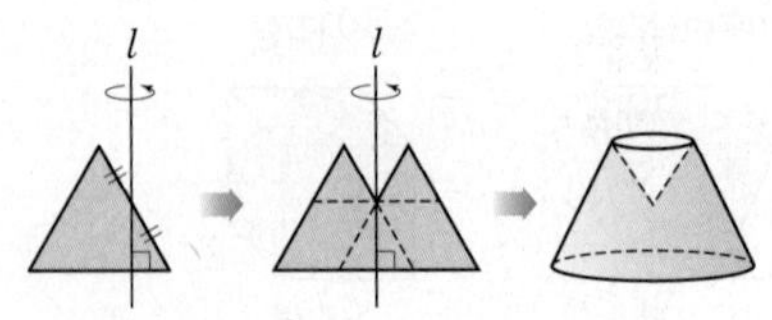

이 입체도형을 자른 단면은 다음 그림과 같다.

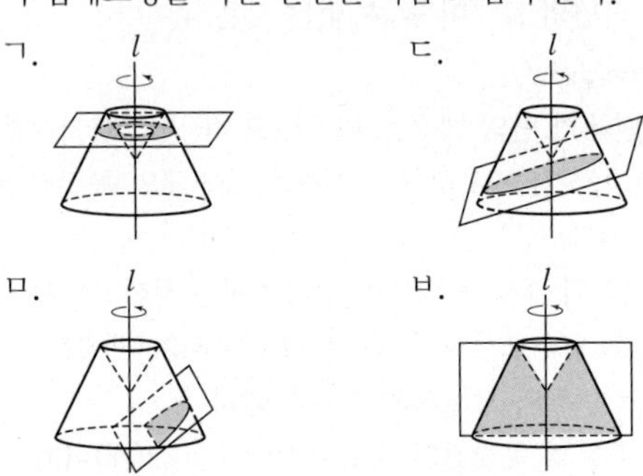

따라서 단면의 모양이 될 수 있는 것은 ㄱ, ㄷ, ㅁ, ㅂ이다.

04 길잡이 회전체를 그린 후 회전축을 포함하는 평면으로 자른 단면을 그려 본다.

오각형 ABCDE를 x축을 회전축으로 하여 1회전 시킬 때 생기는 회전체와 그 회전체를 x축을 포함하는 평면으로 자를 때 생기는 단면은 다음 그림과 같다.

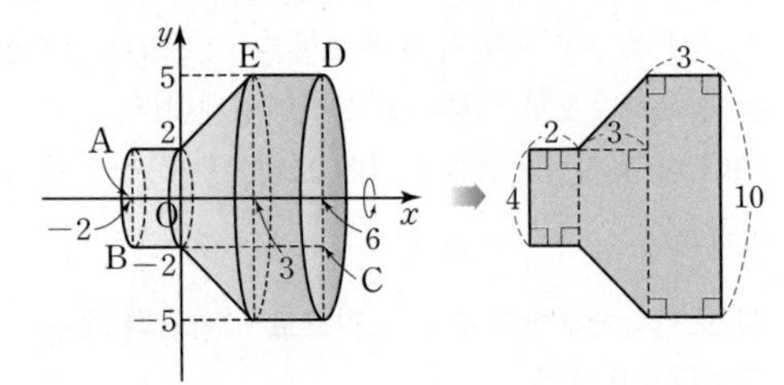

$\therefore$ (단면의 넓이)

$=4\times2+\frac{1}{2}\times(4+10)\times3+10\times3$

$=8+21+30=59$

6. 입체도형의 겉넓이와 부피

P. 64~66 개념+대표 문제 확인하기

1 8 **2** $108\pi\,\text{cm}^2$ **3** $96\,\text{cm}^2$
4 $105\,\text{cm}^3$ **5** $83\pi\,\text{cm}^3$ **6** $154\,\text{cm}^3$
7 9 **8** $240°$ **9** $117\,\text{cm}^2$ **10** 4
11 9 cm **12** $33\pi\,\text{cm}^2$ **13** $64\pi\,\text{cm}^2$
14 $313\pi\,\text{cm}^2$ **15** $\frac{56}{3}\pi\,\text{cm}^3$ **16** 27개
17 $\frac{16}{3}\pi\,\text{cm}^3$, $16\pi\,\text{cm}^3$

1 $(\text{겉넓이})=\left(\frac{1}{2}\times12\times5\right)\times2+(5+12+13)\times h$
$=300(\text{cm}^2)$
이므로 $60+30h=300$, $30h=240$
$\therefore h=8$

2 $(\text{밑넓이})=\pi\times\left(\frac{8}{2}\right)^2-\pi\times\left(\frac{4}{2}\right)^2$
$=16\pi-4\pi=12\pi(\text{cm}^2)$
$\therefore (\text{겉넓이})=12\pi\times2+\left(2\pi\times\frac{8}{2}\right)\times7+\left(2\pi\times\frac{4}{2}\right)\times7$
$=24\pi+56\pi+28\pi$
$=108\pi(\text{cm}^2)$

3 한 모서리의 길이가 2 cm인 정육면체 1개의 겉넓이는
$(2\times2)\times6=24(\text{cm}^2)$
맞닿아 있는 한 면의 넓이는 $2\times2=4(\text{cm}^2)$
옆면이 맞닿아 있는 경우는 3가지, 밑면이 맞닿아 있는 경우는 3가지이고, 각 경우마다 2개의 면이 맞닿아 있으므로 맞닿아 있는 면의 개수는
$(3+3)\times2=12$(개)
즉, 맞닿아 있는 면의 넓이의 합은
$4\times12=48(\text{cm}^2)$
$\therefore (\text{겉넓이})=24\times6-48$
$=144-48=96(\text{cm}^2)$

4 $(\text{밑넓이})=\left(\frac{1}{2}\times7\times4\right)+\left(\frac{1}{2}\times7\times2\right)$
$=14+7=21(\text{cm}^2)$
$\therefore (\text{부피})=(\text{밑넓이})\times(\text{높이})$
$=21\times5=105(\text{cm}^3)$

5 주어진 평면도형을 직선 l을 회전축으로 하여 1회전 시킬 때 생기는 입체도형은 오른쪽 그림과 같다.
$\therefore$ (부피)=(작은 원기둥의 부피)
+(큰 원기둥의 부피)
$=(\pi\times2^2)\times2+(\pi\times5^2)\times3$
$=8\pi+75\pi=83\pi(\text{cm}^3)$

6 처음 직육면체의 높이를 h cm라 하면 주어진 입체도형의 겉넓이는 처음 직육면체의 겉넓이와 같으므로
$(8\times6)\times2+(8+6+8+6)\times h=236$에서
$96+28h=236$, $28h=140$ $\therefore h=5(\text{cm})$
$\therefore$ (남은 입체도형의 부피)
=(처음 직육면체의 부피)−(작은 직육면체의 부피)
$=8\times6\times5-86$
$=240-86=154(\text{cm}^3)$

7 (겉넓이)=(밑넓이)+(옆넓이)
$=8\times8+\left(\frac{1}{2}\times8\times x\right)\times4$
$=16x+64(\text{cm}^2)$
이므로 $16x+64=208$, $16x=144$ $\therefore x=9$

8 주어진 원뿔의 전개도는 오른쪽 그림과 같다. 이때 원뿔의 모선의 길이를 l cm라 하면

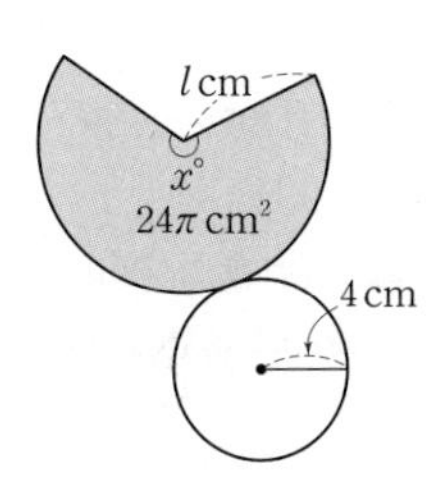

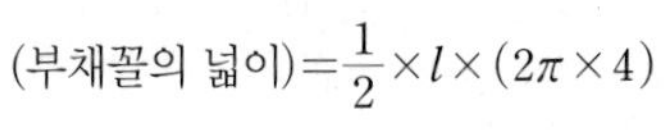
(부채꼴의 넓이)$=\frac{1}{2}\times l\times(2\pi\times4)$
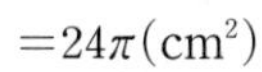
$=24\pi(\text{cm}^2)$
$\therefore l=6(\text{cm})$
부채꼴의 중심각의 크기를 $x°$라 하면
$2\pi\times6\times\frac{x}{360}=2\pi\times4$ $\therefore x=240(°)$
따라서 중심각의 크기는 240°이다.

9 (두 밑면의 넓이의 합)$=(6\times6)+(3\times3)=45(\text{cm}^2)$
(옆넓이)$=\left\{\frac{1}{2}\times(3+6)\times4\right\}\times4=72(\text{cm}^2)$
$\therefore$ (겉넓이)$=45+72=117(\text{cm}^2)$

10 (남아 있는 물의 부피)$=\frac{1}{3}\times\left(\frac{1}{2}\times12\times8\right)\times x=64(\text{cm}^3)$
에서 $16x=64$ $\therefore x=4$

11 삼각뿔 P−BCD의 부피는 처음 직육면체의 부피의 $\frac{3}{20}$이므로
$\frac{1}{3}\times\left(\frac{1}{2}\times4\times6\right)\times\overline{CP}=\frac{3}{20}\times(4\times6\times10)$에서
$4\overline{CP}=36$ $\therefore \overline{CP}=9(\text{cm})$

12 (겉넓이)=(반구 부분의 겉넓이)+(원뿔의 옆넓이)
$=\frac{1}{2}\times(4\pi\times3^2)+\pi\times3\times5$
$=18\pi+15\pi=33\pi(\text{cm}^2)$

13 (겉넓이)$=\frac{3}{4}\times$(반지름의 길이가 4 cm인 구의 겉넓이)
+(반지름의 길이가 4 cm인 원의 넓이)
$=\frac{3}{4}\times(4\pi\times4^2)+\pi\times4^2$
$=48\pi+16\pi=64\pi(\text{cm}^2)$

14 $(\text{겉넓이})=\{(\pi\times8^2)\times2-\pi\times5^2\}+2\pi\times8\times10$
$+\frac{1}{2}\times(4\pi\times5^2)$
$=103\pi+160\pi+50\pi$
$=313\pi(\text{cm}^2)$

15 $(\text{부피})=\frac{1}{2}\times\left(\frac{4}{3}\pi\times1^3\right)+\frac{1}{2}\times\left(\frac{4}{3}\pi\times3^3\right)$
$=\frac{2}{3}\pi+18\pi=\frac{56}{3}\pi(\text{cm}^3)$

16 (반지름의 길이가 9cm인 구 모양의 쇠구슬의 부피)
$=\frac{4}{3}\pi\times9^3=972\pi(\text{cm}^3)$
(반지름의 길이가 3cm인 구 모양의 쇠구슬의 부피)
$=\frac{4}{3}\pi\times3^3=36\pi(\text{cm}^3)$
$\therefore 972\pi\div36\pi=27$(개)

17 (원뿔의 부피) : (구의 부피)=1 : 2이므로
(원뿔의 부피) : $\frac{32}{3}\pi=1:2$
$\therefore$ (원뿔의 부피)$=\frac{32}{3}\pi\times\frac{1}{2}=\frac{16}{3}\pi(\text{cm}^3)$
(구의 부피) : (원기둥의 부피)=2 : 3이므로
$\frac{32}{3}\pi$: (원기둥의 부피)=2 : 3
$\therefore$ (원기둥의 부피)$=\frac{32}{3}\pi\times\frac{3}{2}=16\pi(\text{cm}^3)$
다른 풀이 구의 반지름의 길이를 $r$cm라 하면
$\frac{4}{3}\pi r^3=\frac{32}{3}\pi,\ r^3=8=2^3$
$\therefore r=2(\text{cm})$
$\therefore$ (원뿔의 부피)$=\frac{1}{3}\times(\pi\times2^2)\times4=\frac{16}{3}\pi(\text{cm}^3)$,
(원기둥의 부피)$=(\pi\times2^2)\times4=16\pi(\text{cm}^3)$

P. 67~69 **내신 5% 따라잡기**

1 $(74+14\pi)\text{cm}^2$	2 168000원	3 275cm^3
4 450cm^3	5 $(40\pi+80)\text{cm}^3$	6 ④
7 $45\pi\text{cm}^2$	8 $(36\pi-72)\text{cm}^2$	9 ①
10 $(36\pi+24)\text{cm}^3$	11 $\frac{500}{3}\text{cm}^3$	12 21초
13 6　14 4	15 $144\pi\text{cm}^2$	
16 $\frac{112}{9}\pi\text{cm}^3$	17 $54\pi\text{cm}^3$	
18 $\frac{104}{25}\text{cm}$	19 ③	

1 주어진 전개도로 만든 입체도형은 오른쪽 그림과 같다.

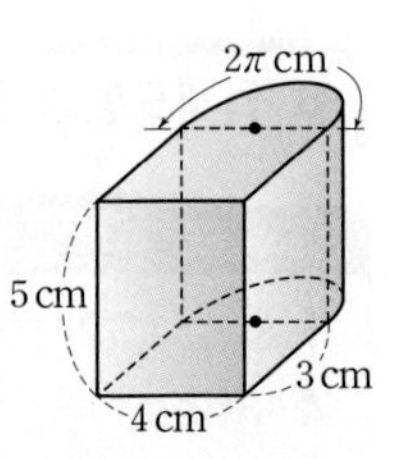

$\therefore$ (겉넓이)
$=\left(3\times4+\frac{1}{2}\times\pi\times2^2\right)\times2$
$+(4+3+2\pi+3)\times5$
$=(24+4\pi)+(50+10\pi)$
$=74+14\pi(\text{cm}^2)$

2 바닥을 제외한 모든 겉면의 넓이는
$\left\{\frac{1}{2}\times(3+6)\times4\times2\right\}\times2+(15\times3)\times2+(15\times5)\times2$
$=72+90+150=312(\text{m}^2)$
이때 비닐 한 롤당 13m^2를 덮을 수 있으므로 필요한 롤 수는
$312\div13=24$(롤)
따라서 필요한 비닐의 최소 비용은
$7000\times24=168000$(원)

3 관통하는 구멍은 밑면이 한 변의 길이가 2cm인 정사각형이고 높이가 7cm인 3개의 사각기둥 모양이다. 이때 구멍이 교차하는 부분은 한 모서리의 길이가 2cm인 정육면체이므로
(부피)=(정육면체의 부피)−(사각기둥의 부피)×3
+(교차하는 부분의 부피)×2
$=7\times7\times7-(2\times2\times7)\times3+(2\times2\times2)\times2$
$=343-84+16=275(\text{cm}^3)$

4 주어진 두 그림에서 우유의 부피는 같으므로
(우유갑 전체의 부피)
=(우유가 있는 부분의 부피)+(우유가 없는 부분의 부피)
$=6\times5\times11+6\times5\times4$
$=330+120=450(\text{cm}^3)$

5 45°만큼 기울인 그릇의 밑면은 오른쪽 그림과 같다.
$\therefore$ (버려진 물의 부피)

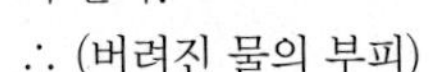

={(부채꼴 AOB의 넓이)

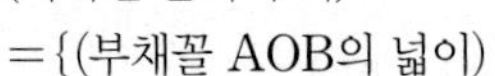

+(△OBC의 넓이)}×(기둥의 높이)
$=\left\{(\pi\times4^2)\times\frac{1}{4}+\frac{1}{2}\times4\times4\right\}\times10$
$=(4\pi+8)\times10$
$=40\pi+80(\text{cm}^3)$

6 주어진 직각삼각형을 직선 l을 회전축으로 하여 1회전 시킬 때 생기는 입체도형은 오른쪽 그림과 같으므로

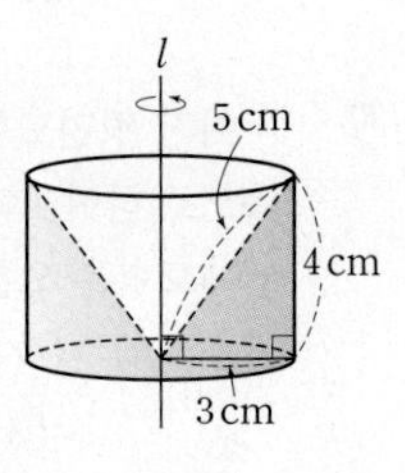

(회전체의 겉넓이)

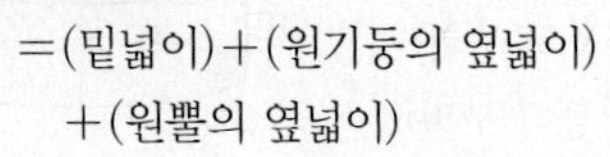

=(밑넓이)+(원기둥의 옆넓이)
+(원뿔의 옆넓이)
$=\pi\times3^2+2\pi\times3\times4+\pi\times3\times5$
$=9\pi+24\pi+15\pi=48\pi(\text{cm}^2)$

7 주어진 원뿔의 모선의 길이를 l cm라 하면 원 O의 둘레의 길이는 원뿔의 밑면인 원의 둘레의 길이의 4배이므로

$2\pi l=(2\pi\times3)\times4 \qquad \therefore l=12(\text{cm})$

$\therefore$ (겉넓이)$=\pi\times3^2+\pi\times3\times12$

$=9\pi+36\pi=45\pi(\text{cm}^2)$

8 주어진 원뿔을 전개도로 나타내면 구하는 부분의 넓이는 오른쪽 그림의 색칠한 부분의 넓이이다.

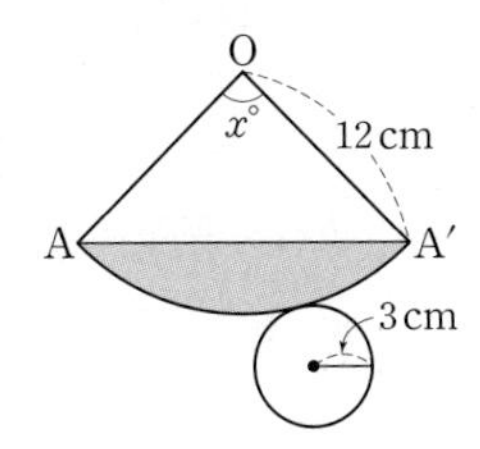

부채꼴의 중심각의 크기를 $x°$라 하면

$2\pi\times12\times\frac{x}{360}=2\pi\times3$

$\therefore x=90(°)$

$\therefore$ (색칠한 부분의 넓이)

$=$(부채꼴 AOA′의 넓이)$-$(△OAA′의 넓이)

$=\pi\times12^2\times\frac{90}{360}-\frac{1}{2}\times12\times12$

$=36\pi-72(\text{cm}^2)$

9 의태, 승현이가 마시는 부분은 원뿔대 모양이고, 은수가 마시는 부분은 원뿔 모양이므로

(의태가 마시는 음료수의 부피)

$=\frac{1}{3}\times(\pi\times3^2)\times15-\frac{1}{3}\times(\pi\times2^2)\times10$

$=45\pi-\frac{40}{3}\pi=\frac{95}{3}\pi(\text{cm}^3)$

(승현이가 마시는 음료수의 부피)

$=\frac{1}{3}\times(\pi\times2^2)\times10-\frac{1}{3}\times(\pi\times1^2)\times5$

$=\frac{40}{3}\pi-\frac{5}{3}\pi=\frac{35}{3}\pi(\text{cm}^3)$

(은수가 마시는 음료수의 부피)$=\frac{1}{3}\times(\pi\times1^2)\times5$

$=\frac{5}{3}\pi(\text{cm}^3)$

따라서 의태, 승현, 은수가 마시는 음료수의 부피의 비는

$\frac{95}{3}\pi : \frac{35}{3}\pi : \frac{5}{3}\pi=19:7:1$

10 주어진 입체도형은 다음 그림과 같이 2개의 입체도형으로 나누어진다.

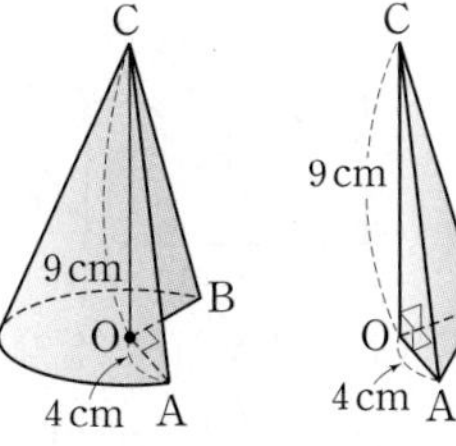

$\therefore$ (부피)$=\frac{1}{3}\times\left(\pi\times4^2\times\frac{270}{360}\right)\times9+\frac{1}{3}\times\left(\frac{1}{2}\times4\times4\right)\times9$

$=36\pi+24(\text{cm}^3)$

11 오른쪽 그림과 같이 사각뿔 O$-$ABCD의 밑면인 사각형 ABCD의 넓이는 정육면체의 한 면의 넓이의 $\frac{1}{2}$이므로

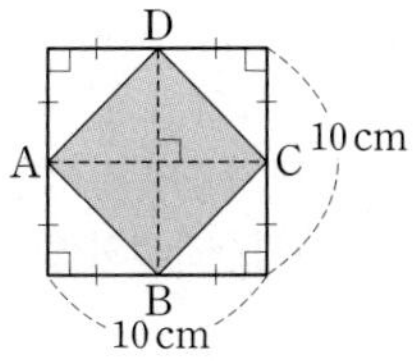

(사각형 ABCD의 넓이)

$=\frac{1}{2}\times(10\times10)=50(\text{cm}^2)$

이때 사각뿔의 높이는 정육면체의 높이와 같으므로

(부피)$=\frac{1}{3}\times50\times10$

$=\frac{500}{3}(\text{cm}^3)$

12 (3초 동안 채운 물의 부피)$=\frac{1}{3}\times(3\times3)\times6$

$=18(\text{cm}^3)$

즉, 1초에 $18\div3=6(\text{cm}^3)$씩 물을 넣은 것이다.

(그릇의 부피)$=\frac{1}{3}\times(6\times6)\times12$

$=144(\text{cm}^3)$

이므로 그릇에 물을 가득 채우는 데 $144\div6=24$(초)가 걸린다.

따라서 이 그릇에 물을 가득 채우려면 앞으로

$24-3=21$(초) 동안 물을 더 넣어야 한다.

13 정육면체의 한 모서리의 길이를 a라 하면

$V_1=$(정육면체의 부피)$=a\times a\times a=a^3$

정팔면체는 정사각뿔 2개를 붙여 놓은 것과 같고, 정사각뿔의 밑면은 대각선의 길이가 a인 정사각형이므로

(정사각뿔의 밑면의 넓이)$=\frac{1}{2}\times a\times a$

$=\frac{a^2}{2}$

또 정사각뿔의 높이는 $\frac{a}{2}$이므로

$V_2=$(정팔면체의 부피)

$=$(정사각뿔의 부피)$\times2$

$=\left(\frac{1}{3}\times\frac{a^2}{2}\times\frac{a}{2}\right)\times2$

$=\frac{a^3}{6}$

$\therefore \frac{V_1}{V_2}=a^3\div\frac{a^3}{6}$

$=a^3\times\frac{6}{a^3}=6$

14 (조각품 A의 옆넓이)$=$(조각품 B의 겉넓이)이므로

$\pi\times6\times(3+6)-\pi\times2\times3=\frac{1}{2}\times4\pi x^2+\pi x^2$에서

$48\pi=3\pi x^2$, $x^2=16=4^2$

$\therefore x=4$

15 오른쪽 그림과 같이 정팔면체는 정사각뿔 2개를 붙여 놓은 것과 같으므로 구의 반지름의 길이를 r cm라 하면

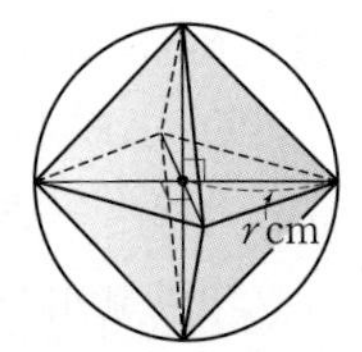

(정사각뿔의 밑면의 넓이)

$=\frac{1}{2}\times 2r\times 2r=2r^2(\text{cm}^2)$

정사각뿔의 높이는 r cm이므로

(정팔면체의 부피)=(정사각뿔의 부피)×2

$=\left(\frac{1}{3}\times 2r^2\times r\right)\times 2=288(\text{cm}^3)$

$\frac{4}{3}r^3=288,\ r^3=216=6^3 \quad \therefore r=6(\text{cm})$

∴ (구의 겉넓이)$=4\pi\times 6^2=144\pi(\text{cm}^2)$

16 주어진 평면도형을 직선 l을 회전축으로 하여 120°만큼 회전시킬 때 생기는 회전체는 오른쪽 그림과 같다.

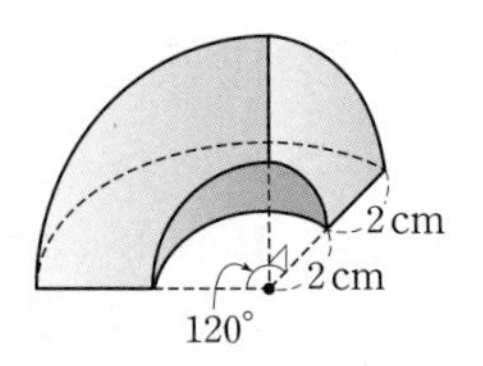

∴ (부피)

$=\left\{\frac{1}{2}\times\left(\frac{4}{3}\pi\times 4^3\right)\right\}\times\frac{120}{360}$

$-\left\{\frac{1}{2}\times\left(\frac{4}{3}\pi\times 2^3\right)\right\}\times\frac{120}{360}$

$=\frac{128}{9}\pi-\frac{16}{9}\pi=\frac{112}{9}\pi(\text{cm}^3)$

17 공의 반지름의 길이를 r cm라 하면 통의 높이는 $6r$ cm이고, 통의 부피가 162π cm³이므로

$\pi r^2\times 6r=162\pi,\ r^3=27=3^3 \quad \therefore r=3(\text{cm})$

∴ (공 1개의 부피)$=\frac{4}{3}\pi\times 3^3=36\pi(\text{cm}^3)$

∴ (남아 있는 물의 부피)=(통의 부피)−(공 3개의 부피)

$=162\pi-36\pi\times 3$

$=162\pi-108\pi=54\pi(\text{cm}^3)$

18 (처음 물병에 담겨 있던 물의 부피)$=(\pi\times 6^2)\times 10$

$=360\pi(\text{cm}^3)$

(구슬 1개의 부피)$=\frac{4}{3}\pi\times 2^3=\frac{32}{3}\pi(\text{cm}^3)$

이때 컵에 채워진 물의 높이를 h cm라 하면

(컵에 채워진 물과 구슬의 부피)

=(처음 물병에 담겨 있던 물의 부피)$\times\frac{1}{5}$

+(구슬 3개의 부피)

이므로

$(\pi\times 5^2)\times h=360\pi\times\frac{1}{5}+\frac{32}{3}\pi\times 3$

$25\pi h=72\pi+32\pi,\ 25\pi h=104\pi$

$\therefore h=\frac{104}{25}(\text{cm})$

따라서 컵에 채워진 물의 높이는 $\frac{104}{25}$ cm이다.

19 구의 반지름의 길이를 r라 하면 정육면체의 한 모서리의 길이와 사각뿔의 높이가 각각 $2r$이므로

(정육면체의 부피)$=2r\times 2r\times 2r$

$=8r^3$

(구의 부피)$=\frac{4}{3}\pi r^3$

(사각뿔의 부피)$=\frac{1}{3}\times(2r\times 2r)\times 2r$

$=\frac{8}{3}r^3$

따라서 구하는 부피의 비는

$8r^3 : \frac{4}{3}\pi r^3 : \frac{8}{3}r^3=6 : \pi : 2$

P. 70~71 내신 1% 뛰어넘기

01 $(138+18n)$ cm² **02** 352 cm³ **03** 80π cm³
04 14 cm **05** 3 : 2 **06** $\frac{1701}{2}\pi$ cm³

01 길잡이 먼저 한 번 자를 때 늘어나는 겉넓이를 구한다.

자르기 전의 사각기둥의 겉넓이는

$(3\times 3)\times 2+(3\times 10)\times 4$

$=18+120=138(\text{cm}^2)$

1번 자를 때마다 넓이가 $3\times 3=9(\text{cm}^2)$인 면이 2개씩 생기므로 겉넓이는 $9\times 2=18(\text{cm}^2)$씩 늘어난다.

따라서 n번 자른 경우는 겉넓이가 $(18\times n)$ cm²만큼 늘어나므로 n번 자른 경우의 겉넓이의 총합은

$(138+18n)$ cm²

02 길잡이 위, 앞, 옆에서 본 모양을 이용하여 입체도형을 그린다.

주어진 입체도형의 모양은 다음 그림과 같다.

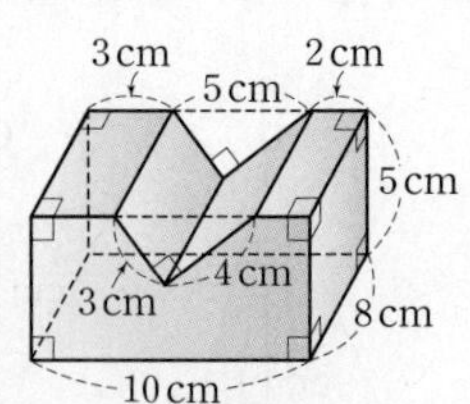

∴ (부피)=(직육면체의 부피)−(삼각기둥의 부피)

$=10\times 8\times 5-\left(\frac{1}{2}\times 3\times 4\right)\times 8$

$=400-48$

$=352(\text{cm}^3)$

03 길잡이 주어진 입체도형을 적당히 이동하여 하나의 원기둥 모양으로 만들어 본다.

주어진 입체도형을 오른쪽 그림과 같이 이동하면 구하는 부피는 밑면의 반지름의 길이가 2 cm, 높이가 20 cm인 원기둥의 부피와 같다.

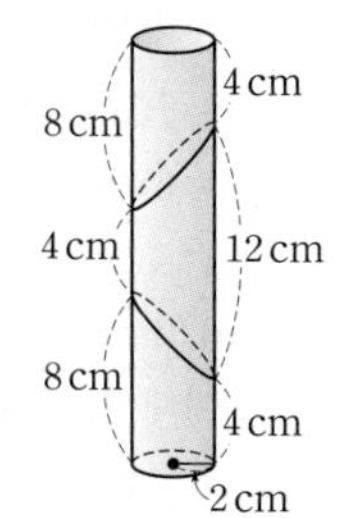

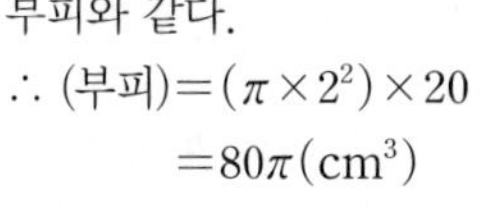

$\therefore$ (부피) $=(\pi\times 2^2)\times 20$

$=80\pi(\text{cm}^3)$

04 길잡이 주어진 평행사변형으로 만든 회전체는 밑면의 반지름의 길이가 8 cm, 모선의 길이가 $\frac{\overline{\text{AB}}}{2}$ cm인 원뿔대 2개가 붙어 있는 모양이다.

주어진 평행사변형을 직선 l을 회전축으로 하여 1회전 시킬 때 생기는 회전체는 오른쪽 그림과 같다.

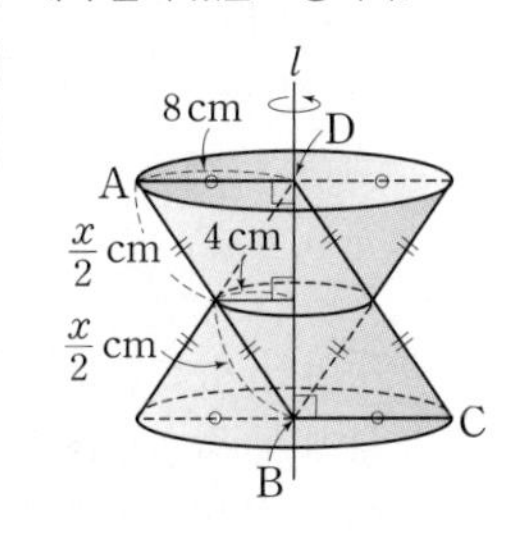

이때 $\overline{\text{AB}}=x$ cm라 하면

(겉넓이)

$=$(밑넓이)$\times 2$

$+$(원뿔대의 옆넓이)$\times 2$

$=(\pi\times 8^2)\times 2+\left(\pi\times 8\times x-\pi\times 4\times\frac{x}{2}\right)\times 2$

$=128\pi+12\pi x(\text{cm}^2)$

이때 회전체의 겉넓이는 296π cm²이므로

$128\pi+12\pi x=296\pi$, $12\pi x=168\pi$

$\therefore x=14(\text{cm})$

따라서 $\overline{\text{AB}}$의 길이는 14 cm이다.

05 길잡이 주어진 도형을 x축, y축을 회전축으로 하여 각각 1회전 시킬 때 생기는 회전체를 그린다.

주어진 도형을 x축을 회전축으로 하여 1회전 시킬 때 생기는 회전체는 오른쪽 그림과 같다.

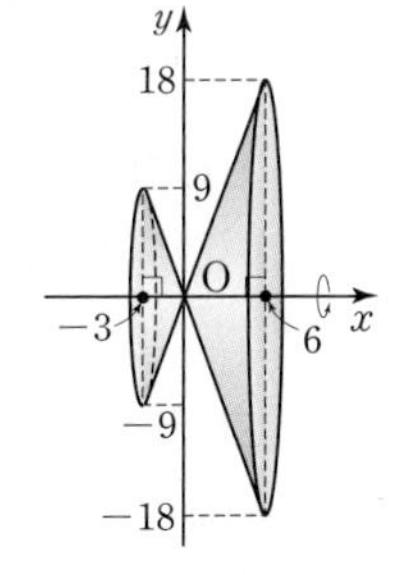

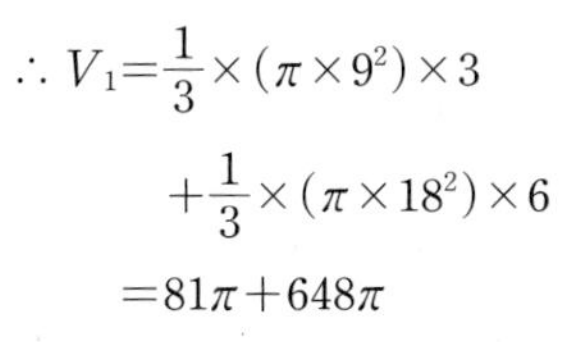

$\therefore V_1=\frac{1}{3}\times(\pi\times 9^2)\times 3$

$+\frac{1}{3}\times(\pi\times 18^2)\times 6$

$=81\pi+648\pi$

$=729\pi$

주어진 도형을 y축을 회전축으로 하여 1회전 시킬 때 생기는 회전체는 오른쪽 그림과 같다.

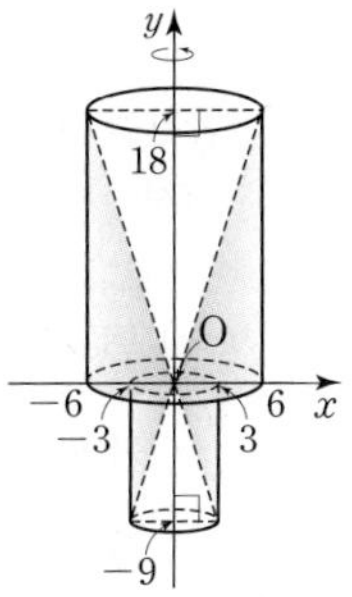

$\therefore V_2$

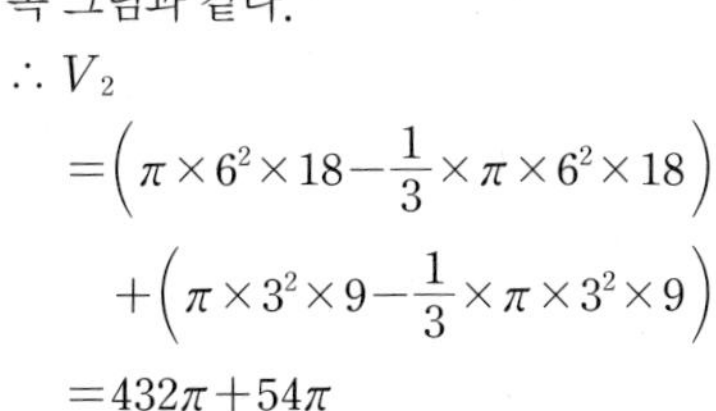

$=\left(\pi\times 6^2\times 18-\frac{1}{3}\times\pi\times 6^2\times 18\right)$

$+\left(\pi\times 3^2\times 9-\frac{1}{3}\times\pi\times 3^2\times 9\right)$

$=432\pi+54\pi$

$=486\pi$

$\therefore V_1 : V_2=729\pi : 486\pi$

$=3 : 2$

06 길잡이 벌이 최대한 움직일 수 있는 공간은 구에서 상자가 차지하는 공간을 뺀 공간과 같다.

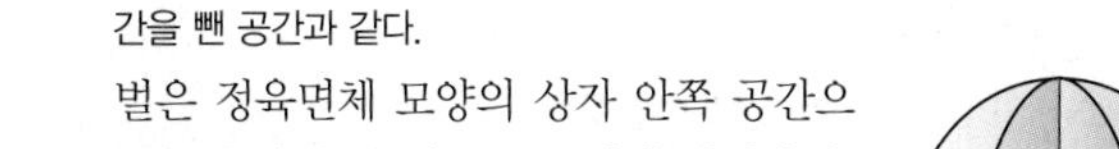

벌은 정육면체 모양의 상자 안쪽 공간으로는 움직일 수 없으므로 벌이 최대한 움직일 수 있는 공간을 나타내는 입체도형은 오른쪽 그림과 같이 반지름의 길이가 9 cm인 구의 $\frac{7}{8}$이다.

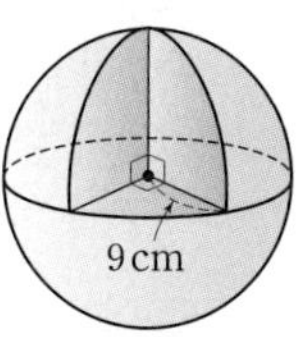

$\therefore$ (벌이 최대한 움직일 수 있는 공간의 부피)

$=\left(\frac{4}{3}\pi\times 9^3\right)\times\frac{7}{8}=\frac{1701}{2}\pi(\text{cm}^3)$

P. 72~73 5~6 서술형 완성하기

[과정은 풀이 참조]

1 육각형 **2** (1) 풀이 참조 (2) ㄴ, ㄹ, 이유는 풀이 참조

3 $\frac{144}{25}\pi$ cm² **4** (1) 풀이 참조 (2) 63π cm²

5 965 cm³ **6** 14 cm **7** 60 cm **8** $\frac{8}{3}$ cm

1 주어진 각뿔대를 n각뿔대라 하면

모서리의 개수는 $3n$개이고 … (i)

면의 개수는 $(n+2)$개이므로 … (ii)

$3n+(n+2)=26$, $4n=24$ $\therefore n=6$ … (iii)

따라서 주어진 각뿔대는 육각뿔대이므로 밑면의 모양은 육각형이다. … (iv)

채점 기준	비율
(i) n각뿔대의 모서리의 개수 구하기	30 %
(ii) n각뿔대의 면의 개수 구하기	30 %
(iii) n의 값 구하기	20 %
(iv) 밑면의 모양 구하기	20 %

2 (1) ① 각 면이 모두 합동인 정다각형이다.

② 각 꼭짓점에 모인 면의 개수가 같다. … (i)

(2) 정다면체가 아닌 것은 ㄴ, ㄹ이다. … (ii)

ㄴ에서 한 꼭짓점에 모인 면의 개수가 4개 또는 5개이다. 따라서 각 꼭짓점에 모인 면의 개수가 다르므로 정다면체가 아니다. … (iii)

ㄹ에서 면의 모양이 정오각형 또는 정육각형이다. 따라서 각 면이 모두 합동이 아니므로 정다면체가 아니다. … (iv)

채점 기준	비율
(i) 정다면체가 되기 위한 두 가지 조건 말하기	각 20 %
(ii) 정다면체가 아닌 것 찾기	20 %
(iii) ㄴ이 정다면체가 아닌 이유 설명하기	20 %
(iv) ㄹ이 정다면체가 아닌 이유 설명하기	20 %

3 주어진 직각삼각형 ABC를 $\overline{AC}$를 회전축으로 하여 1회전 시킬 때 생기는 회전체는 오른쪽 그림과 같다. $\cdots$ (i)

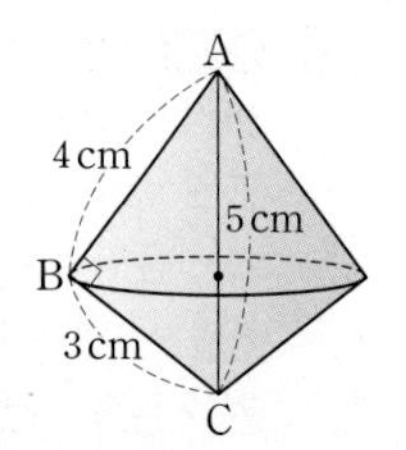

이 회전체를 $\overline{AC}$에 수직인 평면으로 자를 때 생기는 단면은 모두 원이고, 그중 가장 큰 원의 반지름의 길이를 r cm라 하면 $\triangle$ABC의 넓이에서

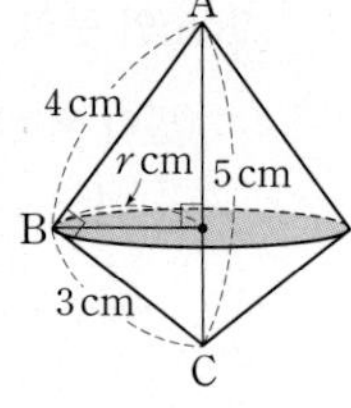

$\frac{1}{2}\times3\times4=\frac{1}{2}\times5\times r$

$\therefore r=\frac{12}{5}$(cm) $\cdots$ (ii)

따라서 가장 큰 단면의 넓이는

$\pi\times\left(\frac{12}{5}\right)^2=\frac{144}{25}\pi$(cm²) $\cdots$ (iii)

채점 기준	비율
(i) 겨냥도 그리기	30 %
(ii) 가장 큰 단면의 반지름의 길이 구하기	40 %
(iii) 가장 큰 단면의 넓이 구하기	30 %

4 (1) 주어진 평면도형을 직선 l을 회전축으로 하여 1회전 시킬 때 생기는 입체도형은 오른쪽 그림과 같다. $\cdots$ (i)

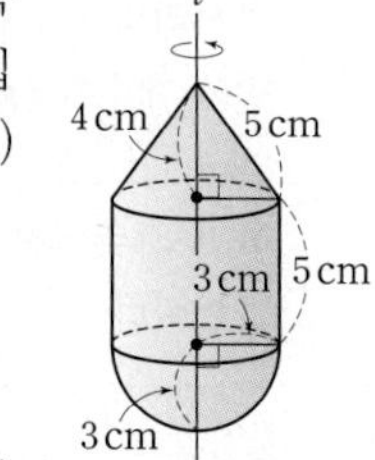

(2) (겉넓이)$=\pi\times3\times5+(2\pi\times3)\times5$

$+\frac{1}{2}\times(4\pi\times3^2)$

$=15\pi+30\pi+18\pi$

$=63\pi$(cm²) $\cdots$ (ii)

채점 기준	비율
(i) 겨냥도 그리기	40 %
(ii) 겉넓이 구하기	60 %

5 오른쪽 그림에서

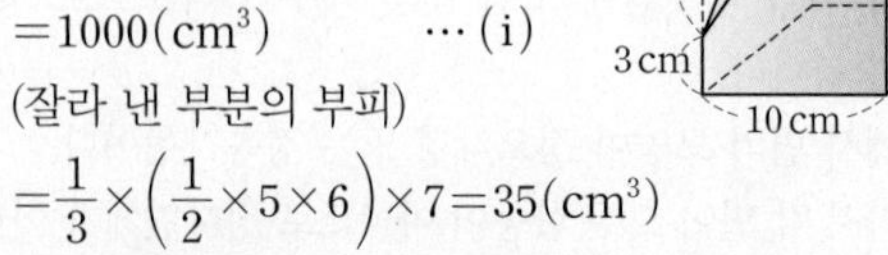

(정육면체의 부피)

$=10\times10\times10$

$=1000$(cm³) $\cdots$ (i)

(잘라 낸 부분의 부피)

$=\frac{1}{3}\times\left(\frac{1}{2}\times5\times6\right)\times7=35$(cm³) $\cdots$ (ii)

$\therefore$ (입체도형의 부피)$=1000-35$

$=965$(cm³) $\cdots$ (iii)

채점 기준	비율
(i) 정육면체의 부피 구하기	30 %
(ii) 잘라 낸 부분의 부피 구하기	40 %
(iii) 입체도형의 부피 구하기	30 %

6 원뿔대 모양의 그릇에 담겨 있는 물의 부피는

$\frac{1}{3}\times(\pi\times12^2)\times(8+8)-\frac{1}{3}\times(\pi\times6^2)\times8$

$=768\pi-96\pi$

$=672\pi$(cm³) $\cdots$ (i)

컵 1개에 들어가는 물의 부피는

$672\pi\div3=224\pi$(cm³) $\cdots$ (ii)

이때 컵 1개에 들어가는 물의 높이를 h cm라 하면

$\pi\times4^2\times h=224\pi$, $16\pi h=224\pi$

$\therefore h=14$(cm)

따라서 컵 1개에 들어가는 물의 높이는 14 cm이다. $\cdots$ (iii)

채점 기준	비율
(i) 원뿔대 모양의 그릇에 담겨 있는 물의 부피 구하기	40 %
(ii) 컵 1개에 들어가는 물의 부피 구하기	30 %
(iii) 컵 1개에 들어가는 물의 높이 구하기	30 %

7 주어진 정팔면체의 전개도의 일부에 두 점 M, N을 잇는 선의 길이가 최소가 되도록 선을 그으면 오른쪽 그림과 같다. $\cdots$ (i)

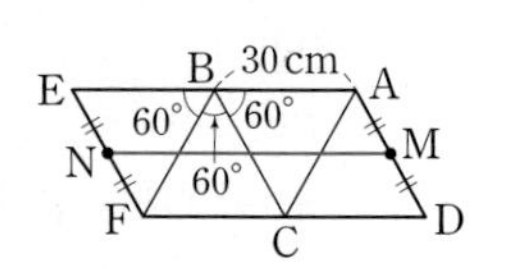

이때 사각형 EFDA는 정삼각형 4개로 이루어진 평행사변형이고 두 점 M, N은 각각 $\overline{AD}$, $\overline{EF}$의 중점이므로 사각형 ENMA는 평행사변형이다.

$\therefore$ (선의 최소 길이)$=\overline{MN}=\overline{AE}=2\overline{AB}$

$=2\times30=60$(cm) $\cdots$ (ii)

채점 기준	비율
(i) 정팔면체의 전개도의 일부에 두 점 M, N을 잇는 길이가 최소인 선 긋기	60 %
(ii) 선의 최소 길이 구하기	40 %

8 ($\triangle$DEF의 넓이)

$=$(사각형 ABCD의 넓이)

$-\{(\triangle$AED의 넓이$)+(\triangle$EBF의 넓이$)+(\triangle$DFC의 넓이$)\}$

$=8\times8-\left(\frac{1}{2}\times8\times4+\frac{1}{2}\times4\times4+\frac{1}{2}\times4\times8\right)$

$=64-40=24$(cm²) $\cdots$ (i)

이때 주어진 정사각형을 접어서 만든 입체도형은 오른쪽 그림과 같다.

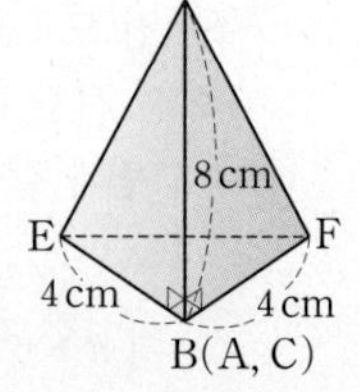

(삼각뿔 A$-$DEF의 부피)

$=$(삼각뿔 D$-$EBF의 부피)

이므로 $\triangle$DEF를 밑면으로 하는 삼각뿔의 높이를 h cm라 하면

$\frac{1}{3}\times24\times h=\frac{1}{3}\times\left(\frac{1}{2}\times4\times4\right)\times8$ $\cdots$ (ii)

$8h=\frac{64}{3}$ $\quad\therefore h=\frac{8}{3}$(cm)

따라서 $\triangle$DEF를 밑면으로 하는 삼각뿔의 높이는 $\frac{8}{3}$ cm이다. $\cdots$ (iii)

채점 기준	비율
(i) △DEF의 넓이 구하기	30 %
(ii) (삼각뿔 A−DEF의 부피)=(삼각뿔 D−EBF의 부피)임을 이용하여 식 세우기	40 %
(iii) 삼각뿔의 높이 구하기	30 %

7. 자료의 정리와 해석

P. 76~78 개념+대표 문제 확인하기

1 ④ **2** 37.5 % **3** 15 **4** 15명
5 40개 이상 50개 미만 **6** ①, ④ **7** 5 : 3
8 4배 **9** ㄱ, ㄷ
10 (1) $A=8$, $B=4$, $C=0.16$, $D=25$ (2) 20 %
11 40세 이상 50세 미만 **12** ㄱ, ㄷ, ㅁ

1 ① 전체 관람객은 $4+4+6+2=16$(명)이다.
③ 잎이 가장 많은 줄기는 잎이 6개인 3이다.
④ 38세 이상인 관람객은 38세, 38세, 39세, 43세, 47세의 5명이다.
따라서 옳지 않은 것은 ④이다.

2 나이가 30대인 관람객은 6명이므로 전체의
$\frac{6}{16}\times 100=37.5(\%)$

3 계급의 크기는 $20-10=10$(개)이므로 $x=10$
계급의 개수는 $10^{이상}\sim 20^{미만}$, $20\sim 30$, $30\sim 40$, $40\sim 50$, $50\sim 60$의 5개이므로 $y=5$
$\therefore x+y=10+5=15$

4 문자 메시지 수가 10개 이상 20개 미만인 학생 수를 A명, 40개 이상 50개 미만인 학생 수를 B명이라 하면
30개 미만인 학생 수는 $(A+4)$명이므로
$\frac{A+4}{30}\times 100=20$, $A+4=6$
$\therefore A=2$
$\therefore B=30-(2+4+9+4)=11$
따라서 문자 메시지 수가 40개 이상인 학생 수는
$11+4=15$(명)

5 문자 메시지를 많이 보낸 학생이 속하는 계급부터 학생 수를 나열하면
50개 이상 60개 미만: 4명
40개 이상 50개 미만: 11명
따라서 문자 메시지 수가 7번째로 많은 학생이 속하는 계급은 40개 이상 50개 미만이다.

6 ① 전체 학생 수는 $10+8+12+6+4=40$(명)이다.
② 도수가 가장 작은 계급은 도수가 4명인 10회 이상 12회 미만이다.
③ 도수가 6명 이하인 계급은 $8^{이상}\sim 10^{미만}$, $10\sim 12$의 2개이다.
④ 관람 횟수가 6회 미만인 학생은 $10+8=18$(명)이다.

⑤ 관람 횟수가 많은 학생이 속하는 계급부터 학생 수를 나열하면 10회 이상 12회 미만인 학생: 4명
8회 이상 10회 미만인 학생: 6명
이므로 관람 횟수가 6번째로 많은 학생이 속하는 계급은 8회 이상 10회 미만이다.
따라서 옳은 것은 ①, ④이다.

7 관람 횟수가 2번째로 적은 학생이 속하는 계급은 2회 이상 4회 미만이므로 이 계급의 직사각형의 넓이는
$2\times10=20$
관람 횟수가 10번째로 많은 학생이 속하는 계급은 8회 이상 10회 미만이므로 이 계급의 직사각형의 넓이는
$2\times6=12$
따라서 두 직사각형의 넓이의 비는
$20:12=5:3$

8 8시 이상 9시 미만인 계급의 손님 수: 24명
5시 이상 6시 미만인 계급의 손님 수: 6명
$\therefore 24\div6=4$(배)

9 ㄱ. 남학생 수와 여학생 수는 30명으로 같다.
ㄴ. 성적이 90점 이상 100점 미만인 학생은 남학생이 2명, 여학생이 5명이지만 이 중 누구의 음악 성적이 가장 좋은지는 알 수 없다.
ㄷ. 계급의 크기가 10점, 전체 학생 수는 30명으로 같으므로 각각의 도수분포다각형과 가로축으로 둘러싸인 부분의 넓이는 $10\times30=300$으로 서로 같다.
따라서 옳은 것은 ㄱ, ㄷ이다.

10 (1) $D=\frac{3}{0.12}=25$
$A=0.32\times25=8$
$B=25-(3+8+9+1)=4$
$C=\frac{4}{25}=0.16$
(2) 성적이 80점 이상인 계급의 상대도수의 합이 $0.16+0.04=0.2$이므로 80점 이상인 학생은 전체의 $0.2\times100=20(\%)$이다.

11 나이가 많은 사람이 속하는 계급부터 사람 수를 구하면
50세 이상 60세 미만: $0.15\times40=6$(명)
40세 이상 50세 미만: $0.3\times40=12$(명)
따라서 나이가 8번째로 많은 사람이 속하는 계급은 40세 이상 50세 미만이다.

12 ㄱ. A반에서 성적이 80점 이상인 계급의 상대도수의 합은 $0.22+0.14=0.36$이므로 A반 학생 전체의 $0.36\times100=36(\%)$이다.
ㄴ. A반과 B반 각각의 전체 학생 수는 알 수 없으므로 상대도수가 크다고 해서 학생 수가 더 많다고 할 수 없다.
ㄷ. B반에서 성적이 95점이면 90점 이상 100점 미만인 계급에 속하므로 이 계급에 속하는 학생은 B반 학생 전체의 $0.2\times100=20(\%)$이다.
즉, 성적이 95점인 학생은 B반에서 상위 20%에 속한다.
ㄹ. 계급의 크기는 10점, 상대도수의 총합은 1로 같으므로 각각의 그래프와 가로축으로 둘러싸인 부분의 넓이는 $10\times1=10$으로 서로 같다.
ㅁ. B반에 대한 그래프가 A반에 대한 그래프보다 전체적으로 오른쪽으로 더 치우쳐 있으므로 성적은 B반이 대체적으로 더 좋다고 할 수 있다.
따라서 옳은 것은 ㄱ, ㄷ, ㅁ이다.

P. 79~83 내신 5% 따라잡기

1 3장 **2** 3 **3** 5명 **4** ②, ⑤
5 $A=3$, $B=2$ **6** 45 kg 이상 50 kg 미만
7 ③, ④ **8** 31명 **9** ㄴ, ㄷ **10** 40% **11** 30명
12 ④ **13** 40배 **14** 20명 **15** 12명 **16** 1회
17 ③, ④ **18** 7명 **19** 30명 **20** 13명 **21** 50명
22 80등 **23** 4권 이상 6권 미만 **24** 2 : 3
25 A동아리: 18명, B동아리: 3명

1 전체 사진 15장의 40%는 $15\times\frac{40}{100}=6$(장)이므로 출품하려고 하는 사진은 용량이 9.9 MB, 9.8 MB, 9.5 MB, 9.1 MB, 9.1 MB, 8.6 MB인 사진이다.
이때 출품할 수 있는 사진 파일의 용량이 9.5 MB 미만이므로 출품할 수 있는 사진은 8.6 MB, 9.1 MB, 9.1 MB의 3장이다.

2 조립 시간이 40분 이하인 학생들의 조립 시간의 합이
$26+28+29+31+(30+x)=145$(분)이므로
$144+x=145 \quad \therefore x=1$
조립을 가장 빨리 한 학생의 조립 시간은 26분이므로 조립을 가장 오래 한 학생의 조립 시간은
$26\times2=52$(분) $\quad \therefore y=2$
$\therefore x+y=1+2=3$

3 잎의 총개수를 x개라 하면
줄기가 1인 잎의 개수가 잎의 총개수의 $\frac{3}{7}$이므로
$x\times\frac{3}{7}=6 \quad \therefore x=14$(개)
따라서 기록이 20초 이상인 학생 수는
$14-(3+6)=5$(명)

4 ② 여의도역에서 급행열차 2대가 동시에 출발하는 것은 오전 7시 11분, 23분, 35분, 47분, 59분의 5번이다.

③ 오전 8시대에는 당산역 방면 급행열차가 4대, 노량진역 방면 급행열차가 5대이므로 노량진역 방면으로 급행열차가 더 많이 출발한다.

④ 오전 6시 58분 이후 가장 빠른 노량진역 방면 급행열차의 출발 시각은 오전 7시 11분이므로 최소 13분을 기다려야 한다.

⑤ 오전 8시 51분 이후부터 오전 9시 전까지 당산역 방면으로 출발하는 급행열차는 없으므로 오전 9시 전에 당산역 방면 급행열차를 탈 수 없다.

따라서 옳지 않은 것은 ②, ⑤이다.

5 x, y를 제외한 변량을 도수분포표에 나타내면 다음 표와 같다.

횟수(회)	변량	도수(명)
10이상 ~ 20미만	12	1
20 ~ 30	20, 27	A
30 ~ 40	31, 33, 35, 36	4
40 ~ 50	40, 42	B
50 ~ 60	54	2
합계		12

이때 횟수가 50회 이상 60회 미만인 학생 수가 2명이므로 x, y 중 변량 1개는 50회 이상 60회 미만인 계급에 속하고, $A>B$이므로 나머지 변량 1개는 20회 이상 30회 미만인 계급에 속한다.

$\therefore A=3,\ B=2$

6 $A:B=1:5$에서 $B=5A$이므로

$A+7+8+5A+3=30,\ 6A=12$

$\therefore A=2,\ B=5A=10$

따라서 도수가 두 번째로 큰 계급은 45 kg 이상 50 kg 미만이다.

7 ①, ② 전체 학생 수는

$x+(2x+4)+34+30+(3x-8)+50=6x+110$(명)

이때 용돈을 8000원 이상 받은 학생 수는

$30+(3x-8)+50=3x+72$(명)이므로

$(6x+110)\times\frac{60}{100}=3x+72$

$360x+6600=300x+7200,\ 60x=600$

$\therefore x=10$

즉, 전체 학생 수는 $6\times10+110=170$(명)이다.

③ 5000원 이상 6000원 미만인 계급의 도수는 10명, 6000원 이상 7000원 미만인 계급의 도수는 $2\times10+4=24$(명), 9000원 이상 10000원 미만인 계급의 도수는 $3\times10-8=22$(명)이므로 용돈이 10000원 이상 11000원 미만인 학생이 50명으로 가장 많다.

④ 용돈이 7000원 미만인 학생은 전체의

$\frac{10+24}{170}\times100=20(\%)$이다.

⑤ 9000원 이상의 용돈을 받은 학생은

$22+50=72$(명)이므로 전체의

$\frac{72}{170}\times100=42.35\cdots(\%)$

즉, 9000원 이상의 용돈을 받은 학생은 절반이 되지 않는다.

따라서 옳은 것은 ③, ④이다.

8 TV 시청 시간이 30분 이상 60분 미만인 학생 수를 A명, 120분 이상 150분 미만인 학생 수를 B명이라 하자.

TV 시청 시간이 60분 미만인 학생 수는 $(1+A)$명이므로

$\frac{1+A}{40}\times100=10,\ 1+A=4$

$\therefore A=3$

$\therefore B=40-(1+3+5+6+10)=15$

따라서 100분 이상 TV를 시청한 학생 수가 최대일 때는 90분 이상 120분 미만인 계급에 속하는 학생 6명이 모두 100분 이상 TV를 시청했을 때이므로 최대 학생 수는 $6+15+10=31$(명)이다.

9 ㄱ. 승연이의 표에서 계급의 크기는 $7-5=2$(분), 은지의 표에서 계급의 크기는 $8-5=3$(분)

따라서 두 개의 도수분포표의 계급의 크기는 다르다.

ㄴ. $A=40-(2+6+7+9+5)=11$

두 개의 표에서 점심 식사 시간이 11분 미만인 학생 수는 같으므로

$2+6+7=3+B\qquad\therefore B=12$

$C=40-(3+12+8)=17$

ㄷ. 승연이의 표에서 11분 이상 15분 미만인 계급의 학생 수: $9+11=20$(명)

은지의 표에서 11분 이상 14분 미만인 계급의 학생 수: 17명

즉, 점심 식사 시간이 14분 이상 15분 미만인 학생 수는 $20-17=3$(명)

따라서 옳은 것은 ㄴ, ㄷ이다.

10 의섭이가 입단하기 전 배드민턴팀 선수의 수는

$2+7+12+8+4+1=34$(명)

즉, 의섭이가 입단했을 때의 전체 선수의 수는

$34+1=35$(명)

이때 의섭이의 키는 180 cm이므로 의섭이가 속하는 계급은 180 cm 이상 185 cm 미만이다.

키가 큰 선수들이 속하는 계급부터 선수의 수를 나열하면

190 cm 이상 195 cm 미만: 1명

185 cm 이상 190 cm 미만: 4명

180 cm 이상 185 cm 미만: 8명

따라서 의섭이의 키는 큰 쪽에서 14번째이므로

상위 $\frac{14}{35}\times100=40(\%)$에 속한다.

11 히스토그램에서 각 직사각형의 넓이는 각 계급의 도수에 정비례하므로 9개 이상 11개 미만인 계급의 도수를 x명이라 하면

$4 : 3 = x : 6$, $3x = 24$ $\therefore x = 8$(명)

따라서 전체 학생 수는

$4+5+8+6+7=30$(명)

12 ① $A=B=\frac{1}{2}\times4\times3=6$이므로

$A+B=6+6=12$

② $A=6$, $C=\frac{1}{2}\times4\times1=2$이므로

$A=3C$

③ $B=6$, $D=\frac{1}{2}\times4\times2=4$이므로

$B=\frac{3}{2}D$

④ $C=2$, $D=4$이므로

$D-C=4-2=2$

⑤ $C=2$, $E=D=4$이므로

$C=\frac{1}{2}E$

따라서 옳은 것은 ④이다.

13 두 삼각형 S와 T는 ASA 합동이므로 넓이가 2로 서로 같다. 이때 세로축의 눈금 한 칸이 나타내는 학생 수를 a명이라 하면

(삼각형 T의 넓이)$=\frac{1}{2}\times1\times2a=2$ $\therefore a=2$(명)

도수분포다각형과 가로축으로 둘러싸인 부분의 넓이는

$2\times(6+14+12+4+2+2)=2\times40=80$

따라서 도수분포다각형과 가로축으로 둘러싸인 부분의 넓이는 삼각형 T의 넓이의 $80\div2=40$(배)이다.

14 점수가 16점 이상 20점 미만인 학생 수를 x명이라 하면 8점 이상 12점 미만인 학생 수는 $2x$명이다.

이때 점수가 16점 이상인 학생이 전체의 20 %이므로

$(2+2x+8+x+1)\times\frac{20}{100}=x+1$

$2+2x+8+x+1=5x+5$, $-2x=-6$

$\therefore x=3$(명)

따라서 전체 학생 수는 $2+6+8+3+1=20$(명)

15 아침 식사를 한 날수가 20일 이상 25일 미만인 학생 수를 x명이라 하면

계급의 크기가 5일이고 도수분포다각형과 가로축으로 둘러싸인 부분의 넓이가 180이므로

$5\times(2+5+7+x+9+1)=180$

$5x+120=180$, $5x=60$ $\therefore x=12$(명)

따라서 아침 식사를 한 날수가 20일 이상 25일 미만인 학생 수는 12명이다.

16 어려운 문제가 많이 출제되면 수행평가 점수가 낮은 학생이 많아지므로 그래프가 왼쪽으로 치우친 1회의 수행평가에서 어려운 문제가 가장 많이 출제되었다고 할 수 있다.

17 ① 여학생 수와 남학생 수는 24명으로 같다.

② 여학생 중 줄넘기 횟수가 가장 적은 학생은 20회 이상 40회 미만인 계급에 속하고, 남학생 중 줄넘기 횟수가 가장 적은 학생은 40회 이상 60회 미만인 계급에 속하므로 줄넘기 횟수가 가장 적은 학생은 여학생이다.

③ 전체 학생 수는 48명이고 줄넘기 횟수가 100회 이상 120회 미만인 여학생은 1명, 남학생은 5명이므로 전체의 $\frac{1+5}{48}\times100=12.5(\%)$이다.

④ 남학생 중 줄넘기 횟수가 8번째로 많은 학생이 속하는 계급은 80회 이상 100회 미만이므로 도수는 9명이다.

⑤ 계급값이 70회인 계급은 60회 이상 80회 미만이고 이 계급에 속하는 여학생은 8명, 남학생은 6명이므로 여학생이 남학생보다 2명 더 많다.

따라서 옳은 것은 ③, ④이다.

18 상대도수의 총합은 항상 1이므로 10회 이상 20회 미만인 계급의 상대도수의 합은

$1-(0.075+0.3+0.1)=0.525$

방문 횟수가 10회 이상 15회 미만인 학생 수와 15회 이상 20회 미만인 학생 수의 비가 $2 : 1$이고, 각 계급의 상대도수는 그 계급의 도수에 정비례하므로 상대도수의 비도 $2 : 1$이다.

이때 방문 횟수가 17회인 학생이 속하는 계급은 15회 이상 20회 미만이므로 이 계급의 상대도수는

$0.525\times\frac{1}{2+1}=0.175$

따라서 방문 횟수가 17회인 학생이 속하는 계급의 도수는

$0.175\times40=7$(명)

19 전체 학생 수는 $\frac{40}{0.16}=250$(명)

몸무게가 50 kg 이상인 학생이 전체의 72 %이므로 이 계급의 상대도수의 합은 0.72이다.

또 45 kg 이상 50 kg 미만인 계급의 상대도수는

$1-(0.16+0.72)=0.12$

따라서 몸무게가 45 kg 이상 50 kg 미만인 학생 수는

$0.12\times250=30$(명)

20 상대도수의 총합은 항상 1이므로 60점 이상 70점 미만인 계급의 상대도수는

$1-(0.12+0.14+0.2+0.18+0.1)=0.26$

사회 성적이 90점 이상 100점 미만인 학생 수가 5명이므로 전체 학생 수는

$\frac{5}{0.1}=50$(명)

따라서 사회 성적이 60점 이상 70점 미만인 학생 수는

$0.26\times50=13$(명)

21 상대도수의 총합은 항상 1이므로 14점 이상 16점 미만인 계급의 상대도수는

$1-(0.12+0.18+0.26+0.12)=0.32$

이때 전체 학생 수를 x명이라 하면

점수가 12점인 학생이 속하는 계급은 12점 이상 14점 미만이므로 도수는 $0.18x$명

점수가 15점인 학생이 속하는 계급은 14점 이상 16점 미만이므로 도수는 $0.32x$명

이때 점수가 12점인 학생이 속하는 계급의 도수가 15점인 학생이 속하는 계급의 도수보다 7명이 적으므로

$0.18x=0.32x-7$, $0.14x=7$

$\therefore x=50$(명)

따라서 전체 학생 수는 50명이다.

22 1반의 학생 수는 40명이므로 10등까지의 학생이 1학년 1반에서 차지하는 비율은

$\frac{10}{40}=0.25$

이때 80점 이상인 계급의 상대도수의 합이

$0.2+0.05=0.25$이므로 1학년 1반에서 10등인 학생의 성적은 80점 이상이다.

또 1학년 전체 학생 수는 400명이므로 성적이 80점 이상인 학생 수는

$(0.16+0.04)\times 400=80$(명)

따라서 1반에서 10등인 학생은 1학년 전체에서 적어도 80등 안에 든다고 할 수 있다.

23 A, B 두 학교에서 각 계급의 상대도수를 각각 구하면 다음 표와 같다.

책의 수(권)	상대도수	
	A학교	B학교
$0^{이상}\sim 2^{미만}$	$\frac{15}{60}=0.25$	$\frac{10}{40}=0.25$
$2\sim 4$	$\frac{12}{60}=0.2$	$\frac{8}{40}=0.2$
$4\sim 6$	$\frac{15}{60}=0.25$	$\frac{13}{40}=0.325$
$6\sim 8$	$\frac{18}{60}=0.3$	$\frac{9}{40}=0.225$
합계	1	1

따라서 A학교보다 B학교의 상대도수가 더 큰 계급은 4권 이상 6권 미만이다.

24 남학생과 여학생의 전체 학생 수를 각각 $4a$명, $3a$명(a는 자연수)이라 하고, 시력이 0.7 이상 0.9 미만인 계급의 상대도수를 각각 b, $2b$라 하면 이 계급의 남학생 수와 여학생 수의 비는

$b\times 4a : 2b\times 3a=4ab : 6ab=2 : 3$

25 A동아리의 10시간 이상 12시간 미만인 계급의 도수는 4명, 상대도수는 0.1이므로 전체 학생 수는 $\frac{4}{0.1}=40$(명)

B동아리에서 10시간 이상 12시간 미만인 계급의 도수는 4명, 상대도수는 0.2이므로 전체 학생 수는 $\frac{4}{0.2}=20$(명)

A동아리와 B동아리에서 취미 활동 시간이 6시간 미만인 계급의 상대도수의 합은 각각

$0.15+0.3=0.45$, $0.05+0.1=0.15$이므로

두 동아리의 취미 활동 시간이 6시간 미만인 학생은 각각

A동아리: $40\times 0.45=18$(명), B동아리: $20\times 0.15=3$(명)

P. 84~85 내신 1% 뛰어넘기

01 51분 **02** 9 **03** 180 **04** 8.7 % **05** 48명
06 2학년, 22명

01 길잡이 전체 학생 수를 구한 후 은수가 오후에 게임을 한 시간을 구한다.

전체 학생 수를 x명이라 하면

오후에 게임을 한 시간이 30분 미만인 학생 수가 전체의 $\frac{2}{5}$이므로

$x\times\frac{2}{5}=10$ $\quad\therefore x=25$(명)

즉, 오후에 게임을 한 시간이 40분 이상 50분 미만인 학생 수는

$25-(3+7+5+4)=6$(명)

따라서 은수가 오후에 게임을 한 시간은 많은 쪽에서 11번째인 35분이므로 은수가 하루 동안 게임을 한 시간은

$16+35=51$(분)이다.

02 길잡이 컴퓨터 사용 시간이 90분 이상인 학생이 전체의 20 %임을 이용하여 x, y의 값의 범위를 각각 구한다.

컴퓨터 사용 시간이 90분 이상인 학생 수는 $40\times\frac{20}{100}=8$(명), 80분 이상인 학생 수는 $(y+4)$명이므로

$y\geq 4$ $\quad\cdots$ ㉠

전체 학생 수가 40명이므로

$4+6+x+9+y+4=40$ $\quad\therefore x+y=17$ $\quad\cdots$ ㉡

㉠, ㉡에서 $x\leq 13$ $\quad\cdots$ ㉢

컴퓨터 사용 시간이 70분 미만인 학생 수가 최대일 때는 60분 이상 80분 미만인 계급에 속하는 학생 9명의 사용 시간이 모두 70분 미만일 때이다.

즉, 컴퓨터 사용 시간이 70분 미만인 학생 수가 최대일 때는 $4+6+x+9=19+x$의 값이 최대일 때이다.

따라서 x의 값이 최대일 때 $x+19$의 값이 최대이므로

㉢에서 $x=13$

㉡에서 $13+y=17$ $\quad\therefore y=4$

$\therefore x-y=13-4=9$

03 길잡이 도수분포다각형과 가로축으로 둘러싸인 부분의 넓이는 히스토그램의 각 직사각형의 넓이의 합과 같다.

등교 시각이 7시 50분 이상 8시 미만인 학생 수를 a명, 8시 10분 이상 8시 20분 미만인 학생 수를 b명이라 하면
8시 미만인 학생 수는 $(1+a)$명이므로

$30\times\frac{10}{100}=1+a$, $3=1+a$ $\therefore a=2$(명)

전체 학생 수는 30명이므로

$1+2+4+b+8+5=30$

$b+20=30$ $\therefore b=10$(명)

이때 도수분포다각형의 가장 높은 점의 가로축의 시각은 8시 15분이므로 이 점에서 가로축에 수선을 내리면 다음 그림과 같다.

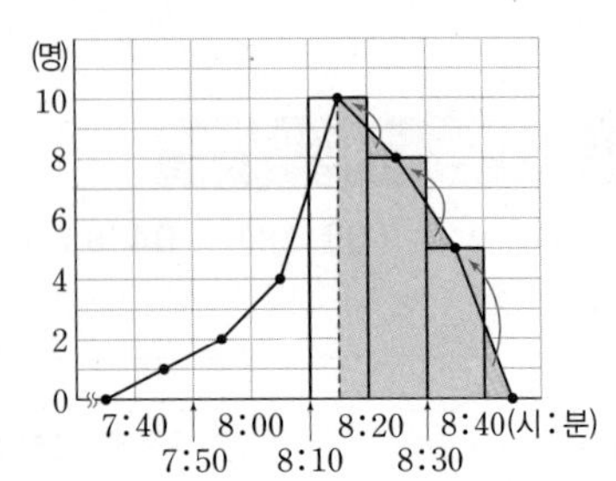

따라서 나누어진 오른쪽 부분의 넓이는 히스토그램에서의 오른쪽 부분의 넓이와 같으므로

$\frac{10}{2}\times10+10\times8+10\times5=180$

04 길잡이 A동아리 학생이 B동아리로 옮기면 B동아리의 전체 학생 수는 1명 늘어난다.

A동아리의 학생 수는 $6+10+16+13+5=50$(명)이므로
A동아리에서 상위 10 %에 속하는 학생 수는

$50\times\frac{10}{100}=5$(명)

이때 A동아리에서 성적이 90점 이상 100점 미만인 학생 수가 5명이므로 상위 10 %에 속하는 학생들의 성적은 90점 이상이다.

또 B동아리의 학생 수는 $7+11+14+10+3=45$(명)이고, B동아리에서 성적이 90점 이상인 학생 수는 3명이므로 A동아리에서 90점 이상인 학생 1명이 B동아리로 옮기면 이 계급의 학생은 전체의

$\frac{3+1}{45+1}\times100=8.695\cdots\fallingdotseq8.7$(%)이다.

따라서 A동아리에서 상위 10 %에 속하는 학생 1명이 B동아리로 옮기면 그 학생은 B동아리에서 적어도 상위 8.7 %에 속한다.

05 길잡이 학생 수는 자연수이므로 각 계급에서 도수가 모두 자연수가 되도록 하는 전체 학생 수를 찾는다.

상대도수의 총합은 항상 1이므로 70점 이상 80점 미만인 계급의 상대도수는

$1-\left(\frac{1}{16}+\frac{1}{8}+\frac{1}{2}+\frac{1}{4}\right)=1-\frac{15}{16}=\frac{1}{16}$

전체 학생 수를 x명이라 하면 각 계급의 도수는 차례로

$\frac{1}{16}x$명, $\frac{1}{8}x$명, $\frac{1}{16}x$명, $\frac{1}{2}x$명, $\frac{1}{4}x$명이다.

이때 학생 수는 자연수이므로 x는 2, 4, 8, 16의 공배수이어야 한다.

따라서 2, 4, 8, 16의 최소공배수는 16이고 16의 배수 중 40 이상 50 이하인 수는 48이므로 1학년 전체 학생 수는 48명이다.

06 길잡이 1학년과 2학년의 전체 학생 수를 각각 구한 후 20초 이상인 학생 수를 구한다.

1학년과 2학년의 16초 미만인 계급의 상대도수의 합은 각각

1학년: $0.12+0.2=0.32$

2학년: $0.04+0.1=0.14$

이므로 1학년과 2학년의 전체 학생 수는 각각

1학년: $\frac{80}{0.32}=250$(명)

2학년: $\frac{28}{0.14}=200$(명)

이때 상대도수의 총합은 항상 1이므로 1학년과 2학년의 20초 이상인 계급의 상대도수는 각각

1학년: $1-(0.12+0.2+0.4+0.24)=0.04$

2학년: $1-(0.04+0.1+0.34+0.36)=0.16$

따라서 1학년과 2학년에서 기록이 20초 이상인 학생 수는

1학년: $0.04\times250=10$(명)

2학년: $0.16\times200=32$(명)

이므로 2학년이 $32-10=22$(명) 더 많다.

P. 86~87 7 서술형 완성하기

[과정은 풀이 참조]

1 10개 **2** 12.5 % **3** 12명 **4** 0.22 **5** 9명
6 A학교, 91명 **7** 60점 **8** $A=0.52$, $B=0.16$

1 10월과 11월에 받은 칭찬 도장의 수의 합을 x개라 하면
네 달 동안 받은 칭찬 도장의 수는

$3+x+4=x+7$(개)이므로

$(x+7)\times\frac{30}{100}=x$ ⋯ (i)

$30x+210=100x$, $-70x=-210$

$\therefore x=3$ ⋯ (ii)

따라서 네 달 동안 받은 칭찬 도장의 수는

$3+7=10$(개) ⋯ (iii)

채점 기준	비율
(i) 10월과 11월에 받은 칭찬 도장의 수의 합을 구하는 식 세우기	50 %
(ii) 10월과 11월에 받은 칭찬 도장의 수의 합 구하기	30 %
(iii) 네 달 동안 받은 칭찬 도장의 수 구하기	20 %

2 몸무게가 45 kg 미만인 학생 수는

$40\times\frac{25}{100}=10$(명)이므로 … (i)

40 kg 이상 45 kg 미만인 학생 수는

$10-2=8$(명) … (ii)

따라서 55 kg 이상 60 kg 미만인 학생은

$40-(2+8+10+13+2)=5$(명)이므로 … (iii)

전체의 $\frac{5}{40}\times100=12.5$(%)이다. … (iv)

채점 기준	비율
(i) 몸무게가 45 kg 미만인 학생 수 구하기	30 %
(ii) 몸무게가 40 kg 이상 45 kg 미만인 학생 수 구하기	20 %
(iii) 몸무게가 55 kg 이상 60 kg 미만인 학생 수 구하기	20 %
(iv) 백분율(%) 구하기	30 %

3 수면 시간이 6시간 미만인 학생 수가 $3+6=9$(명)이고 이 학생은 전체의 25 %이므로

(전체 학생 수)$\times\frac{25}{100}=9$

∴ (전체 학생 수)$=36$(명) … (i)

수면 시간이 6시간 이상 8시간 미만인 학생 수는

$36-(3+6+7)=20$(명) … (ii)

따라서 수면 시간이 6시간 이상 7시간 미만인 학생 수와 7시간 이상 8시간 미만인 학생 수의 비가 2 : 3이므로 7시간 이상 8시간 미만인 학생 수는

$20\times\frac{3}{2+3}=12$(명) … (iii)

채점 기준	비율
(i) 전체 학생 수 구하기	40 %
(ii) 수면 시간이 6시간 이상 8시간 미만인 학생 수 구하기	20 %
(iii) 수면 시간이 7시간 이상 8시간 미만인 학생 수 구하기	40 %

4 전체 학생 수는 $\frac{7}{0.14}=50$(명) … (i)

기록이 20 m 이상 25 m 미만인 학생 수는

$0.18\times50=9$(명) … (ii)

기록이 30 m 이상 35 m 미만인 학생 수는

$50-(7+9+18+5)=11$(명) … (iii)

기록이 좋은 학생이 속하는 계급부터 학생 수를 나열하면

35 m 이상 40 m 미만: 5명

30 m 이상 35 m 미만: 11명

따라서 기록이 13번째로 좋은 학생이 속하는 계급은 30 m 이상 35 m 미만이므로 상대도수는

$\frac{11}{50}=0.22$ … (iv)

채점 기준	비율
(i) 전체 학생 수 구하기	20 %
(ii) 기록이 20 m 이상 25 m 미만인 학생 수 구하기	30 %
(iii) 기록이 30 m 이상 35 m 미만인 학생 수 구하기	20 %
(iv) 구하는 계급의 상대도수 구하기	30 %

5 마신 물의 양이 1.6 L 이상 2.0 L 미만인 학생 수가 10명이므로 전체 학생 수는 $\frac{10}{0.2}=50$(명) … (i)

0.8 L 이상 1.6 L 미만인 학생 수는

$50\times\{1-(0.14+0.2+0.12)\}=50\times0.54$

$=27$(명) … (ii)

따라서 0.8 L 이상 1.2 L 미만인 학생 수와 1.2 L 이상 1.6 L 미만인 학생 수의 비가 1 : 2이므로

0.8 L 이상 1.2 L 미만인 학생 수는

$27\times\frac{1}{1+2}=9$(명) … (iii)

채점 기준	비율
(i) 전체 학생 수 구하기	30 %
(ii) 마신 물의 양이 0.8 L 이상 1.6 L 미만인 학생 수 구하기	30 %
(iii) 마신 물의 양이 0.8 L 이상 1.2 L 미만인 학생 수 구하기	40 %

6 A학교에서 7시간 이상인 계급의 상대도수의 합은

$0.16+0.1+0.06+0.02=0.34$

이므로 A학교에서 운동 시간이 7시간 이상인 학생 수는

$400\times0.34=136$(명) … (i)

B학교에서 7시간 이상인 계급의 상대도수의 합은

$0.12+0.08+0.06+0.04=0.3$

이므로 B학교에서 운동 시간이 7시간 이상인 학생 수는

$150\times0.3=45$(명) … (ii)

따라서 일주일 동안의 운동 시간이 7시간 이상인 학생은 A학교가 $136-45=91$(명) 더 많다. … (iii)

채점 기준	비율
(i) A학교에서 운동 시간이 7시간 이상인 학생 수 구하기	40 %
(ii) B학교에서 운동 시간이 7시간 이상인 학생 수 구하기	40 %
(iii) 운동 시간이 7시간 이상인 학생은 어느 학교가 몇 명 더 많은지 구하기	20 %

7 전체 학생 수는 $4+6+11+10+7+2=40$(명) … (i)

상위 75 %에 속하는 학생 수는

$40\times\frac{75}{100}=30$(명) … (ii)

점수가 높은 학생이 속하는 계급부터 학생 수를 나열하면

90점 이상 100점 미만: 2명,

80점 이상 90점 미만: 7명,

70점 이상 80점 미만: 10명,

60점 이상 70점 미만: 11명

이므로 점수가 30번째로 높은 학생이 속하는 계급은 60점 이상 70점 미만이다.

따라서 혜진이는 국어 점수가 적어도 60점 이상이다. … (iii)

채점 기준	비율
(i) 전체 학생 수 구하기	20 %
(ii) 상위 75 %에 속하는 학생 수 구하기	30 %
(iii) 혜진이는 국어 점수가 적어도 몇 점 이상인지 구하기	50 %

8 이번 학기 도수를 도수분포표에 나타내면 다음 표와 같다.

과학 성적(점)	지난 학기 도수(명)	이번 학기 상대도수	이번 학기 도수(명)
40이상 ~ 50미만	3	0.04	1
50 ~ 60	4	0.2	5
60 ~ 70	12	A	
70 ~ 80	1	0	0
80 ~ 90	3	B	
90 ~ 100	2	0.08	2
합계	25	1	25

… (i)

이때 성적이 40점 이상 50점 미만인 학생들 중 2명이 한 계급 올라갔고, 50점 이상 60점 미만인 학생들 중 1명이 한 계급 올라갔으므로 이번 학기에 60점 이상 70점 미만인 학생 수는 $12+1=13$(명)이다.

$\therefore A=\frac{13}{25}=0.52$ … (ii)

또 성적이 70점 이상 80점 미만인 학생들 중 1명이 한 계급 올라갔으므로 이번 학기에 80점 이상 90점 미만인 학생 수는 $3+1=4$(명)이다.

$\therefore B=\frac{4}{25}=0.16$ … (iii)

채점 기준	비율
(i) 이번 학기 도수를 도수분포표에 나타내기	20 %
(ii) A의 값 구하기	40 %
(iii) B의 값 구하기	40 %

MEMO

MEMO